O Líder Emocionalmente Saudável

Como a transformação de sua vida interior **transformará** sua igreja, sua equipe e o mundo

Peter Scazzero

The Emotionally Healthy Leader

1ª edição: junho de 2016
6ª reimpressão: março de 2025

Tradução: Onofre Muniz
Revisão: Norma Braga (copidesque) e Raquel Fleischner (provas)
Diagramação: Felipe Marques
Capa: Maquinaria Studio
Editor: Aldo Menezes
Coordenador de produção: Mauro Terrengui
Impressão e acabamento: Imprensa da Fé

Editora Hagnos Ltda.
Rua Geraldo Flausino Gomes, 42, conj. 41
CEP 04575-060 — São Paulo, SP
Tel.: (11) 5990-3308

E-mail: editorial@hagnos.com.br | Home page: www.hagnos.com.br
Editora associada à Associação Brasileira de Direitos Reprográficos (ABDR)

Dados Internacionais de Catalogação na Publicação (CIP)

Scazzero, Peter
O líder emocionalmente saudável : como a transformação de sua vida interior transformará sua igreja, sua equipe e o mundo / Peter Scazzero ; tradução de Onofre Muniz. — São Paulo : Hagnos, 2016.

ISBN 978-85-243-0514-6

Título original: Emotionally Healthy - Leader

1. Lideres religiosos - Saúde mental 2. Liderança cristã 3. Clero - Saúde mental I. Título II. Muniz, Onofre

16-0241 CDD 253

Índices para catálogo sistemático:
1. Lideres religiosos - Saúde mental

Angélica Ilacqua CRB-8/7057

A Geri,

que me ensinou o significado e as
implicações da palavra *integridade.*

SUMÁRIO

Minha história de uma liderança emocionalmente doentia

Eu cresci numa família ítalo-americana num subúrbio de Nova Jersey, a pouco mais de um quilômetro dos arranha-céus de Manhattan. Embora vivêssemos a poucos minutos de uma das cidades mais heterogêneas do mundo, nossa vida era estritamente definida étnica, social e espiritualmente. Quando eu tinha uns 10 anos, lembro-me de meu pai comentando certo dia que éramos católicos romanos vivendo numa grande cidade de brancos, anglo-saxões e protestantes. Fiquei confuso porque todos os nossos amigos eram católicos romanos e a maioria deles era italiana. O que mais uma pessoa poderia ser?

Meu pai era ferrenhamente leal à igreja; minha mãe não. Ela gostava de ciganos, videntes e tarólogos, cultivando uma enorme variedade de superstições herdadas há séculos de sua família italiana. Quando ficávamos doentes, por exemplo, a primeira coisa que mamãe fazia era chamar "Tia Jô". Tia Jô era uma médium que fazia algumas rezas para ver se tínhamos "mau olhado", um sinal invisível de que alguém tinha nos amaldiçoado. Depois, ela descrevia os passos necessários para remover a "má sorte".

Na adolescência, eu e meus irmãos mais velhos rejeitamos tanto a igreja quanto as superstições italianas. Meus pais ficaram arrasados quando meu irmão Anthony abandonou a faculdade e entrou para a Igreja da Unificação, fundada pelo autoproclamado messias Sun Myung Moon. Aos 16 anos, eu já era um agnóstico convicto; se não fosse por isso, talvez tivesse acompanhado os passos do meu irmão. Nenhum de nós poderia saber naquela época, mas aquelas escolhas precoces nos colocaram nas jornadas espirituais que continuam até hoje. Meu irmão permanece ativamente comprometido com a Igreja da Unificação, e eu passei não por uma, mas por várias conversões na vida.

UMA JORNADA ESPIRITUAL COM QUATRO CONVERSÕES

Quando eu digo às pessoas que tive muitas conversões, quero dizer literalmente. De fato, tive a experiência de quatro dramáticas conversões, e cada uma delas colocou minha vida numa direção radicalmente diferente.

Conversão 1: De agnóstico para líder cristão zeloso

A exemplo de muitos amigos meus, passei a maior parte da adolescência à procura do amor perfeito em todos os lugares errados. Mas tudo mudou no meu segundo ano de faculdade, quando um amigo me convidou para um concerto numa pequena igreja pentecostal perto do campus. No final do concerto, o líder do louvor convidou os que queriam receber a Cristo para que levantassem a mão. Quando eu conto esta história, sempre digo: "Deus levantou minha mão sem a minha permissão". Com certeza foi como eu me senti. Quando foi feito o apelo, eu pulei do meu assento e corri para a frente da igreja com ambas as mãos levantadas, louvando a Deus. Eu não sabia a diferença entre o Antigo e o Novo Testamento, mas de fato sabia que eu era cego, mas então podia ver. Eu também sabia, sem dúvida, que Deus havia me mudado e colocado o seu amor sobre mim. Em nove meses eu era presidente de um grupo cristão de sessenta estudantes, ensinando e expondo o que havia aprendido na semana anterior.

O ano era 1976.

Eu era tão profundamente grato pelo amor de Jesus, que viveu e morreu por mim, que eu nada podia fazer senão compartilhar esta grande notícia com qualquer um que quisesse ouvir, inclusive minha família. Tive com meu pai muitas longas conversas espirituais. Num fim de semana, sentamo-nos na sala de estar e eu tentei novamente falar de Cristo, mas ele permaneceu cético.

– Pete, se esse cristianismo e esse Jesus do qual você fala são verdade – indagou – então por que eu nunca ouvi falar sobre essa coisa de "relacionamento pessoal"?

Ele fez uma pequena pausa, e eu pude perceber um misto de raiva e tristeza em seu rosto quando ele olhou pela janela da sala de estar.

– E por que ninguém foi tentar impedir seu irmão de destruir a vida dele... De destruir a nossa família?

Ele olhou para mim e fez um amplo gesto com as mãos.

– Onde estão todos esses cristãos dos quais você está falando? Como é que eu tenho 56 anos de idade e nunca conheci um?

Eu não disse nada porque sabia a resposta. A maioria dos cristãos, especialmente os que cresceram em lares evangélicos, estava isolada do nosso mundo ítalo-americano. Embora meu pai tenha mais tarde entregado sua vida a Cristo, eu nunca esqueci aquela conversa. Ela acendeu fogo em meus ossos, e eu decidi preencher aquela lacuna, compartilhando o evangelho com qualquer um que quisesse ouvir.

Minha carreira na liderança ministerial continuou quando me juntei à equipe da Comunidade Cristã InterVarsity [No Brasil, esse ministério corresponde à ABU - Aliança Bíblica Universitária], um ministério interdenominacional que trabalha com estudantes nos campi universitários. Viajei de Nova York a Nova Jersey, fazendo pregação ao ar livre e mobilizando estudantes para compartilhar Cristo com seus amigos. Em meus três anos na equipe, testemunhei muitas vidas radicalmente mudadas por Jesus Cristo. Ao mesmo tempo, eu estava desenvolvendo um fardo para a igreja. Eu queria saber o que poderia acontecer se a riqueza e a vitalidade do que eu tinha visto com os estudantes pudessem ser experimentadas pelas pessoas numa igreja local. Como a glória de Cristo poderia se espalhar ainda mais se uma igreja inteira pudesse ser radicalmente mudada e mobilizada?

Então lá fui eu preparar a liderança da igreja, com três anos de pós-graduação em Princeton e no Seminário Teológico Gordon-Conwell. Durante esse tempo casei-me com Geri, amiga há oito anos, que também estava servindo em tempo integral na InterVarsity. Logo após a formatura, mudamo-nos para a Costa Rica para um ano de estudo da língua espanhola. Tive uma visão de que voltaríamos para Nova York para começar uma igreja que desfizesse barreiras raciais, culturais, econômicas e de gênero.

Quando retornamos a Nova York, trabalhei um ano como pastor auxiliar numa igreja para imigrantes de língua espanhola e dei aulas num seminário espanhol. Durante esse tempo, Geri e eu não somente aperfeiçoamos nosso espanhol, como mergulhamos no mundo de dois milhões de imigrantes ilegais oriundos do mundo todo. Tornamo-nos amigos de pessoas que haviam fugido de esquadrões da morte em El Salvador, cartéis da droga na Colômbia, guerra civil na Nicarágua e da implacável pobreza no México e na República Dominicana. Era exatamente a preparação de que precisávamos para começar uma nova igreja numa parte da classe operária, multiétnica do Queens onde mais de 70% dos 2,4 milhões de residentes são estrangeiros natos. Isso também moldou nossa compreensão do poder do evangelho e da igreja, e de quanto a grande parte de pobres invisíveis tem a ensinar à próspera igreja norte-americana.

Em setembro de 1987, 45 pessoas foram ao primeiro culto de louvor da Igreja *New Life Fellowship*. Deus agiu poderosamente naqueles primeiros anos e não demorou para que a congregação aumentasse para 160 pessoas. Depois de três anos, lançamos uma congregação de fala espanhola. Ao final de seis anos, a frequência ao culto em inglês chegou a 400, e 250 estavam frequentando o culto em espanhol.

Foi uma experiência emocionante e gratificante para um jovem pastor. As pessoas estavam vindo a Cristo. Os pobres eram servidos de uma maneira nova, criativa. Estávamos desenvolvendo líderes, multiplicando grupos pequenos, alimentando os sem abrigo e plantando novas igrejas. Mas nem tudo estava bem sob a superfície, especialmente em minha própria vida.

Conversão 2: Da cegueira emocional à saúde emocional

Minha alma estava encolhendo.

Sempre parecia que tínhamos coisas demais a fazer e tempo de menos para isso. Embora a igreja fosse um lugar estimulante para estar, não havia mais qualquer alegria na liderança ministerial, apenas responsabilidades intermináveis, pesadas e ingratas. Depois do trabalho sobrava pouca energia para ser pai para nossas filhas e desfrutar da presença de Geri. De fato, no íntimo eu sonhava em me aposentar – e eu tinha apenas trinta e poucos anos! Comecei também a questionar a natureza da liderança cristã. *Será que eu devo ser extremamente infeliz e pressionado para que outras pessoas possam ter a experiência da alegria em Deus?* Eu realmente sentia isso.

Precisei combater a inveja e o ciúme que passei a sentir de outros pastores – aqueles com igrejas maiores, templos mais bonitos e situações mais confortáveis. Eu não queria ser um fanático por trabalho como meu pai ou outros pastores que conhecia. Eu queria estar satisfeito em Deus, realizar meu ministério no ritmo sem pressa de Jesus. A questão era: *Como*?

A coisa começou a descambar em 1994 quando nossa congregação de fala espanhola passou por uma divisão. Nunca vou esquecer o abalo que senti no dia em que entrei no culto em espanhol e duzentas pessoas estavam ausentes – haviam restado apenas cinquenta. Todos os demais haviam saído para começar outra igreja. Pessoas que tinham sido levadas a Cristo, discipuladas e pastoreadas durante anos, foram embora sem dizer uma palavra.

Quando ocorreu a divisão, aceitei toda a culpa pelos problemas que haviam levado a isso. Tentei seguir o exemplo de Jesus de permanecer em silêncio quando acusado, como um cordeiro sendo levado para o matadouro (Is 53.7). Por várias vezes, eu pensei: *Apenas aguente, Pete. Jesus aguentaria.* Mas eu também estava cheio de emoções conflitantes e não resolvidas. Senti-me profundamente magoado e irritado com o pastor assistente que havia encabeçado a divisão. Como o salmista, eu estava arrasado pela traição de alguém com quem havia tido *momentos agradáveis* (Sl 55.14). Eu estava cheio de raiva e ódio, sentimentos dos quais não conseguia me livrar, não importava quanto tentasse minimizar e esquecer. Quando estava sozinho em meu carro, palavrões vinham à minha boca quase que involuntariamente: "Ele é um @#&%!"

Passei então a ser o "pastor amaldiçoador". Eu não tinha uma teologia para o que estava experimentando. Também não tinha uma estrutura bíblica para tristeza e mágoa. Supõe-se que bons pastores cristãos devem amar e perdoar as pessoas. Mas aquele não era eu. Quando compartilhei o meu caso com colegas pastores, eles temeram que eu estivesse descambando para um abismo sem retorno. Eu sabia que estava com raiva e ferido, mas num nível mais profundo permaneci inconsciente dos meus sentimentos e do que realmente estava acontecendo em minha vida interior. Meu problema maior era agora nem tanto o resultado da divisão, mas o fato de que minha dor estava vazando de forma destrutiva, e eu não conseguia controlá-la. Critiquei com muita raiva o pastor assistente que havia saído. Disse a Geri que não tinha certeza se queria continuar sendo um cristão, muito menos o pastor de uma igreja! O conselho mais útil que recebi foi recorrer a um conselheiro cristão.

Geri e eu marcamos um encontro e fomos, mas eu me senti humilhado, como uma criança entrando no gabinete do diretor. Em nossas sessões, me queixei de meus problemas, de tudo e qualquer coisa de que eu podia me lembrar – as complexidades da vida e do ministério em Queens, as exigências implacáveis da plantação de igreja, Geri, nossas filhas pequenas, a batalha espiritual, outros líderes, a falta de cobertura de oração. Ainda não me havia ocorrido que meus problemas podiam ter suas raízes em mim.

De alguma forma consegui manter a vida e o ministério durante mais um ano antes de finalmente atingir o fundo do poço. No dia 2 de janeiro de 1996, Geri disse que estava saindo de nossa igreja.[1] Aquilo foi o fim de qualquer

[1] Para mais leitura sobre a história de Geri, veja *The Emotionally Healthy Woman: Eight Things You Have To Quit to Change Your Life* [A mulher emocionalmente saudável: Oito coisas que você deve abandonar para mudar sua vida]. Grand Rapids, MI: Zondervan, 2010.

ilusão que eu podia ter sobre a minha inocência na confusão em que a minha vida havia se transformado. Comuniquei os presbíteros da igreja a respeito da decisão de Geri e reconheci minha incerteza quanto ao que poderia acontecer em seguida. Os presbíteros sugeriram que Geri e eu fôssemos a um retiro intensivo de uma semana para vermos se conseguiríamos resolver a situação.

Assim, fizemos as malas e passamos cinco dias completos com dois conselheiros num centro próximo. Meu objetivo para a semana era encontrar um caminho rápido para resolver a situação com Geri e terminar com nosso sofrimento e então voltar para a atividade real da vida e do ministério. O que eu não previ foi que teríamos um encontro transformador de vida com Deus.

Esta foi a segunda conversão e, muito parecida com a primeira, tive a experiência de saber que havia sido cego e repentinamente recebi minha vista. Deus abriu meus olhos para eu ver que era um *ser* humano, não um *fazer* humano, e me deu permissão para sentir emoções difíceis, como raiva e tristeza. Tomei consciência do significativo impacto que minha família de origem estava tendo em minha vida, em meu casamento e em minha liderança. Embora no início eu tenha me sentido chocado por tudo isso, a conscientização deu-me também uma liberdade recentemente descoberta. Parei de fingir ser alguém que não era e dei meus primeiros passos para ser Pete Scarzzero à vontade, com meu singular conjunto de forças, paixões e fraquezas. E Geri e eu descobrimos a importância do amor como medida de maturidade e reprogramamos nossa agenda para colocar nosso casamento antes do ministério.[2]

No entanto, esta segunda conversão também me apresentou a dolorosas realidades que eu não podia mais negar. Eu era emocionalmente infantil tentando trazer homens e mulheres para uma fé madura. Havia grandes áreas da minha vida que permaneciam intocadas por Jesus Cristo. Por exemplo, eu não sabia como fazer algo tão simples como estar verdadeiramente presente ou ouvir com profundidade outra pessoa. Enquanto eu era um pastor titular de uma grande igreja em crescimento, que havia estudado em dois importantes seminários, frequentado as melhores conferências de liderança e sido um dedicado seguidor de Cristo durante dezessete anos, eu estava emocional e espiritualmente atrofiado.

Durante quase duas décadas, eu havia ignorado o componente emocional em meu crescimento espiritual e no relacionamento com Deus.

[2] Esta história é contada novamente por completo em SCAZZERO, Peter. *The Emotionally Healthy Church: A Strategy for Discipleship that Actually Changes Lives* [A igreja emocionalmente saudável: Uma estratégia para discipulado que realmente muda vidas], edição atualizada e ampliada. Gand Rapids, MI: Zondervan, 2010.

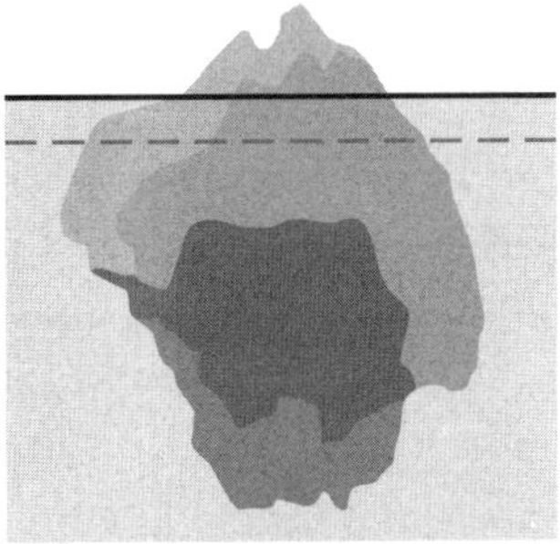

Espiritualidade emocionalmente saudável

Independentemente de quantos livros pudesse ler ou de quanto me dedicasse à oração, eu continuaria preso a ciclos de dor e imaturidade até que permitisse que Jesus Cristo transformasse aspectos da minha vida que estavam bem além da superfície.

Descobri que minha vida é muito parecida com um iceberg – eu tinha consciência de apenas uma parte dele e estava bastante inconsciente da massa oculta sob a superfície. E foi essa massa oculta que causou estragos na minha família e na minha liderança.

Só quando compreendi que esses componentes sob a superfície da minha vida não tinham sido transformados por Jesus, foi que descobri o elo indissolúvel entre a saúde emocional e a maturidade espiritual – que não é possível ser espiritualmente maduro enquanto se permanece emocionalmente imaturo. Nos meses e anos que se seguiram, Geri e eu mudamos muito a maneira como levávamos a vida e o ministério. Começamos por trabalhar cinco dias por semana, não seis dias e meio por semana. Revelar nossa fragilidade e fraqueza tornou-se um valor fundamental. *Amar* passou a ser a tarefa mais importante de todo o nosso trabalho para Deus. Diminuímos o ritmo do ministério na *New Life*. À medida que nos aprofundamos em nossos icebergs, convidamos nossos líderes para se juntarem a nós. O resultado foi uma revolução copernicana – em minha jornada com Cristo, em minha família e em minha liderança.[3] A igreja *New Life* floresceu.

Conversão 3. De atividade intensa a espiritualidade moderada

Quando me tornei cristão, eu me apaixonei por Jesus. Eu gostava do tempo a sós com ele enquanto lia a Bíblia e orava. No entanto, quase que imediatamente, a atividade de minha vida ("fazer" por Jesus) começou a obscurecer a dimensão contemplativa da minha vida ("estar" com Jesus). Cedo eu havia aprendido sobre a importância das devoções diárias para nutrir meu relacionamento com Cristo, mas especialmente à medida que eu entrava na liderança do ministério, um momento de silêncio diário simplesmente não era suficiente. Não demorou para que eu estivesse envolvido em mais atividade *para* Deus do que estar *com* Deus.

[3] V. SCAZZERO, Peter. *The Emotionally Healthy Church.*

Minha terceira conversão aconteceu em 2003-2004 quando Geri e eu tiramos um período sabático de quatro meses. Eu estivera lendo a respeito de movimentos monásticos desde meus tempos de seminário, e agora tínhamos tempo e espaço para aprender de fato com eles. Visitamos vários monastérios (protestante, ortodoxo e católico romano) e abraçamos os ritmos monásticos de solitude, silêncio, meditação bíblica e oração.

Quando o período sabático terminou, Geri e eu havíamos feito ajustes radicais para reduzir o ritmo de nossa vida. Passar tempo em solitude e silêncio, orar o Ofício Divino e observar o descanso semanal tornaram-se nossas disciplinas espirituais fundamentais. Experimentamos tal gozo e liberdade – em nosso andar com Cristo e em nosso casamento – que cogitamos se Deus não estaria nos dizendo para deixar a agitação de Nova York e nos mudarmos para um lugar mais tranquilo. Mas logo ficou claro que aquelas disciplinas eram na verdade as práticas fundamentais das quais precisávamos para permanecermos em Queens e continuar liderando a igreja.

Quando começamos a ensinar espiritualidade contemplativa (que eu defino como desacelerar para estar com Jesus), associando a isso nossos ensinamentos anteriores sobre saúde emocional, grande poder e vida foram desencadeados em toda a nossa igreja. Em todo ministério – de pequenos grupos a cultos dominicais e eventos de treinamento – as pessoas experimentaram um radical ressurgimento de sua vida em Cristo. E eu vivi um ressurgimento em minha liderança.

Eu parei de orar a Deus para abençoar minhas metas e comecei a orar pedindo a sua vontade.

Aprendi a esperar no Senhor pelo próprio Senhor – não por uma bênção.

Eu trabalhei menos. Deus trabalhou mais.

Eu aceitei uma visão mais equilibrada de Deus como imanente e transcendente ao mesmo tempo; reconheci e confirmei sua obra tanto dentro como além de nós.

Comecei a medir o sucesso ministerial pela qualidade de vida de pessoas transformadas em vez de frequência e contribuição. O impacto foi tão espantoso que me senti impelido a escrever sobre o que Deus estava fazendo em nosso meio. O resultado foi a publicação em 2006 de *Espiritualidade emocionalmente saudável**. A igreja estava crescendo. Vidas eram transformadas. Eu me senti mais forte pessoal e profissionalmente. Mas uma área

* SCAZZERO, Peter. *Espiritualidade emocionalmente saudável*. São Paulo: Editora Hagnos, 2013.

não conquistada do meu iceberg permanecia intocada, que era a própria liderança.

Conversão 4. Do conhecimento superficial à integridade na liderança

Embora a *New Life* estivesse florescendo em muitos níveis, permanecia uma significativa desconexão entre o que eu havia aprendido sobre saúde emocional e espiritual e o meu papel na liderança como pastor titular. Especificamente, embora eu estivesse aplicando os princípios da espiritualidade emocionalmente saudável (EES) à minha vida pessoal, à nossa família ou aos grupos pequenos e esforços de discipulado na igreja, eu não estava aplicando os mesmos princípios à minha liderança. Eu estava consciente da necessidade de mergulhar mais fundo a organização em EES, mas não sabia como. À medida que eu lia livros e frequentava seminários, tornou-se claro para mim que poucas pessoas haviam atingido este nível de integração. Nem eu tampouco – durante anos.

Eu evitava tomar decisões que envolvessem a equipe, gerenciar pessoal e voluntários importantes, descrever com cuidado e por escrito as tarefas, separar tempo para planejar reuniões ou acompanhar detalhes de projetos. Nas raras ocasiões em que fiz essas coisas, foi com relutância. Eu via as coisas que claramente precisavam ser feitas, mas queria que outras pessoas as fizessem.

Por me sentir sobrecarregado com tantas tarefas (sermões, decisões pastorais, eventos de treinamento de liderança, crises entre equipe administrativa e membros da igreja), eu passava por cima de algumas das mais difíceis responsabilidades de liderança. O que eu fazia:

- Evitava reuniões que sabia serem difíceis e estressantes.
- Manipulava a verdade quando ser completamente honesto se tornava desconfortável demais.
- Evitava avaliação de desempenho quando alguém estava fazendo um trabalho medíocre.
- Deixava de fazer perguntas difíceis ou falar com franqueza quando algo estava claramente errado.
- Entrava em reuniões importantes sem ter tido tempo para ser claro em meus objetivos e agenda, ou ter pensado e orado sobre as decisões.
- Não me ocupava adequadamente com o acompanhamento dos compromissos assumidos, o que significava decepcionar pessoas e dificultar seu trabalho.

- Lutava para separar o tempo necessário de silêncio e permanência com Jesus durante os dias de intenso planejamento e reuniões.
- Talvez o pior de tudo, eu não levava em consideração os tristes indicadores de que minha vida e meu ministério poderiam não estar indo tão bem quanto eu esperava ou imaginava.

Todos esses comportamentos pioraram em 2007, quando vários eventos difíceis convergiram e romperam minha negação compulsiva ao longo de vinte anos de liderança. Entre eles, tive de reconhecer que a própria igreja tinha batido no muro. Embora tivéssemos crescido em números e incorporado saúde emocional e espiritualidade contemplativa na vida do nosso povo, o funcionamento executivo da igreja havia continuado em grande parte como anteriormente. E agora era óbvio que eu deveria ser o primeiro a começar a tratar essa falha.

Ainda assim, eu queria que outra pessoa "colocasse a casa em ordem", fazendo o trabalho sujo – demitir, redirecionar, liderar a igreja pelas dolorosas mudanças à frente – para que eu pudesse continuar a focar nas tarefas agradáveis, como pregar e ensinar. Mas ao escolher evitar as dificuldades da liderança, tanto minha integridade quanto a da nossa igreja estavam em jogo. Finalmente admiti a verdade para mim mesmo: a grande dificuldade que impedia a Igreja *New Life* de se tornar o que Deus pretendia era *eu*.

Mais uma vez, tive de encarar os fatos por baixo da superfície – enfrentar a oculta massa de dor e fracassos relacionados ao meu papel como líder. Quando comecei a pensar nas mudanças que precisava fazer, logo me dei conta de que aplicar os princípios da espiritualidade emocionalmente saudável às tarefas de liderança e construir uma cultura organizacional saudável seria muito mais complexo do que eu havia imaginado. Era um processo que levava a uma intensa e continuada exploração da minha vida interior e, finalmente, a uma quarta conversão.

O senso comum na prática da liderança manda que as áreas de fraqueza sejam delegadas aos mais habilidosos. Mas eu sabia que não era disso que precisava. Em vez disso, fiz da área mais fraca de minha liderança um foco principal do meu trabalho, incorporando formalmente as responsabilidades de pastor executivo ao meu trabalho. Loucura, certo? Mas eu estava determinado a aprender a desempenhar esse papel, pelo menos durante um tempo. Cancelei pregações e palestras fora da *New Life*, estabeleci uma equipe de ensino, recusei contrato de livros e me inscrevi numa rodada de aconselhamento intensivo para pôr em ordem meus próprios blocos de iceberg sob a superfície – tudo o que fosse obstáculo para uma liderança saudável e eficiente.

Nos dois anos seguintes, aprendi algumas habilidades cruciais, muitas das quais não vieram facilmente. No processo, eu cometi erros que feriram pessoas. Ao mesmo tempo, também desenvolvi mais coragem e disposição para ter conversas difíceis, ir em frente em meus compromissos e reunir dados e fatos antes de tomar decisões importantes. Aprendi que algumas consequências – como ser mal compreendido, ou algumas pessoas deixarem a igreja como resultado de minhas decisões – eram menos importantes do que perder minha integridade. E, embora fosse quase sempre doloroso, aprendi a não somente reconhecer a verdade, mas a buscá-la independentemente de para onde ela me levasse.

Eu não era e não sou um pastor executivo talentoso. Todavia, enquanto eu me investia naquele papel durante certo tempo, Deus pôde tratar de aspectos no meu caráter que precisavam ser transformados para a igreja seguir em frente. E foi especificamente no cadinho da liderança que Deus tirou as camadas do meu falso eu e me ensinou a integrar, de um lado, a transformação sob a superfície, e de outro, as tarefas e responsabilidades da liderança.

Você será desafiado

O líder emocionalmente saudável nasceu das lutas e do crescimento que experimentei depois da minha quarta conversão, em 2007. Mantenho comigo um diário detalhado desses oito anos, relatando minhas questões, lutas íntimas com Deus, erros e ocasionais sucessos. Mesmo assim, fui extremamente tentado a não escrever este livro. Sei que sou um companheiro fraco nesta jornada. Escrevo sinceramente com base em lições tiradas dos meus fracassos. Gostaria de ter tido acesso ao que é descrito aqui quando estava em meus 20, 30, 40 anos.

Cada página deste livro foi escrita com você – o líder cristão – em mente. À medida que eu escrevia, frequentemente me imaginava sentado à mesa do café com você, pedindo-lhe que me falasse de suas esperanças e de suas lutas e desafios na liderança. Lembrando as conversas que tive com muitos pastores e líderes que treinei, mentoreei e aconselhei, imaginando o que você responderia:

Eu quero ser um líder melhor. Estou aberto e ansioso para aprender, mas não sei por onde começar.

Sei que alguma coisa não está certa. Sinto ser apenas uma questão de tempo para que algo ruim aconteça.

Não posso continuar assim. Estou exausto e preciso de ajuda para entender o que deu errado, para dar meia-volta e seguir rumo diferente.

Estou paralisado num ambiente que não posso mudar. Faço parte da equipe de liderança mas há outros líderes acima de mim. É uma situação negativa, e eu me sinto impotente para mudá-la.

Estou fazendo o melhor que posso, mas sem resultados. Estou executando programas, mas não mudando vidas. Sinto que atingi um platô, estou estagnado.

Estou sobrecarregado demais para desfrutar a vida – com Deus, comigo mesmo e com os outros. Estou perdendo as alegrias da vida por causa das exigências esmagadoras da liderança.

Você se identifica com alguma dessas declarações? Se sim, você é um excelente candidato para os próximos passos no amadurecimento e na transformação da liderança. Ao longo das páginas seguintes, espero que você se encontre nas verdades que possa descobrir sobre si mesmo e sua liderança, mas não quero que se desespere com as possibilidades para o futuro. Eu sou a prova viva de que é realmente possível desmantelar antigas maneiras de pensar sobre a liderança cristã e dar espaço para as novas. Desejo que você cresça teológica, emocional e espiritualmente à medida que descobrir novas percepções da Escritura para sua vida e liderança.

Se você levar este livro a sério, será exigido muito de você – trabalho duro, perseverança, vulnerabilidade, humildade e disposição para mudanças. Com certeza, você será desafiado. Mas minha oração é que o desafio seja acompanhado de uma visão de como as coisas podem ser diferentes se você abraçar as escolhas corajosas que permitirão Deus transformar você e sua liderança. Espero que em breve seus pensamentos sejam estes:

Uau, liderar pode ser melhor do que eu imaginava.

Sinto-me como se tivesse atravessado por uma porta para um novo mundo e jamais quero voltar.

É difícil encarar meus vários fracassos, mas a esperança de ser um bom líder voltou.

Finalmente sinto que estou progredindo. Estou caminhando bem e não consigo imaginar-me repetindo os erros anteriores na minha vida e na minha liderança.

Meu entusiasmo por servir como líder reacendeu!

Ao compartilhar minha história e as duras lições que aprendi ao longo do caminho, espero oferecer uma perspectiva pessoal e singular de um pastor que esteve profundamente engajado num igreja local durante mais de 28 anos. Desse período, passei 26 servindo como pastor titular, e os dois últimos, como mestre e pastor livre. Nossa igreja em Queens, Nova York, é de classe média baixa, uma população empobrecida que veio de 73 nações do mundo todo. Não é de modo algum uma situação confortável, mas tem sido um campo rico e fértil para crescimento e transformação – pessoal e ministerial.

Este livro é fruto da minha paixão por ver a igreja fiel e frutífera em sua missão no longo prazo. Entretanto, se esperamos transformar o mundo com as boas novas de Jesus, devemos começar embarcando numa jornada pessoal que nos leve a uma profunda transformação em nossa vida. Nas páginas seguintes, apresento um mapa rodoviário de tipos dessa jornada, com ideias específicas e práticas para ajudá-lo a discernir os próximos passos de Deus para você. É um mapa rodoviário não apenas para pastores, mas para todo líder cristão. Não importa se você é pastor titular, pastor auxiliar, líder administrativo da igreja, presbítero, diácono, membros do conselho, líder de grupos pequenos, líder de equipes paraeclesiásticas, missionário, líder de mercado... Eu oro para que você encontre aqui verdades e orientações não somente para maior eficiência em sua função, mas também para transformação pessoal.

Como ler este livro

Os capítulos estão dispostos em duas partes, uma focada na vida interior, e outra, na vida exterior. Na parte 1, vamos explorar as quatro tarefas fundamentais da vida interior que cada líder deve empreender: enfrentar a própria sombra, estimular o casamento ou vida a sós, desacelerar em favor de uma união amorosa e praticar o descanso sabático. Se desejarmos construir ministérios e organizações fortes, tais práticas e valores devem informar profundamente nossa espiritualidade.

Na parte 2, vamos construir o fundamento de uma vida interior emocionalmente sadia explorando quatro tarefas fundamentais da vida exterior com que rotineiramente lidamos no transcorrer da liderança. Elas incluem planejamento e tomada de decisão, cultura e consolidação de equipe, poder e sábios limites, fins e novos começos.

O líder emocionalmente saudável não deve ser lido de modo superficial, mas sim cuidadosamente e em atitude de oração. Convido você a manter consigo seu registro diário ou bloco de anotações, tomando notas e escrevendo perguntas enquanto Deus fala com você. Se quiser maximizar o efeito do que lê, eu o encorajo a convidar pelo menos mais uma pessoa – idealmente seu grupo todo – para ler e participar da luta com você.

Meu desejo é que este livro lhe ofereça uma porta para uma nova maneira de enxergar a si mesmo e uma nova forma de liderar. Assim como nosso pai Abraão foi chamado, creio que cada um de nós é chamado a deixar nossa área de conforto e seguir o convite de Deus para os lugares desconhecidos de um novo território – cheio de promessa. Minha oração é que você encontre o Deus vivo de uma forma nova e revigorante à medida que viajar por estas páginas, descobrindo, como Abraão, que o Senhor foi à sua frente, preparando riquezas e revelação para você e seus liderados.

CAPÍTULO 1

O LÍDER EMOCIONALMENTE DOENTIO

O que primeiro vem à sua mente quando você pensa num líder emocionalmente doentio? Ou talvez uma pergunta melhor poderia ser: *Quem* vem primeiro à mente? É um chefe, um membro da equipe, um colega? Ou talvez você? Como você descreveria essa pessoa? É alguém cronicamente irritado, controlador, agressivo? Ou talvez alguém esquivo, inautêntico, passivo? Embora a liderança emocionalmente doentia se expresse de todas estas formas e até mais, a definição fundamental de um líder emocionalmente doentio talvez seja mais simples e multifacetada do que possa se esperar:

> O líder emocionalmente doentio é alguém que opera num contínuo estado de déficit emocional e espiritual, carente de maturidade emocional e de um "estar *com* Deus" suficiente para manter seu "fazer *para* Deus".

Quando falamos de líderes cristãos emocionalmente doentios, estamos nos referindo ao déficit emocional e espiritual que afeta cada aspecto da vida deles. *Déficits emocionais* são manifestados principalmente por uma penetrante falta de consciência. Líderes doentios carecem, por exemplo, da consciência de seus sentimentos, fraquezas e limites; da compreensão de como seu passado afeta seu presente e de como os outros os percebem. Eles também não conseguem penetrar profundamente nos sentimentos e perspectivas dos outros, carregando consigo essas imaturidades para dentro de suas equipes e de tudo o que fazem.

Déficits espirituais revelam-se tipicamente no excesso de atividades. Líderes doentios não têm reservas espirituais, físicas e emocionais para suportar todas as tarefas que assumem. Eles dão mais *para* Deus do que podem receber *dele*. Servem outros para compartilhar a alegria de Cristo, mas essa alegria permanece elusiva para si mesmos. As exigências e pressões da liderança tornam quase impossível um ritmo de vida consistente e sustentável. Em seus momentos mais sinceros, eles admitem que a taça deles com Deus está vazia ou, na melhor das hipóteses, meio cheia, dificilmente transbordando da divina alegria e amor que eles proclamam aos outros.

Como resultado, os líderes emocionalmente doentios são superficiais ao construir seus ministérios. Em vez de seguirem o exemplo do apóstolo Paulo de construir com materiais que durem – ouro, prata e pedras preciosas (1Co 3.10-15) – , eles usam madeira, palha, barro, materiais inferiores que não aguentam o teste de uma geração, muito menos o fogo do juízo final. No processo, eles obscurecem a beleza de Cristo que querem que o mundo todo veja. Nenhum líder bem intencionado se estabeleceria para liderar desta forma, mas isso acontece o tempo todo.

Considere alguns exemplos da vida cotidiana de líderes que você deve reconhecer.

Sara é uma pastora de jovens sobrecarregada que precisa de ajuda, no entanto, ela sempre encontra uma razão para evitar recrutar uma equipe de voluntários adultos que poderiam acompanhá-la e expandir o ministério. Não que ela não tenha dons de liderança, mas é defensiva e se ofende facilmente quando outros discordam dela. O grupo jovem está estagnado e definhando aos poucos.

José é um dinâmico líder da equipe de louvor que, não obstante, está perdendo voluntários importantes devido a seus atrasos e sua espontaneidade. Ele não percebe que seu "estilo" afasta as pessoas com temperamentos diferentes. Pensando que está sendo apenas "autêntico" e sincero consigo, não está disposto a mudar ou se adaptar a outros estilos e temperamentos. A qualidade musical e a eficácia em levar pessoas à presença de Jesus nos cultos de fim de semana diminui à medida que voluntários com dons para música e programação do culto caíram fora da equipe de louvor.

João é o voluntário diretor do ministério de grupo pequeno em sua igreja. Sob sua liderança, o ministério começou a florescer – quatro novos grupos foram formados nos últimos três meses! Agora, há 25 pessoas que, anteriormente desconectadas, reúnem-se a cada duas semanas para compartilhar suas vidas e seu crescimento em Cristo. Sob a animação, entretanto, estão começando a aparecer rachaduras. O líder do grupo que mais cresce é novo na igreja e parece que está levando o grupo numa direção diferente da igreja como um todo. João está preocupado, mas evita falar com ele, temendo que a conversa não dê bom resultado. Outro líder de grupo pequeno mencionou de passagem que as coisas não estão indo bem em casa. Ainda em outro grupo, um membro problemático está falando demais, e o grupo está rapidamente perdendo pessoas. O líder do grupo pediu ajuda a João, mas ele está tentando evitar se envolver. Embora muito querido pela maioria, João tem aversão a conflitos. Intimamente ele espera que a questão se resolva de alguma forma sem envolvê-lo. Em seis meses, três dos quatro novos grupos pequenos fecharam.

A lista de exemplos poderia continuar, mas acho que você já compreendeu. Quando nos dedicamos a ganhar o mundo para Cristo enquanto negligenciamos nossa própria saúde emocional, nossa liderança é, na melhor das hipóteses, míope. Na pior, somos negligentes, ferindo desnecessariamente outras pessoas e minando o desejo de Deus de expandir seu reino por nosso intermédio. A liderança é difícil. Envolve sofrer. Mas há uma grande diferença entre sofrer pelo evangelho como Paulo descreve (2Tm 2.8) e o sofrimento desnecessário, resultado da nossa falta de vontade de nos envolvermos honestamente nas tarefas difíceis e desafiadoras da liderança.

QUATRO CARACTERÍSTICAS DO LÍDER EMOCIONALMENTE DOENTIO

Os déficits do líder emocionalmente doentio afetam virtualmente cada área de sua vida e liderança. No entanto, o dano é especialmente evidente em quatro características: baixa autoestima, priorizar o ministério sobre o casamento e a vida a sós, fazer demais para Deus e deixar de praticar o ritmo de descanso.

Eles têm baixa autoconsciência

Líderes emocionalmente doentios tendem a desconhecer o que acontece em seu interior. E até mesmo quando reconhecem uma forte emoção, como a raiva, não a processam ou a expressam franca e adequadamente. Ignoram as mensagens relacionadas à emoção que seu corpo pode mandar – cansaço, doença provocada pelo estresse, ganho de peso, úlceras, dores de cabeça ou depressão. Evitam refletir sobre seus temores, tristezas ou raiva. Não consideram como Deus poderia estar tentando comunicar-se com eles através dessas emoções “difíceis”. Lutam para articular as razões para seus desencadeadores emocionais, suas reações exageradas do presente arraigadas nas difíceis experiências do passado.

Embora esses líderes possam beneficiar-se de listas pessoais e de liderança como o *Myers-Briggs Type Indicator*, *StrenghsFinder*, ou o perfil *DiSC*, permanecem inconscientes de como questões de sua família de origem podem afetá-los agora. Essa falta de consciência emocional estende-se também a seus relacionamentos pessoais e profissionais, na inabilidade de ler e responder ao mundo emocional dos outros. De fato, eles estão sempre cegos ao impacto emocional que exercem sobre os outros, especialmente em seu papel de liderança. Talvez você reconheça essa dinâmica na história de Sam.

Sam, 47 anos, é pastor titular de uma igreja cuja frequência estagnou. É terça-feira de manhã e ele está sentado em seu lugar habitual à cabeceira da mesa para a reunião semanal com a equipe. Também ao redor da mesa estão a assistente de ministério de Sam, o pastor auxiliar, o diretor dos jovens, o pastor das crianças, o líder do louvor e o administrador da igreja. Após a oração de abertura, Sam atualiza a equipe sobre os números referentes à frequência e às finanças dos últimos nove meses. É um assunto que esteve na agenda anterior, mas desta vez há uma mordacidade no comportamento de Sam, e todos na sala sabem que ele não está contente.

– Como vamos adquirir um novo prédio para podermos alcançar mais pessoas para Cristo se não estamos crescendo agora? – pergunta ele.

Todos ficam imediatamente em silêncio enquanto uma atmosfera dolorosamente tensa enche a sala.

– Acrescentamos apenas vinte pessoas desde janeiro, nem perto do suficiente para atingir nossa meta de 75 adultos no fim do ano.

A frustração e a ansiedade de Sam são visíveis. O assistente de Sam tenta aliviar a tensão mencionando como o mau tempo no inverno passado quase fechou a igreja em dois domingos. Certamente, isso teve um impacto sobre os números. Mas Sam rapidamente repudia o argumento dela, observando que os problemas são muito mais profundos do que isso. Embora não tenha dito diretamente, é claro que Sam culpa a equipe pelo não cumprimento.

Sam sente-se justificado ao forçar as difíceis perguntas e confrontar o duro dado. *Estou apenas tentando nos ajudar a sermos bons despenseiros dos recursos de Deus,* ele diz para si mesmo. *Somos pagos com os dízimos do povo. Todos nós precisamos trabalhar duro e com inteligência para ganhar nossos salários. Hei, há voluntários aqui que dão de dez a quinze horas por semana sem pagamento!* Mas mesmo ele está um pouco surpreso com a própria irritação e a dureza do seu tom.

Ainda assim, não lhe ocorreu que sua exacerbada frustração pode ter alguma coisa a ver com um e-mail recebido no dia anterior. Alguém de fora da cidade lhe mandou um link para um novo artigo sobre o rápido crescimento de uma igreja a apenas dezesseis quilômetros dali e perguntou se Sam conhecia o novo pastor. Sam sentiu imediatamente um nó no estômago e seus ombros ficaram tensos. Ele sabia que não devia estabelecer comparações e ser competitivo quando se tratava de ministério, mas não podia deixar de se melindrar com o novo pastor e seu sucesso. Embora não pudesse admitir nem sequer a si mesmo, também sentiu-se inseguro, temeroso de que algumas famílias mais novas pudessem sair para fazer parte de uma igreja mais animadora.

Após dar a todos ao redor da mesa uma semana para identificar três formas de melhorar programas e desempenho, Sam cancela o restante da agenda e termina abruptamente a reunião. Ele não faz a menor ideia de quanto sua falta de autoconsciência está afetando negativamente a ele, sua equipe e a igreja.

Eles priorizam o ministério sobre o casamento ou sobre a vida a sós

Casado ou solteiro, muitos líderes emocionalmente doentios afirmam a importância de uma intimidade saudável nos relacionamentos e estilo de vida, mas poucos, se é que existem, enxergam o casamento ou a vida de solteiro como o maior dom que podem oferecer. Em vez disso, veem a ambos como um fundamento básico e estável para algo mais importante – construir um ministério eficiente, que é sua primeira prioridade. Como resultado, investem o melhor do seu tempo e energia na preparação para a liderança, e investem muito pouco no cultivo de um ótimo casamento ou uma vida de solteiro saudável que revele o amor de Jesus para o mundo.

Os líderes emocionalmente doentios tendem a separar sua vida de casados ou de solteiros tanto da liderança como do relacionamento com Jesus. Por exemplo, tomam importantes decisões de liderança sem pensar no impacto de longo prazo que essas decisões podem exercer sobre a qualidade e a integridade de sua vida como solteiros ou casados. Eles dedicam sua melhor energia, ideias e esforços criativos para liderar outros, e deixam de investir num rico e pleno casamento ou numa vida a sós.

Luís, um jovem pastor de 27 anos, atua como pastor auxiliar numa pequena igreja que está em rápido crescimento – nos últimos três anos, a frequência cresceu de 150 para quase 250 pessoas. Em uma quinta-feira, já passa das dez da noite e Luís vai trabalhar até tarde – novamente. O estudo bíblico noturno já terminou há quase uma hora, mas ele ainda está à mesa, mandando e recebendo e-mails. Além do trabalho regular, assumiu o lançamento de novas estratégias para alcançar a comunidade depois de estabelecer uma meta de frequência para a Páscoa. Quando Luís começou a trabalhar na igreja três anos atrás, pensou que o ritmo intenso diminuiria, mas não diminuiu. Na verdade, intensificou-se.

Luís ama seu trabalho e não se importa em aceitar mais projetos, mas suas horas estão começando a se tornar um problema em casa. Em seus quatro anos de casado, a esposa Sofia tem sido sua melhor chefe de torcida, confirmando seus dons e encorajando-o a seguir o chamado de Deus para o ministério. Mas ultimamente ela vem diminuindo o apoio, até admitindo que tem ciúmes do seu trabalho e se questiona se ele não ama mais a igreja do que ela. Ele pondera que talvez ela esteja apenas cansada. O primeiro bebê deles é esperado em seis meses, e tem sido uma gravidez difícil. Talvez essa seja a razão de ela ter perdido a visão de quanto importante é este trabalho.

Luís pensa: *Como posso dar menos do que o meu melhor para a igreja quando a vida das pessoas e a eternidade estão em jogo? Ela precisa compreender isso.* Quando finalmente fecha seu laptop e desliga as luzes, Luís sussurra uma oração: *Deus, por favor, desperte Sofia com uma nova visão para o que tu estás fazendo na igreja.* Ele não se dá conta de que está magoando sua esposa e que sua oração por ela não irá mudar isso.

Seu relacionamento com Deus não suporta a quantidade de afazeres para Deus

Os líderes emocionalmente doentios estão cronicamente ultrapassando limites. Embora sempre tenham muito a fazer em pouco tempo, persistem em dizer um instintivo "sim" a novas oportunidades antes de piedosa e cuidadosamente discernirem a vontade de Deus. A ideia de uma espiritualidade moderada – ou liderança moderada – na qual o seu *fazer para Jesus* flua do seu *estar com Jesus* é uma ideia estranha.

Se eles, de alguma forma, pensam nisso, passar tempo em solitude e silêncio é visto como um luxo ou algo mais adequado a um tipo diferente de líder, que não faz parte de suas práticas espirituais fundamentais ou fundamento de uma liderança eficiente. A prioridade deles é liderar sua organização, equipe ou ministério como meio de impactar o mundo para Cristo. Se lhes fosse pedido para listarem suas três prioridades no uso do tempo como líderes, é improvável que cultivar um profundo e transformador relacionamento com Jesus estaria na lista. Como resultado, a fragmentação e o esgotamento constituem a condição "normal" para a vida deles e sua liderança.

Você pode se reconhecer ou reconhecer alguém na história de Carla, mulher cristã de 34 anos e líder do louvor numa igreja de oitocentos membros. Ela se iniciou no louvor como musicista voluntária há dez anos, quando havia menos de cem membros. Além de dirigir uma equipe de louvor voluntária e planejar os trabalhos semanais, Carla supervisiona a equipe de programas da igreja. É um trabalho enorme que envolve dezenas de voluntários, bem como quatro funcionários remunerados, mas, de alguma maneira, ela faz isso parecer fácil. Na verdade, ela é tão boa no que faz que todos os anos Barry, o pastor assistente, a desafia a assumir mais responsabilidades.

Ultimamente, no entanto, Carla vem perdendo o ritmo. Ela tem se atrasado para as reuniões, deixado de cumprir alguns prazos e deixado de retornar importantes telefonemas. Mesmo com essas recentes falhas, ela acredita que as coisas devem estar bem porque o trabalho na igreja está prosperando. Mas, intimamente, ela tem dúvidas. *Como as coisas podem estar indo bem exteriormente se eu sinto estar morrendo internamente?*

Entre as reuniões matutinas, as crises quase regulares de pessoas em sua equipe e coisas a fazer em casa, ela não tem muito tempo para si mesma nem resta muita energia para passar tempo com Deus em oração ou ler a Bíblia. Cada semana é uma luta apenas para ir à mercearia, preparar algumas refeições meio saudáveis, exercitar-se e lavar alguma roupa. A multa por excesso de velocidade que recebeu na semana passada é um reflexo exato de sua vida – ela está indo depressa demais.

– Sinto-me tão envolvida na edificação da igreja e na criação de ambientes para outros encontrarem Deus – confidenciou ela a Barry recentemente – que me pergunto se perdi Jesus em algum lugar ao longo do caminho. Eu preciso que algo me ajude a conectar com Deus novamente.

Barry foi simpático e compreensivo. Ele sugeriu alguns livros que foram úteis e se prontificou em pagar para que Carla fosse a uma próxima conferência de treinamento para líderes de louvor. Mas nenhum livro ou conferência irá tratar os problemas subjacentes na vida de Carla ou dar-lhe o que ela realmente precisa – diminuir o ritmo para ter tempo para Deus, para os outros e, mais importante, para si mesma.

A falta de um ritmo de trabalho e descanso sabático

Os líderes emocionalmente doentios não praticam o descanso sabático – um período semanal de 24 horas no qual cessam todo trabalho para descansar, deleitar-se nas dádivas de Deus e desfrutar a vida com ele. É possível que eles vejam a observância do descanso semanal como irrelevante, opcional ou até mesmo um legalismo oneroso que pertence a um passado antigo. Ou eles podem não fazer distinção entre a prática bíblica do sábado e um dia de descanso, usando o tempo do "sábado" para uma atividade não remunerada, como pagar contas, compras na mercearia, e outras incumbências. Se eles praticam o sábado de qualquer modo, o fazem de forma inconsistente, crendo que precisam primeiro terminar todo o seu trabalho ou trabalhar bastante o suficiente para "ganhar" o direito de descansar. Observe esta dinâmica na história de John, líder denominacional de 56 anos, responsável por supervisionar mais de sessenta igrejas. Há muitos anos ele não tem férias de fato – o tipo de férias em que não se verifica e-mail nem se escreve nada –, muito menos pratica o descanso semanal. É sábado de manhã e ele está tomando café com Craig, um pastor amigo de longa data, antes de ir para o escritório, abrir os e-mails e escrever um relatório mensal que era devido na semana passada.

– John, você parece abatido – observa Craig. – Quando foi a última vez que tirou um dia para realmente descansar?

– Podemos descansar quando formos para o céu. Pelo menos foi isso que o meu professor no seminário costumava dizer há trinta anos. Deus ainda trabalha, e nós devemos nos unir a ele nesse trabalho, certo?

Mas é claro que John está cansado ao ponto da exaustão.

– Sei que você ama o seu trabalho – replica Craig –, mas o que mais em sua vida te dá agora alegria e prazer?

Após um momento de silêncio de cabeça baixa, John profere calmamente:

– Faz muito tempo em que eu sequer tive tempo de pensar nessa pergunta e não sei o que dizer.

Após um longo silêncio ele acrescenta:

– Mas o que eu devo fazer? Todos os pastores e líderes denominacionais que eu conheço trabalham deste jeito.

– É mesmo? – comenta Craig com um sorriso amável. – Essa é a sua desculpa?

– Certo – responde John. – Você tem razão. Vou voltar a tentar tirar a segunda-feira como descanso.

Uma hora depois no escritório, John dá uma olhada em seu calendário e vê que tem compromissos e prazos a cumprir nas cinco das seis próximas segundas-feiras. *A quem estou enganando?*, pensa. *Tirar um dia de descanso por semana não dá para mim agora. Só vou tirar algum tempo de inatividade quando a minha agenda permitir.* Mas é provável que a agenda de John nunca permita.

E o ocasional dia de descanso não será suficiente para ele desenvolver o ritmo de trabalho e descanso de que precisa para ser um líder eficiente e saudável para sua equipe e as igrejas que ele supervisiona.

No início deste capítulo, perguntei o que ou quem vinha à sua mente ao pensar num líder emocionalmente doentio. Então, como as quatro características que acabamos de explorar se alinham com suas ideias iniciais? Você se reconhece em qualquer das inscrições? Talvez você esteja pensando: *Sim, eu me identifico com a maioria das características.* Ou talvez você ainda esteja um pouco cético, pensando: *Isso faz parte da liderança. Conheço pessoas que são um pouco mais doentias do que as que você descreveu, mas ainda são líderes eficientes.* Embora seja verdade que nenhuma das características ou histórias pareçam ser especialmente dramáticas, com o passar do tempo esses líderes e ministérios que eles servem pagarão um alto preço se tais comportamentos doentios continuarem sem controle.

Se pudermos concordar que as consequências a longo prazo da liderança doentia são uma ameaça à saúde e eficácia da igreja, a pergunta que temos de nos fazer é: *Por que persistimos em padrões doentios?* Você poderia pensar que a igreja e seus líderes estão todos em busca de uma liderança sadia e do que for preciso para consegui-la. Mas a verdade é que há partes da cultura da liderança da igreja que lutam muito contra isso. Se você decidir buscar uma liderança emocionalmente saudável, irá enfrentar algum "fogo amigo". Você terá de batalhar com o que eu chamo de quatro mandamentos doentios da liderança da igreja.

Sua liderança é saudável?

Ser um líder emocionalmente doentio não é uma condição tudo-ou-nada; ela opera numa sequência contínua que vai de médio a grave, e pode mudar de uma fase da vida e do ministério para a próxima. Use a lista de declarações a seguir para ter uma ideia de onde você está agora. Em seguida a cada declaração, escreva o número que melhor descreve sua resposta. Use a escala a seguir:

5 = Totalmente verdadeiro
4 = Bastante verdadeiro
3 = Parcialmente verdadeiro
2 = Raramente verdadeiro
1 = Falso

____1. Reservo tempo suficiente para sentir e processar emoções difíceis como raiva, medo e tristeza.

____2. Sou capaz de identificar como os problemas de minha família de origem impactam meus relacionamentos e liderança – tanto negativa como positivamente.

____3. (Se casado): A forma como gasto meu tempo e minha energia reflete o valor que o meu casamento – não a liderança – é a minha prioridade principal.

_____ (Se solteiro): A forma como gasto meu tempo e minha energia reflete o valor que uma vida a sós saudável – não a liderança – é a minha prioridade principal.

____4. (Se casado): Eu experimento uma conexão direta entre minha unidade com Jesus e a unidade com minha (meu) esposa(o).

_____ (Se solteiro): Eu experimento uma conexão direta entre minha unidade com Jesus e a proximidade com amigos e família.

____5. Não importa quanto esteja ocupado, eu pratico sistematicamente as disciplinas espirituais de solitude e silêncio.

____6. Eu leio regularmente a Bíblia e oro para desfrutar a comunhão com Deus e não apenas no serviço de liderar outros.

____7. Eu guardo o sábado – um período semanal de 24 horas em que interrompo o trabalho, para descansar e deleitar-me nas dádivas de Deus.

____8. Eu vejo o sábado como uma disciplina espiritual que é essencial tanto para a minha vida pessoal como para a minha liderança.

____9. Eu reservo tempo para praticar discernimento piedoso quando faço planos e tomo decisões.

___10. O que baliza o sucesso do meu planejamento e das decisões tomadas por mim é o discernimento e a realização da vontade de Deus, em vez de quantidade de membros, excelência em programações especiais ou impacto no mundo.

___11. Com aqueles que se reportam a mim, eu dedico sistematicamente uma parte do meu tempo de supervisão para ajudá-los em sua vida íntima com Deus.

___12. Eu não evito conversas difíceis com membros da equipe sobre seu desempenho ou comportamento.

___13. Sinto-me à vontade para falar sobre o uso do poder em conexão com meu papel e o dos outros.

___14. Eu mantenho limites saudáveis claramente articulados e estabelecidos nos relacionamentos com papéis sobrepostos (por exemplo, com amigos e família que são também empregados ou voluntários importantes etc.).

___15. Em vez de evitar rompimentos e perdas, eu as aceito e as vejo como parte fundamental da forma como Deus trabalha.

___16. Sou capaz de piedosa e cuidadosamente abrir mão de iniciativas, voluntários ou programas quando não estão funcionando bem, fazendo isso com clareza e compaixão.

Reserve um momento para rapidamente rever suas respostas. O que mais se destaca? Embora não haja uma pontuação definitiva para avaliação, no final do capítulo (p. 41) estão algumas observações gerais que podem ajudar você a compreender onde está.

Onde quer que esteja, a boa notícia é que você *pode* fazer progresso e aprender a se tornar um(a) líder cada vez mais saudável. De fato, Deus proveu nossos corpos e nossa neuroquímica para transformação e mudança – até mesmo aos 90 anos! Assim, mesmo que a verdade sobre o estado atual de sua liderança seja preocupante, não desanime. Se alguém como eu pode aprender e crescer através de todos os fracassos e erros que cometi, é possível a qualquer um fazer progresso em se tornar um líder emocionalmente saudável!

Quatro mandamentos doentios (e implícitos) da liderança da igreja

Toda família tem "mandamentos" – aquelas regras implícitas sobre o certo e o errado. Ao crescer, nós naturalmente absorvemos e seguimos essas regras que governam a maneira como nossas famílias vivem. Se nossas famílias foram lugares de afeto, segurança e respeito, então absorvemos essas qualidades como o ar que respiramos. Elas informam nossa compreensão de nós mesmos e a forma como interagimos com o mundo. Se, ao contrário, nossas famílias foram lugares onde a frieza, vergonha, humilhações eram a norma, nós naturalmente absorvemos essas qualidades, e elas também informam a maneira como nos vemos e como nos envolvemos com o mundo.

Da mesma forma, nascemos numa família da igreja que tem seus próprios mandamentos doentios e, em grande parte, tácitos sobre liderança. Se você quer se tornar um líder emocionalmente sadio, cedo ou tarde terá de resistir à atração de um ou mais desses mandamentos.

Mandamento doentio nº 1: Sucesso é quantidade e tamanho

Muitos de nós fomos ensinados a medir o sucesso por marcadores externos. No contexto da igreja, costumamos contar frequência, batismos, novos membros, colaboradores, pequenos grupos e contribuição financeira. Sejamos francos – números não são de todo maus. De fato, quantificar o impacto ministerial é bíblico. Jesus nos ordenou fazer discípulos de *todas* as nações. Mais de uma vez, o livro de Atos usa números para descrever o impacto do evangelho – cerca de três mil batizados (At 2.4), cerca de cinco mil crentes (At 4.4), multidões de homens e mulheres que passaram a crer (At 5.14).

Temos um livro inteiro na Bíblia chamado Números. Naturalmente, eu e praticamente todo pastor que conheço desejamos ver nossas igrejas crescer em número e acrescentar pessoas à causa de Cristo.

Mas também sejamos claros: há uma forma errada de lidar com os números. Quando usamos números para nos comparar com outros ou nos vangloriar de nosso tamanho, ultrapassamos os limites. Quando o rei Davi incumbiu Joabe de realizar um censo de todos os homens aptos para a guerra, o resultado para a sua liderança foi desastroso. Motivado pelo orgulho, Davi colocou sua confiança não em Deus, mas no tamanho do exército israelita. Seu foco nos números foi idólatra, e o Senhor trouxe uma grave praga de juízo sobre todo o Israel devido a seu pecado (1Cr 21; 2Sm 24). Setenta mil pessoas morreram.

O mundo equipara crescimento numérico a poder e importância. É um valor absoluto – maior é *sempre* melhor. Se você administra uma grande companhia ou organização, as pessoas o consideram mais do que a um proprietário de uma empresa iniciante. Se você é milionário em vez de pobre, pode esperar que as pessoas o tratem com maior deferência. Se trabalha numa igreja, o tamanho da sua equipe ou do seu ministério afeta a forma como as pessoas o veem.

Quando se trata de igreja e números, o problema não são as contas que fazemos, e sim o fato de que abraçamos com toda força a máxima do tamanho que os números se tornaram o *único* fator importante. Quando algo não é tamanho e grandeza, nós o consideramos – e quase sempre nós mesmos – um fracasso. O que perdemos nessa contagem toda é o valor que as Escrituras colocam nos indicadores *internos*. O que constitui fracasso aos olhos do mundo nem sempre é um fracasso no reino de Deus.

Por exemplo, o surpreendente sucesso de Jesus em alcançar e alimentar cinco mil pessoas no início de João 6 vem apenas alguns parágrafos depois de um correspondente fracasso numérico: *Por causa disso, muitos de seus discípulos voltaram atrás e deixaram de segui-lo* (Jo 6.66). Jesus não ficou nervoso, nem questionou sua estratégia de pregação; permaneceu satisfeito, sabendo que estava fazendo a vontade do Pai. Ele tinha uma perspectiva maior sobre o que Deus estava fazendo.

O sucesso nem sempre equivale a quantidade e tamanho.

O ensino de Jesus é que devemos estar nele *e* sermos ricos em frutos (ver Jo 25.1-8). Não se trata de escolher um ou outro – florescer abundantemente *ou* estar em Jesus. A aparência exterior desse *estar* e *dar frutos* diferirá de acordo com nossos singulares chamados de liderança. Os monges enclausurados que passam a maior parte do seu tempo em oração e oferecendo orientação espiritual produzirão um tipo e uma quantidade diferente de fruto do que eu como pastor de uma igreja na cidade de Nova York.

Talvez o melhor texto bíblico sobre este assunto se encontre em Lucas 10. Jesus manda 72 discípulos de dois em dois. Quando retornam, eles estão entusiasmados: informam um impacto numérico significativo e contam que os demônios foram submetidos em nome dele. Jesus confirma a atividade deles de edificação do reino, mas também os lembra de algo mais importante: *Contudo, não vos alegreis porque os espíritos se submetem a vós, mas porque vossos nomes estão escritos no céu* (Lc 10.20). Em outras palavras, ele quer que eles se lembrem de que a alegria deles vem do seu relacionamento *com* ele, não de suas realizações *para* ele.[1]

Como então resistirmos a este mandamento quantidade-e-tamanho? A única forma, eu creio, é desacelerar nossa vida em favor de um relacionamento de profunda e amorosa união com Jesus (mais sobre isto no capítulo 4) e contar com alguns companheiros confiáveis que nos protejam do autoengano. Quando eu me pego pensando "maior e melhor", quase sempre me pergunto: "Esta visão de crescimento procede de minhas próprias ambições ou da boca do Senhor?" (veja Jr 23.16-20).

Mandamento doentio nº 2:
O que importa é o que você faz, não quem é.

O que fazemos importa – até certo ponto. Se você é membro do conselho, pastor, ministro ou líder de grupo pequeno, membro da equipe de louvor, recepcionista, voluntário do ministério de crianças ou pastor de líderes empresariais e profissionais autônomos, sua competência e habilidades para realizar suas tarefas são extremamente importantes. E, felizmente, você quer desenvolver suas habilidades e aumentar sua eficiência.

Mas importa mais quem você *é*. Por quê? Porque o amor de Jesus em você é o maior dom que você tem. Quem você é como pessoa – e especificamente quanto você ama – sempre terá um impacto maior e mais duradouro sobre os que estão ao seu redor do que o que você faz. O seu *estar com* Deus (ou não estar com Deus) acabará por anunciar o seu *fazer para* Deus o tempo todo.

[1] Fui ajudado por um trabalho inédito chamado *Growth Matters: Numbers Count: Biblical Reflections on Numerical Growth* escrito por Daniel J. Denk para uso interno pela InterVarsity Christian *Fellowship*.

Não podemos dar o que não possuímos. Não podemos deixar de dar o que possuímos.

Podemos dar mensagens inspiradoras sobre a importância da transformação espiritual e desfrutar a jornada com Cristo. Podemos citar autores famosos. Podemos pregar valiosas verdades da Escritura e criar blogs e tweets inteligentes. Mas se não tivermos vivido as verdades que pregamos e sido transformados por elas pessoalmente, a transformação espiritual das pessoas a quem servimos ficará atrofiada. Não estou dizendo que não haverá nada. Apenas não muito.

Acredite em mim, eu sei.

Passei os primeiros anos da minha carreira pastoral pregando sermões que não tinha tempo para viver paciente e cuidadosamente. Eu pensava: *Como é possível qualquer líder assimilar toda a verdade que prega a cada semana e ainda estar a par de todas as exigências da liderança?* Eu não trabalhava o suficiente em minha vida interior, nem considerava o impacto de minha família de origem em quem eu era como líder. Eu não estava disposto a me sentar com um mentor ou conselheiro para olhar meus problemas que estavam sob a superfície. Eu estava ocupado demais construindo a igreja, fazendo as coisas acontecerem. Eu imaginava que, enquanto estivesse usando meus dons para Deus e o resultado da minha liderança fosse evidente, tudo estava bem – mesmo que minha vida interior estivesse cheia de caos e ansiedade.

Eu estava errado.

Inevitavelmente, minha vida interior estava reproduzida em meu ministério exterior. Como poderia deixar de ser? Especialmente quando eu não podia ver que quem eu sou interiormente com Deus é mais importante que meus afazeres para Deus.

A identidade de Jesus estava firmemente arraigada em *ser* o amado do Pai antes que ele se engajasse em *fazer* o ministério público. Nos primeiros trinta anos de sua vida, Jesus não fez nada extraordinário. No entanto, antes de começar seu ministério público, o pai lhe disse: *Tu és o meu Filho amado; em ti me agrado* (Lc 3.22).

As três tentações postas pelo Diabo para Jesus após quarenta dias no deserto focaram especificamente nesta questão de fazer *versus* estar (Mt 4.1-11). Duas das três tentações começam com as palavras: *Se tu és Filho de Deus...* [faça *algo*]. A terceira oferece um suborno para que Jesus, prostrado, adorasse [Satanás]. O Maligno pretendia que o *fazer* de Jesus – e não o *estar* com Deus – fosse o fundamento de sua vida e seu ministério. E isso está, creio eu, entre as primeiras tentações que o Diabo coloca diante de todo líder. Quando sucumbimos a isso, precipitamo-nos em iniciativas que Deus nunca nos pediu para empreendermos e, aos poucos, tornamo-nos desconectados do amor do Pai.

O que fazemos para resistir à influência deste mandamento? Repita comigo: *É importante o que eu faço. Quem eu sou é mais importante.* Lembre-se da prioridade de Jesus de estar com o Pai. Observe os sinais internos de que você está excedendo seus limites, fazendo mais para Deus do que seu permanente relacionamento com ele pode suportar (por exemplo, falta de paz, irritabilidade, pressa). Torne sua primeira prioridade e meta buscar a face dele e fazer sua vontade cada dia.

Mandamento doentio nº 3: Não há problema em uma espiritualidade superficial

Durante anos, presumi que qualquer pessoa que frequentasse a igreja e fosse exposta ao ensino bíblico – em nossa igreja e outras – teria experiências de transformação. Presumi que líderes de louvor de talento eram tão apaixonados por Cristo na vida particular como eram no louvor em público. Presumi que pastores, pessoal administrativo, missionários, membros do conselho e obreiros paraeclesiásticos se dedicavam sistematicamente a nutrir um profundo relacionamento pessoal com Jesus.

Presumi errado.

Agora eu não presumo nada. Em vez disso, eu pergunto.

Eu peço aos líderes que me falem sobre como estão cultivando seu relacionamento com Deus. Faço perguntas como: "Descreva-me seus ritmos, como você estuda a Bíblia além das preparações, quando e quanto tempo você passa a sós com Deus". Pergunto-lhes como eles estruturam seu tempo com Deus e o que fazem. Quanto mais tenho feito estas perguntas a pastores e líderes cristãos pelo mundo todo, mais alarmado fico. Muitos líderes não têm boas respostas.

O problema é que em muitos ambientes, enquanto líderes estão fazendo seus trabalhos (voluntário ou remunerado), todos estão satisfeitos. Se o ministério deles está crescendo, ficamos emocionados. Quem somos nós para julgar se o relacionamento de alguém com Cristo é superficial ou deficiente? Concordo que não queiramos julgar, mas queremos de fato ser perspicazes. Só porque temos dons e habilidades para edificar uma multidão e inventar muitas atividades não significa que estamos edificando uma igreja ou ministério que conecta as pessoas intimamente com Jesus.

Eu gosto da instrução do Senhor a Samuel: *O Senhor não vê como o homem vê, pois o homem olha para a aparência, mas o Senhor, para o coração* (1Sm 16.7). Em outras palavras, não olhemos simplesmente para o exterior; preocupemo-nos com o coração, a começar pelo nosso.

Pense neste exemplo histórico. No século 17, as igrejas na Arábia e no norte da África pareciam prósperas. Elas tinham uma rica história que remontava ao século 1. Eram teologicamente sofisticadas, vangloriavam-se de líderes e bispos conhecidos, e exerciam considerável influência na cultura. No entanto, o islamismo avançou sobre essas igrejas cristãs num espaço de tempo muito curto. Muitos historiadores da igreja concordam que a igreja de um modo geral foi assediada por uma espiritualidade superficial, incapaz de resistir ao intenso assalto dessa nova religião. Igrejas locais se dividiram por causa de pontos doutrinários de menor importância, recusando-se a reconhecer a presença de Jesus naquelas de que divergiam. Além disso, deixaram de traduzir as Escrituras para o árabe, a língua do povo. Como resultado, embora a frequência fosse grande e a contribuição financeira estável, as pessoas não estavam firmadas em Jesus. A falta de um fundamento espiritualmente sólido levou a um rápido colapso sob o peso e a pressão de um islamismo intolerante que avançava.[2]

Como podemos superar a atração deste mandamento mortal?

Indo mais devagar. Assumindo o compromisso de aprender da tradição contemplativa e dos escritos de líderes ao longo da história da igreja. Sendo aprendizes da igreja global mais ampla, de crentes que, embora diferentes de nós em alguns aspectos, têm muito a nos ensinar sobre coisas como solitude, silêncio e quietude com Deus enquanto trabalhamos para levar as boas novas de Jesus ao mundo ao nosso redor.

Mandamento doentio nº 4: Em time que está ganhando não se mexe

No final do século 6 a.C., o profeta Jeremias condenou os líderes do povo de Deus por tolerarem uma falsa paz e segurança. *Também se ocupam em curar superficialmente a ferida do meu povo,* lamentou o profeta. *Paz, paz!* eles dizem, *Mas não há paz* (Jr 6.14). Eu imagino que esses antigos líderes eram muito

[2] Conversas com Scott Sunquist, deão da *School of Intercultural Studies at Fuller Tehological Seminary*. V. Irvin, Dale T. e Sunquist, Scott W. *History of the World Christian Movement: Volume 1: Earliest Christianity to 1453* [História do movimento cristão mundial: Volume 1: Cristianismo anterior a 1453]. Maryknoll, NY: Orbis, 2001, p. 257-88.

parecidos conosco. Eles evitavam e até mesmo negavam a existência de problemas e conflitos porque não queriam mexer no time.

Milhares de anos depois, isso não mudou muito. A cultura da igreja contemporânea em boa medida se caracteriza por falsa beleza e superficialidade. Vemos conflito como um sinal de que algo está errado, por isso fazemos o possível para evitá-lo. Preferimos ignorar assuntos difíceis e nos contentar com uma falsa paz, esperando que nossas dificuldades de alguma forma desapareçam por si só.

Elas não desaparecem.

Por anos a fio, fiz vista grossa para problemas na equipe que eu deveria assumir pronta e diretamente – tudo decorrente de preparação desleixada, falta de acessibilidade, julgamentalismo, falta de tempo com Deus, casamentos que não estão bem, apenas para citar alguns. Minha primeira preocupação, eu raciocinava, era manter a igreja em movimento, e vadear águas pantanosas de conflito e duras conversas significavam uma abrupta e indesejada parada. Mas, como todos nós cedo ou tarde aprendemos, eu descobri que não podia construir o reino de Deus com mentiras e fingimentos. Descobri que as coisas que eu ignorava acabavam irrompendo depois em problemas maiores. Temos de fazer as perguntas dolorosas e difíceis que preferimos ignorar ou a igreja pagará um preço muito maior depois.

O apóstolo Pedro não teve escrúpulos em mexer no time mesmo em meio a uma reunião de reavivamento. Ele enfrentou Ananias e depois sua esposa Safira quando eles fingiram ser algo que não eram (At 5.1-11). Quando Barnabé vendeu um campo e doou todo o provento à igreja, Ananias e Safira fizeram o mesmo – mas com uma diferença. Eles fingiram doar todo o produto da venda enquanto secretamente retiveram parte do dinheiro para si mesmos. Quando confrontados, até mentiram a respeito. Eles fingiram ser algo exteriormente que não eram interiormente e pagaram com a vida pela mentira. Ali mesmo na igreja, os dois morreram no local. É uma história muito dolorosa, mas uma lição muito eficiente para os líderes sobre a necessidade de se engajar em vez de evitar conflito e conversas difíceis.

Eu sempre me pergunto o que teria acontecido àqueles cinco mil membros da igreja se Pedro tivesse permitido que este tipo de mentira passasse em branco em nome de não mexer no time. Será que a pose e o fingimento não teriam se espalhado nas famílias, reuniões de liderança, cultos de louvor e relacionamentos com a comunidade? Será que a igreja teria tido a força e maturidade de caráter para continuar seguindo a vontade de Deus como descreve o livro de Atos? Teria o poder do Espírito Santo arrefecido e o avanço da igreja estagnado? Felizmente, não temos de especular. A recusa de Pedro em tolerar uma falsa paz estabeleceu um firme fundamento para a integridade e o futuro da igreja.

Então você percebe por que ficar atento e resistir a esses mandamentos é tão importante?

Se permitirmos que nós e nossa liderança sejamos modelados por esses mandamentos implícitos errôneos – mesmo nos detalhes – aumentamos a probabilidade de consequências devastadoras de longo prazo. São grandes as probabilidades de causar danos – físicos, espirituais, emocionais e relacionais. Corremos o risco de prejudicar nossas famílias e amigos porque eles ficam apenas com as sobras da nossa atenção e energia. E de prejudicar as pessoas a quem servimos ao fracassarmos em levá-los à maturidade espiritual e emocional para que possam oferecer suas vidas ao mundo. Eu poderia ter evitado muita dor desnecessária e o desperdício de anos se tivesse consciência e resistido a esses mandamentos nos primeiros anos do meu ministério.

Aprender a ser um líder emocionalmente saudável requer tempo

"E então, o que faço agora?", você deve pensar.

O restante do livro é um convite para começar a tornar-se um líder emocionalmente sadio – um líder que pode construir um ministério emocionalmente saudável para a causa de Cristo no mundo. Não é uma tarefa pequena. Na verdade, se você decidir iniciar esta trilha, muito provavelmente experimentará momentos de confusão, medo e sofrimento. É um estado que eu conheço bem. Digo-lhe também que os temores podem tomar a forma de sussurros daquela voz interior acusadora e autoprotetora:

Você não sabe o que está fazendo.

Pense no que pode acontecer se seguir esse caminho.

Muito bem, você pode tentar ser emocionalmente saudável, mas ninguém o respeitará, e a igreja se tornará insignificante.

Por que tentar exercer a liderança desse jeito? Outros líderes não fazem isso e parecem estar bem!

Encare os fatos: isto não vai funcionar para você.

Você não tem tempo para isso agora. Tente depois, quando as coisas se acalmarem.

Conheço essa voz muito bem. Por isso, acredite em mim quando lhe digo que não a ouça. Saiba que Deus o convida para dar apenas um passo de cada vez, um dia de cada vez. Deus também compreende que o crescimento e a mudança requerem tempo. Em minha experiência, até mudanças relativamente simples às vezes levam anos para serem completamente implementadas (veja "Os cinco estágios do processo de aprendizado e mudança", abaixo). Deus vê o contexto e os desafios de sua presente liderança e sabe do que você precisa – não somente atender aos desafios, mas tornar-se um líder mais forte por causa deles. Embora a jornada possa parecer solitária às vezes, esse também pode ser mais um aspecto do aprendizado de esperar em Deus e confiar nele. Você pode esperar Deus enviar pessoas-chave e os recursos à sua maneira no momento certo para ajudá-lo a dar o seu próximo passo. Ele *sempre* fez isso por mim. E não se esqueça de convidar outros para orarem com você e apoiá-lo ao longo do caminho.

Mais importante, lembre-se de que o Espírito Santo que vive em você o guiará a toda a verdade e lhe dará poder sobrenatural do alto. Ao longo dos anos houve muitas vezes em que me senti sobrecarregado devido à falta de maturidade, sabedoria ou caráter para vencer os desafios da liderança. Era exatamente nesses momentos que Deus me lembrava: *Não tenha medo... isso é impossível para os homens, mas não para Deus, pois para Deus tudo é possível* (Js 1.9; Mc 10.27).

Dito isto, vamos começar.

Os cinco estágios do processo de aprendizado e mudança

Junto com uma equipe de pensadores, o famoso psicólogo educacional Benjamim Bloom desenvolveu uma brilhante taxonomia sobre como as pessoas aprendem em áreas diferentes. Seu trabalho foi adaptado e revisado vezes sem conta nos últimos sessenta anos, e continua a ser um padrão em muitos sistemas educacionais em todo o mundo.[3] Bloom distingue cinco níveis de conhecimento, ou "captação", de um valor. Nossa tendência é pensar numa das duas formas: eu conheço ou desconheço algo. Por exemplo: eu valorizo cuidar dos pobres ou não valorizo cuidar dos pobres. O que nós nem sempre compreendemos é que leva um

[3] Para dois excelentes artigos introdutórios, v. http://thesecondprinciple.com/instructiona-design/three-domainsoflearning/.

longo tempo – e muitos pequenos passos incrementais – para realmente "captar" um novo valor. De fato, precisamos atravessar cinco níveis distintos.[4]

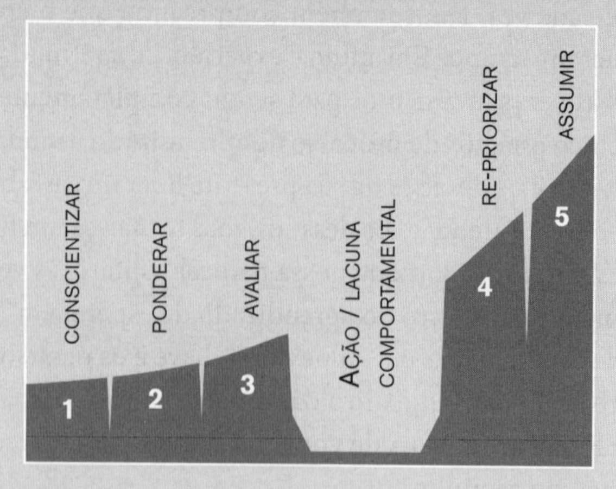

Permita-me ilustrá-lo com minha própria jornada, que culminou na desaceleração de minha vida para passar mais tempo com Jesus.

1. **Conscientizar: "Desacelerar é uma ideia interessante".** Pensei nisto pela primeira vez mais seriamente em 1994, quando estava passando por uma experiência dolorosa tanto na vida pessoal como na liderança.
2. **Ponderar: "Ajude-me a compreender mais sobre desacelerar".** Quando comecei a jornada emocionalmente saudável em 1996, li livros, ouvi mensagem sobre reduzir o ritmo e preguei sermões sobre isso.
3. **Avaliar: "Eu realmente acredito ser importante que todos desacelerem".** Eu mergulhei em novos comportamentos como o descanso semanal, solitude e retiros de um dia com Deus, mas minhas ações e comportamentos não mudaram fundamentalmente. Durante anos.
4. **Priorizar: "Estou alterando toda a minha vida à medida que desacelero para estar com Jesus".** Quando tirei meu segundo período sabático em 2003-2004, repriorizei tempo, energia e agenda para integrar este novo valor por um período de quatro meses. Isso me ajudou a dar um pontapé inicial numa nova forma de liderar e viver este valor. Foi uma mudança de vida.
5. **Assumir: "Todas as minhas decisões e ações são baseadas neste novo valor".** Desde *priorizar* até *assumir*, precisei de mais seis anos. Foi necessário trabalhar muito para integrar esse novo valor às demandas e aos desafios do pastoreio da *New Life.* Embora eu ainda cometa erros,

[4] Sou grato a Wendy Seidman por esta simplificação da taxonomia de Bloom.

desacelerar para estar com Jesus resume tudo o que eu faço. Todo o meu corpo sofre quando eu ou outros violamos esse valor.

Você notará que o diagrama destaca a lacuna entre os níveis três e quatro – *avaliar* e *priorizar*. Por quê? Porque esse é o ponto que requer uma mudança radical e quase sempre difícil. Muitos líderes gostam de ideias e princípios de espiritualidade emocionalmente saudável. Entretanto, mover-se de *avaliar* para *priorizar* é uma mudança e tanto. Eu entendo por quê.

Então me permita encorajá-lo. As mudanças que você procura não acontecem do dia para a noite, mas acontecerão. Não tenha pressa. Leia devagar. Entregue-se aos cuidados de Deus e peça-lhe para dirigi-lo ao passo seguinte em seu processo. Milhares de líderes no mundo inteiro estão na caminhada com você e já começaram a experimentar poderosa transformação tanto na vida pessoal como na liderança.

Tenha isso em mente, dando um passo de cada vez. Nem você nem seus liderados serão jamais os mesmos.

COMPREENDENDO SUA AVALIAÇÃO DA LIDERANÇA SAUDÁVEL

Se você usou a avaliação de liderança das p. 29 e 30, aqui estão algumas observações para ajudá-lo a compreender melhor a condição de sua liderança agora mesmo.

Se você marcou mais os números um e dois, sua liderança é mais doentia do que saudável, e você está agindo emocionalmente no nível de uma criança. Se isso soa duro, você pode pelo menos ficar aliviado sabendo que está longe de estar sozinho. Foi onde eu me encontrava depois de dezessete anos como seguidor de Cristo, com diploma do seminário e oito anos de experiência pastoral. E a maioria dos pastores que eu aconselho está em situação semelhante. Chegar à maioridade espiritual e emocional leva anos, até décadas, não dias ou meses. Por isso, respire fundo. Relaxe. Você não está sozinho.

Se você marcou mais os números dois e três, começou a jornada, mas está funcionando emocionalmente no nível de um adolescente. Sua vida cristã pode estar focada sobretudo em *fazer*, não *estar*, e você sente os efeitos disso em sua alma. Você ainda tem que aplicar valores pessoais – como desacelerar para estar com Jesus ou priorizar seu casamento ou vida a sós – à maneira como lidera sua equipe. Você tem consciência de suas forças, fraquezas e limites, mas provavelmente é necessário mais trabalho nessa área. Pense em como Deus pode estar convidando você a uma vida interior mais robusta e práticas espirituais mais profundas para que possa levar sua equipe e seu ministério a outro nível. Espere ser desafiado pessoalmente, bem como em sua liderança em várias áreas cruciais ao longo desta leitura.

Se você marcou mais os números quatro e cinco, sua liderança é mais saudável do que doentia, e provavelmente você está funcionando emocionalmente no nível de um adulto. Você tem um senso saudável de suas forças, limites e fraquezas como líder. Você é capaz de afirmar suas crenças e valores sem provocar conflitos. Você protege e prioriza seus relacionamentos com o cônjuge (se aplicável), os amigos e a família. Você tem uma boa percepção de sua identidade como líder e de como se relacionar com as pessoas ao seu redor. Você está progredindo para integrar seu *fazer* para Deus a uma sólida base de *estar* com ele. Espere maior clareza e percepções, tanto para si mesmo quanto para os que você lidera, à medida que aplica esses princípios à sua vida e liderança.

Parte 1

A vida interior

Liderar uma igreja, uma organização ou um ministério que transforme o mundo requer mais do que novas estratégias e técnicas de liderança. Mudança duradoura em igrejas e organizações requer homens e mulheres comprometidos em liderar a partir de uma vida interior profunda e transformada. Lideramos mais pelo que somos do que pelo que fazemos, pela estratégia ou seja o que for. Se deixarmos de reconhecer que o que somos interiormente informa cada aspecto de nossa liderança, vamos causar dano a nós mesmos e às pessoas por nós lideradas.

Há muitos problemas que podemos identificar como importantes para desenvolver e transformar a vida interior de um líder. Escolhi focar em quatro que se destacaram como fundamentais, tanto em minha própria vida como em duas décadas de aconselhamento a outros líderes. Descobri que para liderar a partir de uma vida interior profunda e transformada, é preciso:

- Enfrentar sua sombra
- Estimular seu casamento ou vida a sós
- Desacelerar em favor de uma união amorosa
- Praticar o descanso sabático

Construir um ministério, uma igreja ou uma ONG é como construir um arranha-céu. Primeiro é preciso cavar para fazer o alicerce, e depois subir. O alicerce neste caso é a sua vida interior. A qualidade e a durabilidade do edifício – a equipe ou a organização que você lidera – serão determinadas pelo cuidado que se dedica à fundação. Deixe-me ilustrar isto.

A ilha de Manhattan é formada quase toda de puro granito, um tipo de rocha muito dura e resistente. Para suportar o peso de um arranha-céu de 75 a 100 andares, os construtores usam âncoras de fundação chamadas "estacas". Estacas são colunas de concreto ou aço marteladas no chão até penetrarem na rocha sólida.

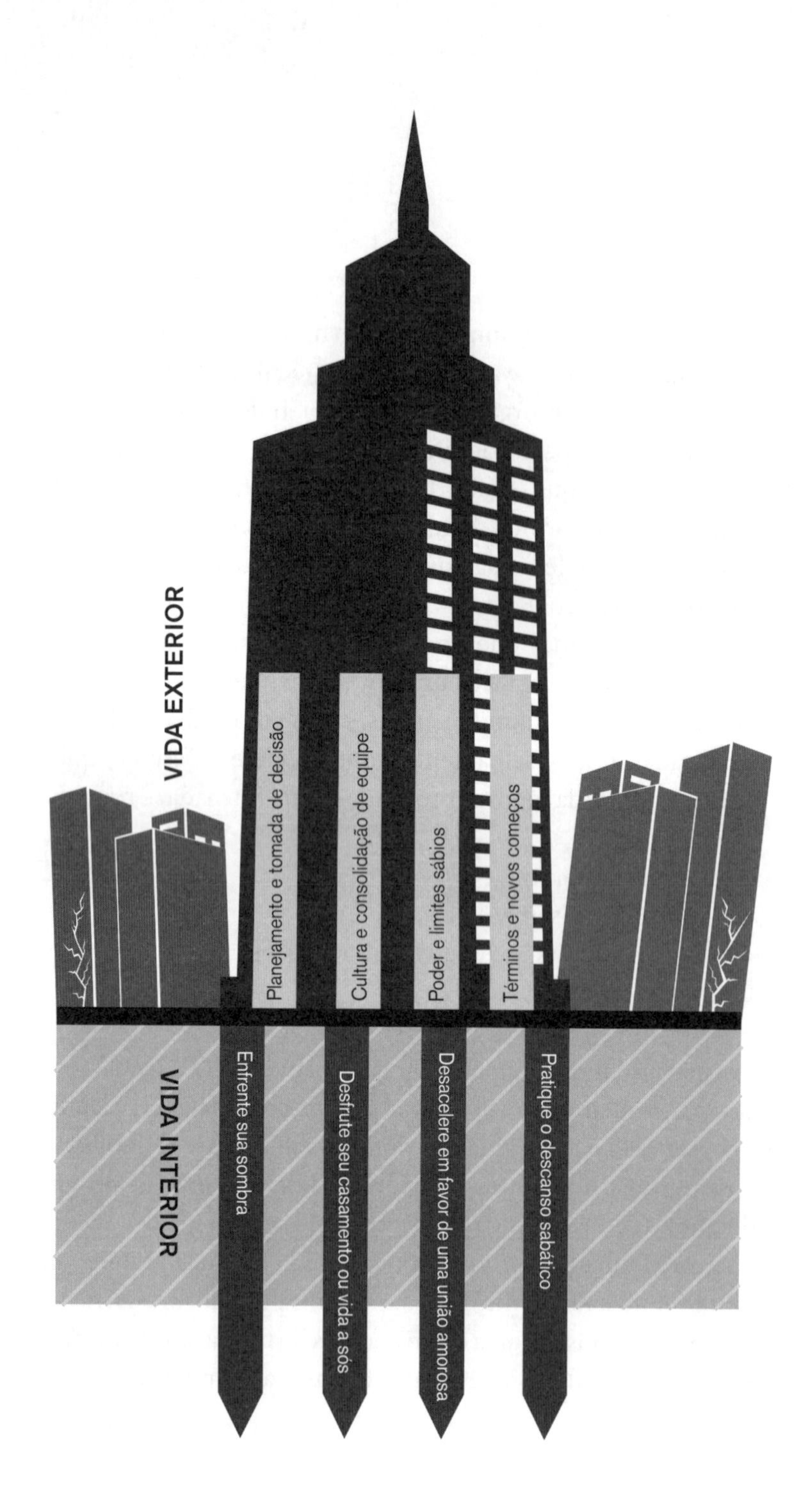
VIDA EXTERIOR
Planejamento e tomada de decisão
Cultura e consolidação de equipe
Poder e limites sábios
Términos e novos começos
VIDA INTERIOR
Enfrente sua sombra
Desfrute seu casamento ou vida a sós
Desacelere em favor de uma união amorosa
Pratique o descanso sabático

Para edifícios especialmente altos, algumas estacas são introduzidas 25 andares abaixo do solo. A pesada carga do arranha-céu é então distribuída para cada uma das estacas que, juntas, suportam o enorme peso da estrutura. Se as estacas forem mal colocadas, rachaduras podem acabar aparecendo na estrutura. Edifícios inteiros podem se inclinar. Então eles precisam ser demolidos ou levantados completamente para que as estacas possam ser corrigidas – um processo dispendioso e demorado.

Em 1996, Deus usou o quebrantamento em minha vida para me ensinar que a saúde e a maturidade espiritual são inseparáveis. Naquele ponto, eu comecei a martelar algumas novas estacas em meu alicerce espiritual. Mas logo descobri que, a menos que aqueles apoios estruturais fossem profundamente fincados no granito da minha alma, os níveis acima da superfície da minha, na vida e na liderança, permaneceriam vulneráveis. Eu precisava de um fundamento profundo (vida interior) que pudesse suportar efetivamente minha liderança (vida exterior).

Como líder, eu tinha sido formado de determinada maneira. Por exemplo, itens como planejamento e tomada de decisão, ou cultura e consolidação de equipe, foram aprendidos na observação e no trabalho com outros líderes, de quem assimilei um "padrão". Entretanto, sem o sólido alicerce de uma profunda vida interior, mesmo as melhores práticas de liderança seriam apenas marginalmente eficientes para mim.

As disfunções e feridas ligadas no meu cérebro e corpo provaram ser solo muito mais duro do que eu calculara. Seriam necessários muitos anos de partidas e paradas, retorno à perfuração inacabada, tentativo e erro, até aprontar a fundação que me possibilitou escrever estas páginas.

A liderança espiritual madura é forjada no cadinho de conversas difíceis, na pressão de relacionamentos conflituosos, na dor de retrocessos e noites escuras da alma. Dessas experiências, compreendemos a natureza complexa do nosso mundo interior. Além disso, quando desenvolvemos novas práticas e ritmos suficientemente fortes para resistir a pressões que a liderança exerce sobre a vida interior, naturalmente nos tornamos líderes mais fortes e eficientes. E nossas palavras de verdade e sabedoria passam a nos pertencer e a serem aplicadas.

Foi dito o suficiente.

Vamos começar o processo de perfuração olhando para a nossa vida interior para a colocação da primeira estaca: enfrente sua sombra.

CAPÍTULO 2

Enfrente sua sombra

Muitos líderes vasculham livros sobre liderança para descobrir ferramentas, ideias e habilidades. Somos incumbidos da tarefa de saber o que fazer em seguida, saber por que tal tarefa é importante, e então produzir os recursos necessários para sua realização. Todavia, a primeira e mais difícil tarefa que enfrentamos como líderes é liderar a nós mesmos. Por quê? Porque isso requer confrontar partes de quem somos que preferimos negligenciar, esquecer ou negar. Eis como o autor e educador Parker Palmer descreve essa experiência:

> Tudo em nós clama contra isso. Assim, exteriorizamos tudo – é muito mais fácil lidar com o mundo exterior. É mais fácil passar a vida manipulando uma instituição do que lidar com a própria alma. Fazemos as instituições parecerem complicadas, difíceis e rigorosas, no entanto, elas são a própria simplicidade quando comparadas aos nossos labirintos interiores.[1]

As duas histórias a seguir ilustram a natureza complexa e exigente do que parece ser andar nos "labirintos interiores" que Palmer descreve – enfrentar nossa sombra como líderes cristãos – e por que é tão fácil evitá-la completamente.

Sean, o líder empresarial

Sean é um líder cristão bem-sucedido e competente. Carismático, empreendedor, trabalhador e esperto, ele parece ter sucesso em tudo que toca. Após pastorear uma igreja durante dez anos, Sean fundou uma empresa com fins lucrativos para servir a outros pastores. Em poucos anos, a organização

[1] "Leadign from Within", de Palmer, Parker, em *Insights on Leardership: Service, Stewarship, Spirit, and Servant-Leardership*, Larry Spears, org. John Wiley: New York, 1998, p. 202.

mantinha onze empregados e estava progredindo. Ele trouxe um sócio e se colocou numa posição dentro da empresa que sempre sonhara ter.

O sócio de Sean fez um ótimo trabalho administrando as operações do dia a dia, mas que na verdade criou outro problema: Sean se sentiu infeliz e entediado. Por isso, começou outro negócio. Seu mecanismo de enfrentamento era ocupar-se com novos projetos, mas inevitavelmente veio o caos porque ele nunca terminava o que começava. Finalmente, seu sócio se encheu de arrumar a bagunça de Sean e lhe disse que ele era uma pessoa impossível com quem trabalhar. Todos os ritmos e disciplinas espirituais que Sean alguma dia praticara haviam desaparecido. Podia contar com parceiros confiáveis e muitos amigos, mas começara a beber – e muito. Estava constantemente nervoso, o suficiente para viajar a Nova York para encontrar-se conosco na *New Life*.

Eis como Sean descreve sua história:

> Quando me reúno com outros líderes visionários como eu, é eletrizante. Nós sonhamos, conversamos, planejamos e imaginamos um mundo melhor. Adoro isso! Mas nesse processo comecei a notar algo que não é tão bom. Gostamos de conversar sobre viver no limite e sobre a animação que eles sentem pela aventura seguinte, mas tudo o que sei é que sou completamente viciado na adrenalina do que vem depois! E nas reuniões que frequento ninguém fala sobre as consequências desse tipo de liderança.
>
> Obtive sucesso financeiro e ampliei meu ministério, mas meu ritmo não é administrável e sinto-me prisioneiro da ansiedade. Você pode pensar que quanto mais se tem menos teme, mas a verdade é o oposto. Quanto mais eu consigo, mais preocupações tenho. A pressão que vem do ter para cobrir a folha de pagamento e manter o ímpeto inicial está esgotando minha alma – se é que existe alguma alma afinal a esta altura dos acontecimentos.
>
> Sei que pressiono muito. Estimulo mais ainda. Estou sempre começando novos projetos. Apareço com mais ideias. E os talentos que Deus me deu para servir à igreja agora me esgotam. Eu pensava que o sucesso tiraria a pressão da minha alma, mas ele só fez piorar as coisas.
>
> Num dia típico, veja como é a minha vida:
>
> Eu me comunico demais nas mídias sociais.
>
> Verifico as estatísticas sobre o negócio o tempo todo.
>
> Não durmo bem porque minha mente está sempre acelerada.
>
> Vivo numa situação de pânico.
>
> Tenho pavio curto.
>
> Estou *sempre* com pressa.

Pressiono o meu pessoal constantemente a trabalhar de forma mais inteligente e com mais afinco.

Demito pessoas rapidamente.

Estou sempre à procura de novas ideias ou atividades.

As pessoas ao meu redor – minha esposa, meus filhos, meus amigos, meus colegas – sofrem as consequências de tudo isto. Todos os meus relacionamentos parecem estar a ponto de se romper.

E então, o que eu faço? Tenho tentado continuar produzindo enquanto, de alguma forma, ao mesmo tempo trabalho em minha alma. Mas não está funcionando. Não posso simplesmente me tornar um monge, então tem de haver um jeito, certo?

Embora a história de Sean possa parecer exagerada, eu posso garantir que não é. Rotineiramente eu converso com líderes cristãos cujas vidas são tão caóticas e pressionadas como a dele. Sean tem um longo caminho a percorrer, mas deu o primeiro passo ao se permitir confrontar, mesmo com agudo sofrimento, aspectos de si mesmo que havia se esforçado para evitar. Após décadas ignorando seus "labirintos interiores", ele se sente desorientado. É de se esperar. Mas, felizmente, ele deu o primeiro passo.

O impacto da sombra na vida de Sean não é difícil de detectar. Eu suspeito, entretanto, que muitos líderes se identificarão com a história seguinte sobre Jason e a camuflagem de sua sombra na cultura cristã contemporânea.

Jason, o pastor

Jason é pastor da Primeira Igreja Congregacional – 185 membros assiduos – há cinco anos. Recentemente, tanto sua esposa como um amigo íntimo têm encorajado Jason a se afirmar com mais firmeza na tomada de decisões ministeriais e de liderança. Jason concorda que deveria, mas teme também desagradar e desapontar as pessoas. Sua personalidade extrovertida e amigável, juntamente com suas boas habilidades para ouvir, camuflam sua reação alérgica a qualquer tipo de conflito.

Após cinco anos, no entanto, o efeito cascata de sua aversão estão sendo sentidos na igreja. Por exemplo, quando Jessica se voluntariou como diretora do ministério de crianças, Jason ficou preocupado com sua falta de experiência e sua tendência em se ofender com facilidade. No entanto, ele concordou por não querer desapontá-la ou magoá-la. Mas, em um ano, ele se viu fazendo parte do trabalho dela para manter o ministério em ação e suavizar tensões que os voluntários tinham ao interagir com ela. O conselho da igreja, junto com muitos pais, sabia que Jessica não era adequada para a função. Era um elefante na sala, mas ninguém queria lidar com ele.

Jason também propôs um culto de adoração contemporâneo às onze horas da manhã, mudando o atual, das dez horas, para mais cedo. Redigiu uma proposta formal para a reunião do conselho, mas suspeitava que dois dos seis membros se oporiam fortemente à ideia. Jason nunca propôs a mudança nem iniciou uma discussão sobre o futuro da igreja. A igreja continua perdendo jovens.

A inaptidão de Jason para dizer não, desagradar ou se arriscar em desapontar outras pessoas tem sua raiz em sua família de origem e seus primeiros relacionamentos interpessoais. As regras implícitas com as quais ele cresceu são parecidas com isto:

Não desagrade os outros.

Você é responsável pela felicidade dos seus pais.

Quando você está triste ou com raiva, guarde para si.

Isto tornou Jason menos honesto e excessivamente envolvido nos sentimentos do outro. Esse triste legado de família está mutilando sua liderança. Quando um membro do conselho convidou Jason recentemente para um café da manhã, ele teve uma sensação de pavor.

– Por que você tem sempre de agir de modo que ninguém tenha algo contra você? – perguntou o membro do conselho.

Jason sentiu como se tivesse levado um soco no estômago.

Ele sabe que não pode evitar lidar com sua aversão por conflito por mais tempo. O que ele não consegue ainda perceber é que o membro do conselho na verdade deu-lhe um presente. A questão agora é: o que Jason fará com ele?

Para extirpar a fonte de sua intensa aversão a conflitos, Jason terá de enfrentar a complexa e crítica natureza de sua sombra. Diferentemente de Sean, que deu seus passos iniciais refletindo sobre a maneira como seu caos interior se manifesta exteriormente em seu trabalho, Jason evitou essa jornada – e sua igreja está sofrendo as consequências.

Jason, nesse ponto, tem consciência de que tem um problema, mas tem de reconhecer quanto é realmente sério e determinante. O veredito depende de sua reação à observação perspicaz do membro do conselho. Felizmente, tem sido minha experiência que, uma vez que os líderes compreendem o que é a sombra e se dão conta de que não estão sozinhos – que todos nós temos sombras – a maioria a enfrenta corajosamente. No processo, eles também descobrem a graça de Deus e o vento do Espírito Santo em suas costas.

Por isso voltemos nossa atenção para definir e desenvolver esta esquiva ideia do que é *sombra*.

O QUE É A SOMBRA?

Todos têm uma sombra. Então, o que ela é?

Sua sombra é o acúmulo de emoções não domesticadas, motivações não tão puras e ideias que, embora em grande parte inconscientes, influenciam fortemente você e moldam seu comportamento. É a versão danificada, mas em sua maior parte escondida, de quem você é.

A sombra pode irromper em várias formas. Às vezes ela se revela em comportamentos pecaminosos, como o perfeccionismo no julgamento, explosão de raiva, ciúme, ressentimento, lascívia, ganância ou amargura. Ou pode se revelar mais sutilmente, como na necessidade de auxiliar os outros e ser amado pelas pessoas, necessidade de ser notado, incapacidade de parar de trabalhar, tendência ao isolamento ou inflexibilidade. Os aspectos da sombra podem ser pecaminosos, mas podem também ser simplesmente fraquezas ou ofensas. Tendem a surgir quando nos sentimos vulneráveis ou expostos e tentamos nos proteger. Isto significa que a sombra *não* é simplesmente outra palavra para pecado. Se isso o faz pensar que a sombra é difícil de definir, você está certo. "A sombra, por natureza, é difícil de se compreender", escrevem os psicólogos Connie Zweig e Jeremiah Abrams. "Ela é perigosa, confusa e sempre se esconde, como se a luz da consciência fosse roubar sua própria vida".[2]

A conhecida história *Dr. Jekill e Sr.* Hyde, de Robert Louis Stevenson, me ajudou a compreender minha própria sombra como algo dissimulado debaixo do meu mais respeitável ego. Durante o dia, o Dr. Jekyll tem uma vida educada, bem respeitada com muitos amigos, mas à noite ele vagueia pelas ruas como o violento Sr. Hyde. Embora ele inicialmente goste da capacidade de satisfazer seu lado sombrio, Sr. Hyde, com o tempo o dr. Jekyll perde a capacidade de ir e voltar entre suas duas identidades. Cada vez mais ele se torna o sombrio Sr. Hyde nos momentos mais inoportunos. A história termina quando Jekyll finalmente se dá conta de que logo se tornará

[2] ZWEIG, Connie e ABRAHAMS, Jeremiah, "Introduction: The Shadow Side of Everyday Life" [Introdução: O lado sombrio da vida diária], em *Meeting the Shadow: The Hidden Power of the Dark Side of Human Nature* [Conhecer a sombra: O poder oculto do lado sombrio da natureza humana]. New York: Tarcher/Penguin, 1991, xvii.

para sempre o mau Hyde e dá fim à própria vida. Embora Stevenson mostre o lado sombrio do dr. Jekyll flagrantemente mau – que não é como estamos descrevendo nossa alma –, refiro-me especialmente aos esforços do dr. Jekyll em evitar, a todo custo, enfrentar a realidade de sua sombra.

Como a sombra se revela na liderança? Eis alguns exemplos:

- Muitos de nós temos dons de falar e de mobilizar pessoas. Isso é bom. O lado sombrio desses dons pode ser uma insaciável necessidade de afirmação. Até a confissão pública de arrependimento e fracasso podem ser motivados por uma fome inconsciente de aprovação. Também não é incomum que usemos esse dom para evitar relacionamentos próximos.
- Nós valorizamos a excelência. Isso é bom. O lado sombrio emerge quando a busca da excelência adentra o perfeccionismo que não permite erros. Nosso perfeccionismo torna-se uma forma de silenciar nossa voz interior de vergonha.
- Somos zelosos pela verdade de Deus e pela doutrina certa. Isso é bom. A sombra aparece quando o nosso zelo nos impede de amar aqueles que discordam de nós. É motivada por nossas próprias inseguranças e medos sobre ser competente e "estar certo".
- Queremos ver a igreja maximizar seu potencial por Cristo. Isso é bom. Entretanto, a sombra assume o controle quando nos tornamos tão preocupados com a consecução de objetivos que não temos disposição ou somos incapazes de ouvir os outros e estabelecemos um ritmo insustentável para os que trabalham conosco. A motivação da sombra poderia ser uma desesperada necessidade de receber elogios por nosso trabalho.
- Nós gostamos de servir. Isso é bom. A sombra se revela quando nos escondemos na cozinha em eventos sociais para evitar falar com as pessoas. É a nossa forma de nos proteger da aproximação dos outros.
- Nós aceitamos uma nova atribuição em outra cidade. Isso é bom. A sombra surge quando, antes de sairmos, compramos uma briga com outro líder em nossa atribuição atual a respeito de questões que nunca nos incomodaram antes. Por quê? Porque é mais fácil do que reconhecer a tristeza que sentimos e dizer: "Vou sentir sua falta".[3]

[3] É importante notar que essas igrejas e organizações podem também desenvolver o que tem sido chamado de "missão da sombra". Isso flui de nossa vida como líderes. Por exemplo:

Nós queremos alcançar pessoas para Jesus Cristo. A missão da sombra poderia ser que o desejo por crescimento

Esses são exemplos gerais. Permita-me compartilhar um exemplo pessoal recente de minha própria sombra em ação. Devo avisar: não se trata de um quadro bonito.

Geri e eu estávamos sentados para uma de nossas ocasionais reuniões de equipe a dois. Eu tinha uma agenda de quatro a cinco itens, e o primeiro era mostrar para Geri as mudanças efetuadas na declaração de missão para a Espiritualidade Emocionalmente Saudável. Eu havia analisado o texto e solicitado a opinião de várias pessoas ao longo de três meses. Pensei que poderia passá-lo por Geri rapidamente.

Estávamos sentados em sofás separados, um na frente do outro, quando lhe entreguei o documento.

Ela olhou para o papel.

– Deixe-me pensar... Não tenho certeza... – murmurou ela.

Um golpe de tensão percorreu o meu corpo, mas tentei esconder meu desagrado.

– Este é um item de três minutos – objetei rapidamente. – Na verdade estou esperando que você diga "ótimo" em vez de sugerir uma revisão total.

Geri, notando meu tom de impaciência e desagrado, permaneceu em silêncio.

Depois de uma pequena pausa, ela continuou:

– Penso que eu mudaria isto...

E então parou. A tensão entre nós era evidente.

– Pete, o que está acontecendo em você neste momento? – perguntou. – O que você está sentindo?

Eu sabia que aquilo não ia dar em boa coisa.

– E de onde vem isto? – insistiu. – Tenho visto você fazer isto com outras pessoas nas reuniões. E não é bom. Quero dizer, você está escrevendo um livro, você sabe, chamado *O líder emocionalmente saudável*.

Geri estava calma. Eu não. Parte de mim queria atacá-la, me defender, ou gritar.

numérico se torne a forma *exclusiva* pela qual o ministério valida sua eficácia e orienta todas as decisões. Embora crescer em número seja um modo legítimo de medir a eficácia, não é suficiente, e os integrantes da equipe podem facilmente se tornar apenas meios para aquele fim.

Estamos comprometidos em contextualizar o evangelho em uma cultura em rápida mudança. Aprendemos e nos envolvemos com tecnologias mais recentes, mídia social e novas ideias. Isso é bom. A possível missão da sombra se torna a construção de uma identidade ministerial de reação contrária, dando a toda a organização um sentimento de superioridade em relação aos que são mais "tradicionais".

Para mais leitura, v. ORTBERG, John. *Overcoming Your Shadow Mission* [Vencendo sua missão da sombra]. Grand Rapids, MI: Zondervan, 2008.

Um pesado silêncio encheu o ar.

Fechei os olhos e respirei fundo. Parte da minha sombra estava exposta, e eu podia vê-la – novamente.

Eu não havia atravessado a linha para o pecado – ainda. Mas estava pensando seriamente nisso. Dei uma respirada e pensei na pergunta dela. Mandei um SOS para o Espírito Santo pedindo poder e autocontrole.

– Geri, neste momento eu estou ansioso, impaciente, frustrado – respondi finalmente. – Eu queria apenas gastar alguns minutos nisto e ouvir você dizer: "Está ótimo", ou: "Talvez fosse bom mudar essa palavra aqui". Só isso. Então meu pedido realmente não foi honesto ou claro.

– De onde vem *isso*? – Geri perguntou.

Deixei que um pesado silêncio enchesse a sala.

– Vou dizer a você de onde isso vem. – Pronunciei finalmente. – Minha *família*. Eles estão em mim. Toda ela está em mim: a impaciência, a ansiedade, o fracasso em ter tempo para pensar com clareza no que estou perguntando! Quando você não disse imediatamente que estava ótimo, tudo no que pude pensar foi nas constantes experiências negativas durante minha infância e adolescência.

Foi muito doloroso ver isto com tanta clareza – e não pela primeira vez.

Mesmo assim, agradeci a Deus pela graça de ter *podido* ver, o que me impediu de atacar Geri ou de me defender. E fui grato pela graça que me impediu de permitir que a sombra cruzasse a linha para o pecado.

Pedi perdão a Geri, e fizemos uma pausa para o chá. Dez minutos depois partimos para o item número dois da agenda de nossa pequena reunião de equipe.

Parte do que permitiu me recuperar no momento foi uma saudável teologia bíblica que me lembrou de que sou mais do que a minha sombra.

A ABORDAGEM DE SUA SOMBRA É SAUDÁVEL?

Use a lista de declarações a seguir para fazer uma rápida avaliação de como você se relaciona com sua sombra. Em seguida a cada declaração, anote o número que melhor descreve sua resposta. Use a escala a seguir:

5 = Totalmente verdadeiro
4 = Bastante verdadeiro
3 = Parcialmente verdadeiro
2 = Raramente verdadeiro
1 = Falso

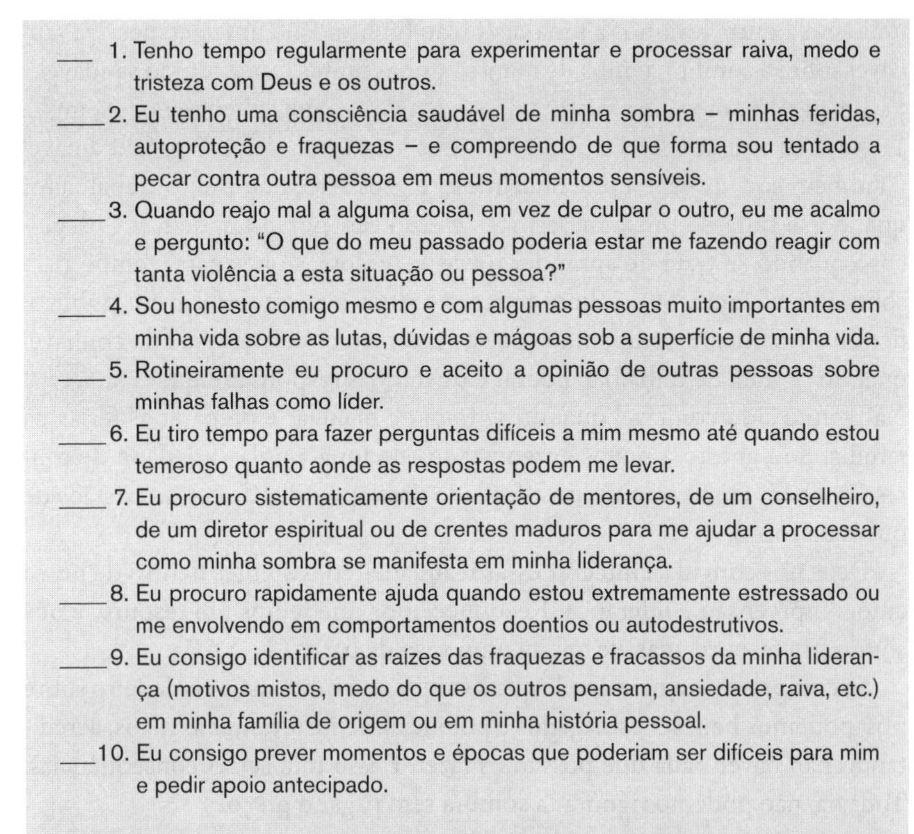

___ 1. Tenho tempo regularmente para experimentar e processar raiva, medo e tristeza com Deus e os outros.

____ 2. Eu tenho uma consciência saudável de minha sombra – minhas feridas, autoproteção e fraquezas – e compreendo de que forma sou tentado a pecar contra outra pessoa em meus momentos sensíveis.

____ 3. Quando reajo mal a alguma coisa, em vez de culpar o outro, eu me acalmo e pergunto: "O que do meu passado poderia estar me fazendo reagir com tanta violência a esta situação ou pessoa?"

____ 4. Sou honesto comigo mesmo e com algumas pessoas muito importantes em minha vida sobre as lutas, dúvidas e mágoas sob a superfície de minha vida.

____ 5. Rotineiramente eu procuro e aceito a opinião de outras pessoas sobre minhas falhas como líder.

____ 6. Eu tiro tempo para fazer perguntas difíceis a mim mesmo até quando estou temeroso quanto aonde as respostas podem me levar.

____ 7. Eu procuro sistematicamente orientação de mentores, de um conselheiro, de um diretor espiritual ou de crentes maduros para me ajudar a processar como minha sombra se manifesta em minha liderança.

____ 8. Eu procuro rapidamente ajuda quando estou extremamente estressado ou me envolvendo em comportamentos doentios ou autodestrutivos.

____ 9. Eu consigo identificar as raízes das fraquezas e fracassos da minha liderança (motivos mistos, medo do que os outros pensam, ansiedade, raiva, etc.) em minha família de origem ou em minha história pessoal.

___ 10. Eu consigo prever momentos e épocas que poderiam ser difíceis para mim e pedir apoio antecipado.

Reserve um momento para rever rapidamente suas respostas. O que mais se destaca para você? Embora não exista uma pontuação definitiva para a avaliação, no final do capítulo estão algumas observações gerais que podem ajudá-lo a compreender mais sobre onde você está. Mesmo que a sua pontuação não seja o que você esperava, conceda a si mesmo crédito por haver feito a avaliação em primeiro lugar. Isso é de fato um passo significativo rumo ao crescimento para um líder eficiente e saudável. Maturidade espiritual e na liderança é uma maratona, não uma corrida de cem metros rasos – dê um passo de cada vez.

Você é mais que sua sombra

Quando se trata de compreender e enfrentar a sombra interior, muitos líderes cristãos caem numa das duas visões extremas. A primeira visão extrema diz: *Eu sou completamente mau. Sou terrivelmente pecador e em mim não habita bem algum* (Rm 7.18). O outro extremo declara: *Sou totalmente bom. Sou uma nova criação em Cristo, um santo feito de modo maravilhoso e único* (ver 2Co 5.17; Sl 139.14). Ambas as visões têm elementos de verdade, mas agarrar-se a uma sem a outra leva-nos a uma distorção bíblica. Para uma perspectiva saudável sobre a sombra, temos de manter ambas juntas numa tensão saudável.

Em geral, somos uma mistura dessas tensões e contradições. Por exemplo, às vezes eu sou acessível e aberto. Outras vezes, sou defensivo. Sou amável e também sou, às vezes, preconceituoso e grosseiro. Sou muito trabalhador quando se trata de preparar sermões e escrever; posso também ser preguiçoso quando se trata de aprender novas tecnologias ou separar tempo para solitude e silêncio. Sou calmo em certas situações como falar em público; fico ansioso quando tenho muita coisa a fazer em pouco tempo. Sou confiável quando se trata de trabalhar, liderar e de minhas responsabilidades na igreja. Não tenho sido confiável quando se trata de planejar e preparar as férias da família. Sou aberto a novos aprendizados de uma ampla variedade de fontes. Também tenho sido rígido e fechado para aprender de certos cristãos de quem discordo.

Deus nos convida a integrar essas realidades coexistentes dentro de nossa autocompreensão e liderança. Reconhecemos que temos um tesouro, e nós somos um tesouro, mas ele habita num vaso de barro (2Co 4.7).

Se comprarmos a mentira de que a sombra é o que é mais verdadeiro sobre nós, podemos bem ser esmagados e potencialmente levantar as mãos, acreditando não haver nada que possamos fazer. E isso tem sérias consequências. Todavia, não podemos ignorar a sombra sem pagar o preço.

VOCÊ SABE TRATAR-SE DE SUA SOMBRA QUANDO VOCÊ...

- Age de forma inadequada quando está sob pressão.
- Não quer que alguém tenha êxito porque o ofendeu.
- Reage mal diante de uma pessoa ou circunstância e diz coisas das quais se arrepende mais tarde.
- Desconsidera seu cônjuge ou colaborador quando ele(a) apresenta uma questão difícil sobre você e seu comportamento.
- Continua fazendo a mesma coisa repetidas vezes embora as consequências permaneçam negativas.
- Está irado, ciumento e invejoso – muito.
- Faz e diz coisas pelo medo do que outras pessoas pensem.
- Fica mais ocupado do que reflexivo quando está ansioso.
- Tende a idealizar outros que receberam dons especiais de Deus, esquecendo que eles também têm sombra e são débeis como você.
- Faz comentários negativos com outros sobre pessoas que frustraram você em vez de ir diretamente a elas.

AS CONSEQUÊNCIAS DE ESCOLHER IGNORAR SUA SOMBRA

Enfrentar a sombra é uma tarefa tremenda. Nossa autoproteção pode ser muito criativa para encontrar o que parece ser formas legítimas e justificáveis de evitá-la. Entretanto, com o passar dos anos, descobri que essas manobras podem ser classificadas em categorias maiores – negação, minimização, culpar-se, culpar os outros, racionalização, distração ou projetar raiva para fora. Independentemente do escudo de defesa ao qual recorramos, as consequências da escolha de ignorar a sombra são devastadoras.

Sua sombra irá minar o melhor de você

Estudos indicam que o quociente emocional (QE) é tão crítico que responde por 58 por cento do desempenho em todos os tipos de trabalhos.[4] Na verdade, a inteligência emocional no local de trabalho supera quase todas os outros fatores – QI, personalidade, educação, experiência e dons – quando se trata do desempenho eficiente em relação aos líderes.[5] Quando consideramos o desejo de Deus de que Cristo seja formado em nós e sua grande preocupação em relação ao nosso caráter, as implicações para nós são de alcance muito mais longo. Considere alguns exemplos de como isto funciona em diferentes ambientes de liderança:

- William é um pastor talentoso e eficiente, mas a natureza caótica de sua família de origem o leva a dominar e controlar ambientes – seja em casa ou no trabalho. Líderes e auxiliares saem rotineiramente da igreja devido à falta de oportunidade de exercer seus dons e aprender com seus erros.
- Cristina é uma excelente diretora executiva de ministérios – organizada, minuciosa e aprende rápido – numa igreja que tem crescido bastante. Contudo, ela é tão sensível a críticas e à aparência do fracasso que isso acaba exercendo um impacto negativo em sua capacidade de trabalhar com a equipe, composta principalmente de líderes empresariais. Ela está se tornando cada vez mais ressentida com a mudança de descrição do seu trabalho a cada seis meses e suas responsabilidades estão sendo distribuídas para outros.

[4] BARDBERRY, Travis e GREAVES, Jean. *Emotional Intelligence 2.0* [Inteligência emocional 2.0]. San Diego, CA: Talent Smart, 2009, p. 20-21.

[5] BARDBERRY, Travis e GREAVES, Jean. *Leadership Intelligence 2.0* [Liderança inteligente 2.0]. San Diego, CA: Talent Smart, 2012, p. 129-34.

- Evelyn tem um dom dado por Deus para aconselhar estudantes e dirigir o ministério de jovens adultos em sua igreja. Ela está sempre ocupada, lançando novas iniciativas para expandir o trabalho, mas não percebe como sua energia para realizações vem parcialmente do roteiro de família que diz: *Você só tem valor se fizer algo ótimo.* Metade dos voluntários se cansa de tentar acompanhar Evelyn e cai fora após dois ou três meses.

Infelizmente, os líderes nestes exemplos estão ignorando sua sombra e, como resultado, estão colhendo consequências negativas.

Embora eu tenha tomado consciência e começado a trabalhar em minha sombra pela primeira vez em 1996, só em 2007 eu reconheci completamente a profundidade do seu impacto sobre minha liderança. Este impasse foi desfeito quando finalmente enfrentei as motivações ocultas que dirigiam os comportamentos da minha sombra, particularmente em torno de questões relacionadas à contratação e à dispensa do pessoal. No processo, surgiram três questões importantes.

Validação. Quando eu pregava e liderava com sinceridade, recebia muito apoio. As pessoas vinham até mim e diziam coisas boas a meu respeito. Quando eu falava verdades dolorosas ou tomava uma decisão difícil, as pessoas se afastavam de mim. Elas me evitavam ou diziam coisas desagradáveis sobre mim às minhas costas. (Geralmente, isto era mais minha imaginação do que realidade).

Eu queria muito evitar que as pessoas se afastassem de mim. As raízes disto remontavam à minha família de origem. Meus pais não dispunham de recursos emocionais para apoiar seus quatro filhos. Eles próprios nunca receberam apoio. Como resultado, vivi com uma lacuna emocional e uma profunda necessidade de aceitação e aprovação. Quando compreendi a conexão entre a falta de apoio em minha infância e minha intensa necessidade de evitar que as pessoas se afastassem de mim, obtive a percepção, pelo menos parcialmente, sobre por que eu evitava sistematicamente conversas difíceis. O problema era que o meu ato de evitar havia ultrapassado a preocupação pessoal e estava agora afetando a igreja como um todo.

Honestidade. Neste ponta da história da *New Life,* tínhamos quase vinte funcionários, bem como uma corporação de desenvolvimento comunitário que abrigava um centro de saúde, despensa de alimentos e outros ministérios. A *New Life* tornou-se cada vez mais complexa. O meu forte é pregar, ensinar e lançar novas ideias. Não sou forte em administração, gerenciamento de orçamento, contratação, demissão e planejamento estratégico detalhado. Concentrei-me no que era bom e ignorei, tanto quanto possível, as funções executivas nas quais não era tão bom.

Eu não estava sendo honesto – comigo mesmo, com os funcionários, com a igreja. Eu não dava um retorno honesto aos funcionários quanto ao desempenho deles para que não se sentissem mal. Eu evitava as perguntas difíceis, com medo de respostas que eu não queria ouvir. Eu dava a impressão de que as coisas estavam às vezes melhores do que estavam. Eu parecia feliz quando, na verdade, não estava.

Pessimismo. Desde 1923, minha família possuía uma padaria italiana em Nova York. Ela continua sendo administrada caótica e deficientemente. Eu absorvi a mensagem de que os Scazzeros são bons faladores (exagerando e enfeitando o lançamento de uma ideia nova), mas não são bons em administrar uma organização eficiente. Por isso, justifiquei minha falha de liderança executiva da *New Life* dizendo: "Simplesmente não sou bom nisso". Não me passava pela cabeça a possibilidade de mudar o mandamento familiar de caos com seus arraigados padrões de desorganização. Eu praticamente podia ouvir a voz da minha mãe: "Você não pode fazer isso. Você não sabe o que está fazendo".

Tal como a maioria dos pastores e líderes, eu gravitava em torno das coisas de que gostava, como o curso de férias sobre o livro de Apocalipse, em vez de tirar tempo para realmente pensar nos funcionários, no orçamento e nas reuniões de supervisão. No curto prazo eu acalmava minha ansiedade, mas no longo prazo eu somente a aumentava. Como resultado, minha sombra minava, com o passar do tempo, até os dons e os pontos fortes da minha liderança.

Sua sombra limitará sua capacidade de servir a outras pessoas

O grau em que você reconhece e lida com sua própria sombra é o grau em que você pode liberar outros para enfrentar a deles. Eu não procuro as sombras das pessoas, no entanto, elas são cada vez mais óbvias para mim. Como isso é possível? Porque eu conheço a minha!

Um de meus provérbios favoritos é de uma história em *The Desert Fathers* [Os pais do deserto] sobre um monge do século IV chamado João, o Pequeno. Um monge, companheiro ciumento, certa vez se aproximou de João enquanto ele estava ensinando à frente da igreja.

> [O monge] disse: "João, sua taça está cheia de veneno".

João respondeu: "Sim... está. Mas você disse isso enxergando apenas o exterior; imagino o que você diria se visse o interior".[6]

João, o Pequeno não é defensivo em sua resposta. Ele não ataca o monge nem dispara joio verbal para desviar a conversa de si. Ele admite corajosamente sua vulnerabilidade e o que sabe ser verdade sobre si mesmo. Tal como o apóstolo Paulo, ele afirma: *os pecadores, dos quais eu sou o principal* (1Tm 2.15). Reconhecer em vez de negar a realidade e a profundidade da sombra é uma indicação de maturidade emocional e espiritual. No caso de João, o Pequeno, ele não se recolheu a uma concha autoprotetora e parou de servir aos outros. Em vez disso, ele permaneceu aberto e vulnerável aos que o criticavam.

Em nosso desejo de liderar e servir aos outros, temos de enfrentar este fato claro e difícil: o grau em que ignoramos nossa sombra é o grau em que nosso serviço de amor aos outros é limitado. Você irá reconhecer essa dinâmica na história de Carlos.

Carlos é um talentoso obreiro paraeclesiástico com um currículo impressionante. Ele publicou três livros sobre poesia antes de se formar na melhor universidade. Carlos é um "super" líder com um ótimo futuro: carismático, criativo, fala bem e é um palestrante muito requisitado. Carlos é também integrante de um grupo pequeno que se reúne em nosso porão. Sempre que ele compartilhava algo em nosso grupo, entretanto, algo parecia fora. Eu não tinha certeza do que era, mas suas declarações pareciam vazias – mesmo sendo impressionantes suas palavras e realizações.

Carlos e eu nos sentamos um domingo à tarde para conversarmos sobre como sua família de origem havia impactado quem ele é hoje. Na semana anterior, nosso grupo havia falado sobre os aspectos da sombra de nós mesmos que são assustadores, protetores, defensivos, manipulativos e de autopromoção. Carlos falou sobre a série de homens em sua família que tinham vida dupla, fingindo ser o que não eram. Depois ele falou sobre a pequena cidade rural onde crescera, sobre como se estabeleceu na grande cidade de Nova York e do orgulho que todos em sua casa nutriam de suas realizações.

– Carlos – comecei –, parece que sua vida foi construída essencialmente sobre uma base: o seu dom da palavra como orador, autor, poeta, rapper, um líder que chegou lá... Mas *quem* você realmente é debaixo disso tudo?

Ele ficou em silêncio. Olhando melancolicamente para o chão, respondeu:

[6] *The Desert Fathers: Sayings of the Early Christian Monks*, [Os pais do deserto: Ditos dos primeiros monges cristãos], traduzido por Benedicta Ward. New York: Penguin Classics, 2003, p. 172.

– Pastor Pete, não tenho certeza.

Alguns meses depois, Carlos e eu nos encontramos novamente, e ele relatou:

– Depois de identificar os problemas em minha família e como eles me afetaram hoje, Deus me ajudou a reconhecer minha sombra. Olhei para meus livros de poesia, minhas realizações e a perfeita história de vida que construí. E senti que Deus estava me convidando a fazer uma escolha. Eu podia tentar revisar e polir minha história mais ainda para me apresentar perfeito e feliz. Ou eu podia permitir que Deus me redimisse e me restaurasse.

Ele fez uma breve pausa e então sorriu.

– Eu escolhi a redenção... e sabe de uma coisa? Já está começando a mudar a maneira como eu escrevo e falo. Não sei onde tudo isso vai dar, mas parece ótimo.

Sua sombra não deixará você ver a sombra dos outros

Em seu livro *The Denial of Death* [A negação da morte], o antropólogo cultural Ernest Becker observa que nós temos uma necessidade humana universal por figuras heroicas que são menos incapazes e submissas do que nós. Presumimos que Deus sorriu para elas, deu-lhes dons especiais, inteligência e sabedoria. Elas parecem ter triunfado sobre as dificuldades da vida. Elas nos deslumbram com sua autoconfiança.

Quando nos recusamos a enfrentar nossa própria sombra, ou nos tornamos cegos ou deixamos de levar em conta as sombras dos outros, essa cegueira nos faz idealizar certas pessoas, como se elas não tivessem uma sombra como o restante de nós. O resultado é que quase sempre sentimo-nos piores, caindo numa areia movediça de mórbida introspecção na qual afundamos ainda mais sob o peso de nossa própria sombra. Ou às vezes poderíamos julgar os outros por causa de suas imperfeições, fazendo fofocas cruéis sobre elas devido a nossa própria inveja e insegurança. Esquecemos que elas também têm uma sombra que as faz sentirem-se tão inadequadas e vulneráveis como nós nos sentimos.

Assim, quando alguém coloca você num pedestal, idealizando-o e projetando sobre você qualidades que parecem distingui-lo e separá-lo do resto da humanidade caída, lembre-se de que eles podem desprezá-lo quando finalmente se derem conta de que você também tem uma sombra. Como Becker escreve, todos nós somos apenas um "*homo sapiens,* safra padrão".[7]

[7] V. BECKER, Ernest. *Denial of Death* [Negação da morte]. New York: Free Press, Simon e Schulster,1973, p. 128.

Jesus tinha plena consciência da sombra naqueles que o seguiam. Depois que Jesus jogou fora o dinheiro dos cambistas do templo e muitas pessoas creram nele, a Escritura nos diz: *Mas o próprio Jesus não se confiava a eles, porque conhecia todos... pois ele bem sabia o que é o ser humano* (Jo 2.24,25). Jesus sabia que crer apenas não era cura para a sombra. Não precisamos procurar mais do que o apóstolo Pedro para encontrar provas – o apóstolo que havia corajosamente declarado que Jesus era o Messias depois negou prontamente Jesus três vezes depois de sua prisão.

Por isso precisamos ficar atentos às potenciais consequências de escolher ignorar a sombra. Entretanto, são encontradas também bênçãos positivas quando seguimos os caminhos de Deus.

As dádivas de escolher enfrentar sua sombra

Deus nos oferece maravilhosas dádivas quando escolhemos enfrentar corajosamente nossa sombra. E por maravilhoso, quero dizer doloroso, mas que vale a pena – os tipos de dádivas que poderiam ser chamadas de "misericórdias severas". Embora a ideia de enfrentar nossa sombra possa inicialmente nos encher de medo, uma vez escolhido o caminho que nos faz adentrar em nossa sombra, descobrimos que Deus está esperando lá por nós, oferecendo-nos pelo menos duas magníficas dádivas.

Você quebra o poder oculto da sombra

Uma das grandes verdades da vida é esta: *Não se pode mudar o que não se conhece.* Entretanto, uma vez que reconhecemos nossa sombra – tanto suas causas como suas expressões – seu poder sobre nós é reduzido, se não eliminado. Expor a sombra à luz de Jesus é o primeiro e mais importante passo que precisamos dar para recebermos esta dádiva.

O apóstolo Paulo foi uma das mentes mais brilhantes do seu tempo. Exerceu com poder sua liderança como apóstolo, profeta, evangelista, pastor e mestre. Recebeu extraordinárias visões e revelações de Deus. Apesar de perseguição, ameaças de morte e um constante fluxo de circunstâncias adversas, obteve inigualável sucesso na plantação de igrejas em todo o Império Romano. Todavia, a intensidade de seus adversários e a pressão de carregar o peso das igrejas certamente testaram o caráter de Paulo. Não sabemos a natureza da sombra de Paulo, mas suponho que ele pode ter sido teimoso com potencial para a arrogância, a intolerância e a violência (pense na perseguição que ele fez à igreja primitiva).

Paulo falou francamente sobre como Deus o humilhou e o tornou fraco por meio de um "espinho na carne" (2Co 12.7). Não sabemos se era uma enfermidade física, a aflição de ser perseguido e mal compreendido, ou uma tentação espiritual com a qual ele lutava. Sabemos, contudo, que isso atormentava e desencorajava Paulo. Isso lhe deu também poder para demonstrar fraqueza e vulnerabilidade. Neste sentido, foi uma dádiva – uma das formas com as quais Deus o ajudou a enfrentar e romper o poder de sua sombra. Ele mesmo se refere à sua fraqueza como uma fonte paradoxal de força:

> Três vezes roguei ao Senhor que o afastasse de mim; e ele me disse: A minha graça te basta, porque o meu poder se aperfeiçoa na fraqueza. Por isso, de boa vontade antes me gloriarei nas minhas fraquezas, a fim de que repouse sobre mim o poder de Cristo. Pelo que sinto prazer nas fraquezas, nas injúrias, nas necessidades, nas perseguições, nas angústias por amor de Cristo. Porque quando estou fraco, então é que sou forte (2Co 12.8-10).

A sombra de Paulo não era uma fonte de vergonha. Em vez disso, ela tornou-se uma fonte de jactância saudável, provendo meios pelos quais o poder de Jesus e a vida fluíam através dele.

Da mesma forma, uma vez reconhecidas minhas tendências sombrias – procurar validação de forma inadequada, tratar a verdade superficialmente, acreditar no pior a meu respeito como líder organizacional – eu estava determinado a *não* seguir essas inclinações frustrantes. Por isso as reconheci abertamente às pessoas próximas a mim. Lembrei-me de todas as forças que Deus já havia desenvolvido em mim. Assim como Davi lembrando Saul, e ele próprio, de que com a ajuda de Deus ele já havia matado o leão e o urso e, portanto, podia combater Golias (1Sm 17.36,37), eu identifiquei e exercitei minhas pequenas vitórias até aquele ponto para me lembrar da fidelidade e do poder de Deus.

Eu também me reuni com sábios mentores e conselheiros que me auxiliaram nas funções executivas da liderança – contratação, mudança de pessoal, planejamento estratégico, planejamento orçamentário, gerenciamento de grandes projetos etc. Reservei tempo não apenas para criar metas específicas, mas para pensar nos passos e no tempo requerido para alcançar aqueles objetivos. Foi um processo meticuloso, porém transformador, tanto para mim quanto para a *New Life*. Cumpri aquelas tarefas repetidas vezes até se tornarem mais naturais para mim. No processo, o poder oculto da sombra sobre aquelas áreas da minha vida e liderança foi desfeito.[8]

Você descobre os tesouros ocultos da sombra

Por intermédio do profeta Isaías, Deus promete: *Dar-te-ei os tesouros escondidos, e as riquezas encobertas* (Is 45.3, ARA). Esta promessa é especialmente verdade quando decidimos entrar nos lugares escuros da sombra e permitir que aqueles lugares se tornem instrumentos em nosso serviço a Deus. A vida de Abraham Lincoln oferece uma linda ilustração desta dádiva.

Lincoln lutou com grave depressão desde muito jovem. Aos 20 anos, os vizinhos às vezes o levavam para suas casas durante uma semana ou duas para cuidar dele para que ele não tirasse a própria vida. Dos 20 aos 30 anos, sofreu três colapsos e não se arriscava a carregar um canivete. Como advogado rural com apenas um ano de educação formal, Lincoln teve uma história de derrotas em concorrer a cargos públicos. Quando acabou sendo eleito presidente, foi ridicularizado como um caipira e uma desgraça. Ele teve de se esgueirar até Washington, DC, para sua posse porque várias pessoas queriam matá-lo.

Nos primeiros anos de sua presidência, os fracassos e retrocessos de Lincoln eram fonte de rancorosa zombaria pública. Seus generais militares tiveram fraco desempenho nos primeiros estágios da Guerra Civil. Quando Willie, seu filho favorito, morreu aos 11 anos de idade, Lincoln ficou arrasado. Quando a Guerra Civil acabou (1865), um em cada cinco homens com idade entre 15 e 40 anos tinha morrido no conflito – 529.000 homens (num país de 32 milhões) perderam a vida. Praticamente cada família havia sido atingida pela agonia e pela perda.

Todavia, o desenvolvimento pessoal e espiritual de Lincoln durante aqueles anos foi espantoso. Ele deixou claro que Deus *não* havia tomado partido na Guerra Civil, articulando sua visão de que a guerra era uma consequência do pecado da escravidão. Fez um apelo por nove dias de jejum e oração nacional. Quando a guerra terminou, Lincoln não guardou rancor nem quis vingança contra seus antigos inimigos, oferecendo perdão e reconciliação aos oficiais e soldados confederados que se renderam.

[8] Embora pela graça de Deus possamos nos tornar cada vez mais livres do poder oculto da sombra, é importante notar que a sombra em si nunca some. Jamais podemos "nos livrar dela". Assim como Jacó depois do seu encontro como o Senhor em Gênesis 32, nós andamos mancando. A diferença fundamental é que agora nós estamos bem conscientes de que dependemos de Deus para cada passo.

Como isso foi possível? Em seu livro *Lincoln's Melancholy* [A melancolia de Lincoln], o autor Joshua Wolf Shenk descreve como Lincoln conseguiu integrar sua depressão e seus fracassos num propósito maior. Shenk argumenta que foi, de fato, o sofrimento e a fraqueza de Lincoln que mais tarde nutriram sua nobreza e impulsionaram sua transformação pessoal.

> Observadores vêm notando há muito tempo como Lincoln reuniu um conjunto de qualidades opostas. Harriet Beecher Stowe [autora de *A cabana do Pai Tomás*] escreveu que ele era instável, porém forte, como um cabo elétrico que balança nas tempestades mas se move tenazmente em direção ao seu fim. Carl Sandburg descreveu Lincoln como "aço e veludo... duro como a rocha e macio como o nevoeiro". Como indicam essas metáforas, Lincoln não somente aceitava contrastes – dúvida e autoconfiança, esperança e desespero – mas de alguma forma os reconciliou para produzir algo novo e valioso. Nisto está a chave para o seu criativo trabalho como presidente – e uma lição permanente. Viver uma vida de bem quase sempre requer integrar um feixe de contrastes num todo durável.[9]

A jornada de Lincoln da vida toda exigiu integrar seus muitos dons e talentos a suas falhas, fraquezas e depressão. O que era a sombra de Lincoln? Não podemos saber com certeza, mas talvez tenha sido sua tendência em relação ao desespero e ao ódio de si mesmo. Pode ter sido um desejo por reconhecimento público e aprovação. Isto talvez possa explicar seu fracasso em remover generais incompetentes da União nos primeiros anos da Guerra Civil.

Seja qual for a sombra de Lincoln, está claro que sua disposição de reconhecer e integrar tudo de si foi o que o capacitou a servir e liderar uma nação em grande perigo de se esfacelar. Ele não precisou demonizar a oposição dividindo a nação em heróis e vilões. Havia aprendido a conter aquela tensão e complexidade dentro de si mesmo. Seu desgosto lhe permitiu abrir-se para a alegria bem como para o sofrimento. Como resultado, ele liderou uma nação fraturada numa guerra civil que podia tê-la destruído e é considerado por muitos o maior presidente da América.

Você e eu podemos ser muito diferentes de Abraham Lincoln, e nossos desafios na liderança podem ser muito distantes dos dele; mas podemos seguir em suas pegadas ao escolhermos aceitar nossas sombras. Há na

[9] SHENK, Josua Wolf. *Lincoln's Melancholy: How Depression Challenged a President and Fueled His Greatness* [A melancolia de Lincoln: como a depressão desafiou um presidente e estimulou sua gratidão]. New York: Houghton Mifflin, 2005, p. 159.

verdade somente duas opções quando se trata da sombra. Podemos ignorá-la até darmos com a cara na parede, com um sofrimento tão grande que por fim não reste escolha, senão enfrentá-la. Ou podemos ser proativos, encarando corajosamente os fatores que contribuíram para sua formação.

Quatro caminhos para enfrentar sua sombra

Como você já deve ter imaginado, o processo de enfrentar a sombra requer tanto coragem como trabalho duro. Para ilustrar o processo, costumo usar a imagem do rompimento do permafrost. O permafrost é um solo congelado, de no mínimo 45 cm de espessura, com uma temperatura que permanece abaixo de zero durante mais de dois anos. Em alguns lugares da Sibéria, o permafrost pode se estender a 1.500m abaixo da superfície. O norte do Alasca tem permafrost com profundidade de 730m. Nossa sombra às vezes pode parecer tão permanente como o mais profundo permafrost.

No mundo dos negócios, as empresas passaram a confiar na área da inteligência emocional para ajudar os líderes a administrar suas emoções e minimizar o impacto negativo que elas podem ter sobre suas equipes e organizações.[10] Nossa preocupação aqui, no entanto, é com mais do que apenas administrar e minimizar impacto negativo. O que buscamos é uma transformação duradoura à imagem de Cristo para abençoar o mundo. Se esse for um desafio que você está preparado para aceitar, então eu creio que, embora possa sentir-se um tanto cauteloso, você está pronto para dar um ou mais dos próximos passos.

1. Dome seus sentimentos dando-lhes nome

Os neurocientistas confirmam agora que crescer num ambiente familiar em que os sentimentos não são expressos leva a um subdesenvolvimento de partes do cérebro. Isto danifica nossa capacidade de trabalhar e amar bem. A boa notícia é que o dano não é permanente. Usando a imagiologia do cérebro, os pesquisadores documentaram como o nosso cérebro é reconectado quando aprendemos a dar nome aos nossos sentimentos. Mesmo a nível celular, algo poderoso é domado e mudado dentro de nós quando reconhecemos e identificamos nossas emoções.[11]

[10] V. o trabalho sobre desenvolver liderança versátil de Kaplan, Robert E. e Kaiser, Robert B. http://sloanreview-versatile-leadership/.

[11] Jesus perguntou ao endemoninhado gadareno: "Qual é o teu nome?" "Meu nome é Legião", ele respondeu, "porque somos muitos" (Mc 5.9, 10). Dar nome ao problema era um dos meios que Jesus usava para exercer autoridade sobre a energia maligna, incontida e ilimitada diante dele.

Você pode começar a dar nome a seus sentimentos escrevendo-os num diário como parte do seu tempo com Deus. Você pode considerar em espírito de oração e responder a perguntas como estas:

O que estou sentindo? E o que eu acho desse sentimento?

O que me deixa triste? Alegre? Irritado? Ansioso?

Onde em meu corpo eu estou sentindo tensão ou estresse (por exemplo: ombros, pescoço, estômago)? O que isto poderia estar me dizendo sobre o que não está indo bem dentro de mim?

Eu passei os primeiros dezessete anos da minha vida cristã negando meus sentimentos, especialmente as emoções mais difíceis como raiva, tristeza e medo. Eu entrei numa teologia super espiritual, não bíblica, que considerava tais emoções pecaminosas. Eu não estava reconhecendo todos os exemplos bíblicos que demonstravam claramente o contrário. Jesus, nosso Messias e Deus, não negou sua raiva e tristeza. O profeta Jeremias escreveu um livro inteiro, Lamentações, expressando sua profunda angústia pela destruição de Jerusalém. E o rei Davi, um homem segundo o coração de Deus, expressou a gama completa de emoções perante o Senhor. De fato, dois terços de seus salmos são lamentos e queixas![12]

Quando comecei a jornada da espiritualidade emocionalmente saudável em 1996, incluí em meu tempo de oração o registro em um diário. Isto provou ser uma disciplina fundamental para mim, porque me permitiu exercitar os músculos do meu "sentimento" muito tempo dormentes. Três ou quatro vezes por semana, eu fazia uma pausa para refletir sobre as emoções que havia experimentado no dia anterior. Aqueles exercícios de "sentir" fortaleceram minha rotina de conscientizar minhas emoções. Em pouco tempo, passei a identificar meus sentimentos na mesma hora, sem precisar esperar até o dia seguinte para reconhecê-los. Experimentei também uma maior liberdade e paz porque não estava mais suprimindo-os. Embora inicialmente tenha sido difícil, com prática sistemática, identificar e dar nome às minas emoções tornou-se tão natural como respirar.

Após identificar meus sentimentos, adquiri o hábito de refletir sobre *por que* eu passava pela experiência de cada emoção. Por exemplo: "Por que me irritava ao pensar em me encontrar com aquela pessoa da nossa igreja? Seria sua aparente contundência? Teria eu medo de ceder à pressão e tomar uma decisão precipitada da qual iria me arrepender?" Novamente, escrevia minhas

[12] SCAZZERO, Geri. *The Emotionally Healthy Woman* [A mulher emocionalmente saudável]. Grand Rapids, MI: Zondervan, 2010, capítulo 4; Pete e Geri Sacazzero, *Emotionally Healthy Skills 2.0* (New York: Emotionally Healthy Spirituality, 2012); Peter Scazzero, *The Emotionally Healthy Church.*

respostas num diário. Uma vez que eu pudesse dar nome aos meus sentimentos e identificar suas origens, eu podia então tomar uma ação adequada, como, gentilmente dizer não a um convite, fazer perguntas difíceis ou esperar antes de tomar uma decisão final.[13]

2. *Use um genograma para explorar o impacto do seu passado*

Em nosso trabalho com líderes nos últimos dezenove anos, Geri e eu descobrimos que construir um genograma é uma das formas mais atraentes e eficazes de ajudar as pessoas a identificar e enfrentar sua sombra. O genograma é uma ferramenta visual para documentar a história e a dinâmica de nossos relacionamentos familiares, e o impacto deles sobre nós, por mais de três a quatro gerações. Construir um genograma nos ajuda a examinar padrões não saudáveis do passado que trazemos à nossa liderança presente, bem como ao nosso relacionamento com Cristo e com os outros. Para oferecer um exemplo, aqui está o meu próprio genograma:

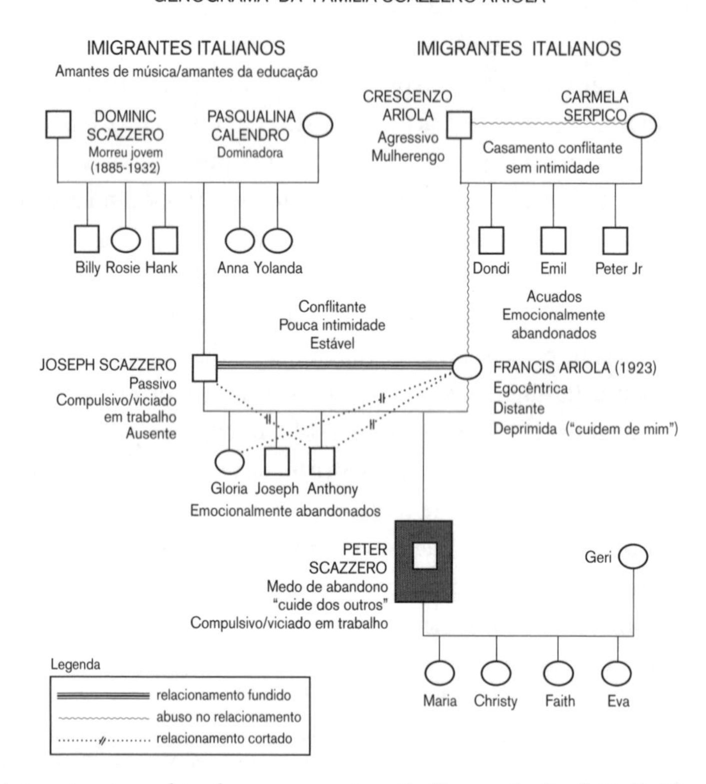

[13] Para um tratamento mais completo sobre nomear emoções, v. Geri Scazzero, *Emotionally Healthy Woman,* capítulo 4.

Na *New Life* nós gostamos de dizer: "Jesus pode estar em seu coração, mas vovô está em seus ossos". Como pode ser visto no meu genograma, os proverbiais "vovôs" lançam uma longa sombra sobre as gerações em minha família. É por isso que é tão importante ter consciência de padrões de geração na história de nossa família se quisermos enfrentar nossa sombra. Analise as histórias de Ben e Juan.

Ben, contador e líder em sua igreja, sempre parecia assumir a oposição nas conversas. Ele reagia a cada pergunta como se ela fosse um desafio. Independentemente do assunto – fosse ela um programa para um evento futuro, um dilema pastoral, a organização do gabinete, ou uma verdade bíblica – o tom de Ben era combativo. Ele sabia que isso era um problema, mas achava que não poderia mudar seu comportamento. E de fato não mudou, até que, depois de fazer um genograma, reconheceu por que se sentia hostil quando questionado, especialmente se quem fazia a pergunta era alguém investido de autoridade.

Quando criança, era punido sempre que fazia algo errado, mesmo de pouca importância. Aprendeu cedo a se defender contra qualquer potencial acusação de erro ou fraqueza. Quando se deu conta de que as raízes do seu comportamento retroagiam a sua família de origem, conseguiu começar a mudar.

Juan é um líder que vive e trabalha numa velocidade vertiginosa. "As pessoas bem-sucedidas são compulsivas", afirma. "Desde o momento em que me levanto até o momento que vou dormir, quero estar totalmente ocupado e ir de uma coisa para outra. Não há nada mais importante". Você pode pensar que Juan é simplesmente jovem e ambicioso, mas se pudesse ver seu genograma, veria seu comportamento em um contexto maior. Seu pai, imigrante, contou a Juan que ele tinha uma dívida para com seus pais por todo o sofrimento que eles suportaram para trazê-lo aos Estados Unidos. Décadas depois, essa mensagem vive em seus ossos. Uma vez tendo compreendido isto, ele se deu conta de quanto estava longe de viver o amor de Deus no evangelho. Isso o impulsionou numa jornada não somente para rever seu relacionamento com seus pais, mas para mudar seu ritmo de vida e seus métodos de trabalho. Admite que isso reduziu seu nível de estresse em cinquenta por cento. A mudança é ainda evidente em sua aparência física – em vez de abatido e apressado, ele passa uma impressão de estabilidade e paz.

Após trabalhar com líderes como Ben e Juan durante anos, Geri e eu desenvolvemos uma ferramenta chamada "Genogramando sua família". Se você está pronto a dar um passo de mudança de vida, pode acessar esta ferramenta em nosso site: www.emotionallyhealthy.org/genogram. Concluir um genograma o fará mover-se de um nível conceitual ou motivacional para um lugar de aplicação prática. Assista ao vídeo on line e use a planilha "Genogramando sua família" (p. 311) para esquematizar sua história familiar. Isto o ajudará a descobrir áreas anteriormente inexploradas de sua vida e sombra. Para orientação adicional, você pode também trabalhar com "Exemplos de perguntas para a construção do seu genograma":

Exemplos de perguntas para a construção do seu genograma

As perguntas seguintes são as que fazemos para ajudar as pessoas a aprofundar sua história e identificar de que modos o passado pode impactar o presente. Ao longo da leitura, mantenha a perspectiva que você tinha quando criança na idade entre os 8 e 12 anos.

1. Descreva cada membro da família em seu lar com três adjetivos e identifique o relacionamento deles com você (pais, cuidadores, avôs, irmãos, etc.).
2. Descreva o(s) casamento(s) de seus pais, bem como de seus avós.
3. Como foram tratados os conflitos, raiva, tensões em sua família estendida nas duas ou três gerações?
4. Houve qualquer "segredo" de família (como gravidez fora do casamento, incesto, doença mental, escândalo financeiro etc.)?
5. O que era considerado "sucesso" em sua família?
6. O quanto a etnia ou a raça moldou você e sua família?
7. Que palavras você usaria para descrever os relacionamentos entre os membros da família (brigas, indiferença, dependência, abusos)?
8. Houve algum herói/heroína na família? Algum vilão ou favorito? Por que essas pessoas se destacaram?
9. Que padrões ou temas geracionais você reconhece (vícios, casos extraconjugais, abuso, divórcio, doença mental, abortos, filhos fora do casamento etc.)?
10. Que perdas traumáticas sua família teve? (Por exemplo, morte repentina, doença prolongada, natimorto/aborto espontâneo, falência, divórcio?)
11. Descreva uma ou duas percepções que o ajudam a perceber quanto sua família de origem, ou outras, impactaram quem você é hoje.
12. Descreva de que maneiras isso tudo pode estar influenciando sua liderança.

Ao explorar o seu passado com um genograma, você expõe sua sombra à luz de Jesus. Então, pela graça de Deus, pode quebrar seu poder sobre você e integrar seu tesouro oculto à liderança.*

*Adaptado de Scazzero. *The Emotionally Healthy Church*, pp. 98-99.

3. *Identifique os textos negativos que lhe são entregues*

Um texto negativo é uma mensagem interiorizada de um passado que ainda modela nossos comportamentos conscientes e inconscientes. Mesmo quando não mais nos lembramos desses textos, nosso corpo os recorda, especialmente se estiverem ligados a experiências traumáticas. É por isso que, mesmo décadas depois, alguns eventos podem disparar uma reação desproporcional – eles evocam a lembrança de uma situação opressiva. Refletir sobre o passado nos capacita a identificar e mudar esses textos negativos que nos foram entregues.

Minha mãe, por exemplo, tinha um medo doentio de se arriscar e ser envergonhada por outras pessoas. Ela passou isto para seus quatro filhos. Quando eu tinha por volta de 11 anos, lembro-me de haver dito à minha mãe que eu queria aprender a consertar motores. Ela então repetiu o argumento que quase sempre usava quando eu tentava algo novo: "Você não pode fazer isso. Você não sabe o que está fazendo. Você vai bagunçar as coisas". Esse é um texto negativo. Quando adulto, tive de me verificar mais de uma vez e perguntar: "Este risco que estou considerando é um passo de fé para Deus ou um esforço para provar que minha mãe está errada?"

Um texto negativo pode desenvolver todo tipo de experiência. Veja se você se reconhece em alguns desses exemplos:

- Dan é um médico bem-sucedido com um ótimo salário. Também é membro do conselho da igreja; luta com perfeccionismo e é tão dedicado profissionalmente que fere seus relacionamentos tanto no trabalho como na igreja. Certo dia, quando tinha 10 anos, chegou a casa com um A em seu boletim escolar e foi punido pelo pai por não ter conseguido um A+. Seu pai o fez sentar-se no quarto e o bombardeou com palavras por causa de duas respostas erradas. O texto negativo de Dan? *Faça certo – o tempo todo. E não cometa erros!*
- Os pais se Allison se divorciaram quando ela estava com 7 anos. Ela se recorda do dia em que seus pais se sentaram à mesa, na frente dela e do irmão, para darem a notícia. O pai prometeu:
  – Amo vocês e vou estar sempre disponível.
  O problema veio seis meses depois, quando ele se casou novamente e iniciou uma nova família. Ela e o irmão raramente viram o pai nos vinte anos seguintes. Sua cuidadosa e cautelosa abordagem da vida é uma expressão tanto de prudência quanto de um texto negativo: *Não confie nas pessoas.*

- Os pais de Jiao imigraram da China para os Estados Unidos. Deixaram para trás a língua, a cultura, a família e o trabalho para construir uma vida melhor para Jiao e seus três irmãos em Nova York. Trabalharam doze horas por dia, seis a sete dias por semana, e tinham apenas uma mensagem para os filhos: "Estudem. Façam a América". Com esse fim, Jiao se sobressaiu na escola e se formou como a melhor de sua classe na faculdade. Seu texto negativo: *Seu merecimento e valor estão baseados em seu desempenho e suas realizações.*
- Na família de Joseph havia muitos berros e gritos. Seu pai teve um caso extraconjugal em determinada época, e Joseph, o irmão mais velho, servia como intermediário para acalmar sua mãe. Ele era o pacificador da família. Agora Joseph é pastor. Ele evita conflito e pessoas iradas, afastando-se até de situações desagradáveis. Seu texto: *Conflito é perigoso e mau.*
- Nathan foi criado num lar cristão em que seu pai repetidas vezes lhe dizia: "Deus tem um destino e um plano especial para sua vida, mas se você sair da vontade dele, ele o julgará severamente". Por isso Nathan se dedicou a ser responsável e produtivo. Seu texto: *Deus tem algo para eu fazer e ser, e é melhor eu não estragar isso.*

Ao ler os exemplos, o que lhe veio à mente? Você reconheceu algum texto negativo seu?

Se você identificou um ou dois textos negativos passados por sua família, o próximo passo é, em atitude de oração, refletir sobre eles – sozinho e depois com outros em quem você confia. Em seguida, você pode dar passos piedosos e práticos para substituí-los por textos que você escrever e que estiverem ancorados na verdade do que Deus diz sobre você.

4. Busque feedback de fontes confiáveis

Sem um sábio *feedback* de fontes confiáveis – terapeutas, conselheiros espirituais, colegas confiáveis e mentores – eu não teria sido capaz de reconhecer, muito menos enfrentar, minha sombra. Muitas vezes, precisamos dar um passo fora da nossa igreja, a fim de recorrer a recursos adicionais, tais como estes, especialmente no caso de um terapeuta ou conselheiro espiritual. Isto reduz qualquer potencial conflito de interesse ou tensão que também quase sempre surge em relacionamentos duplos (vamos falar mais sobre isto no capítulo 8).

Você precisará de diferentes tipos de *feedbacks* em diferentes pontos de sua vida e jornada de liderança. Se você tiver a oportunidade, eu o encorajo a fazer um "360" (um *feedback* de 360 graus), uma ferramenta que o capacita a ouvir a todos ao seu redor – supervisores, colegas, colaboradores e pessoas que se reportam a você.[14] Você obtém o benefício de uma perspectiva conjunta sobre trabalho em equipe, comunicação, liderança, fraquezas e habilidades. Embora essa ferramenta tenha um foco específico em você no local de trabalho, vários líderes cristãos a acharam extremamente útil para enfrentar a sombra. Outra ferramenta útil que tem beneficiado muitos líderes, incluindo nosso pessoal na *New Life*, é o Eneagrama, uma tipologia que usa nove tipos de personalidade para ajudar a pessoa a identificar e compreender as forças que motivam seu comportamento.[15]

Na qualidade de líderes, nós temos o poder de projetar nossa sombra e seus efeitos sobre outra pessoa. Por essa razão, temos uma responsabilidade de mordomia: enfrentar honestamente nossa sombra. Buscar *feedback* e ajuda de outros não é opcional. É essencial. Entretanto, tenha sempre em mente que nem toda opinião é igual, especialmente quando vem na forma de severa censura.

Eu recebi muitas, muitas censuras em minha vida. A mais útil veio de pessoas que desfrutavam de íntimas caminhadas com Deus e eram sensíveis à própria sombra. Elas me falaram não para condenar, mas com base em suas próprias fraquezas. Elas me amavam o suficiente para me falar de maneira ponderada. Recebi suas palavras como um presente. Ao destacarem aspectos da minha sombra que estavam além da minha percepção, eles serviram ao processo de crescimento de Deus em minha vida.

A censura menos útil veio de pessoas com má intenção ou que pensavam estar sendo úteis, mas não estavam. Não tinham consciência das motivações da própria sombra. Nos meus primeiros dias, sua dura crítica me fez mais mal do que bem.

O autor e pastor Gordon MacDonald compartilhou comigo sua experiência com esse segundo tipo de censura, a censura de uma pessoa que não fala em amor. Ele relata uma censura particularmente dolorosa de quase vinte anos atrás quando um conhecido líder cristão voltou-se para ele no carro e disse: "Gordon, eu sinto uma raiz de amargura em você".

Gordon continuou dirigindo, mas seu corpo se comprimiu. Ele lembrou-se de seu pai como uma pessoa amarga, e havia lutado muito durante a vida para não ser como ele. O comentário do líder bateu fundo. O silêncio marcou o resto do trajeto.

[14] Para aprender mais sobre "360", ir para The Emotional Quotient Inventory (EQ-I 2.0®) e EQ-360®, recomendadas ferramentas de feedback. Para informação sobre trazer um Instrutor Executivo para essas avaliações v. www.missiontomeasurement.com.

[15] Para um resumo do Eneagrama e recursos adicionais, v. Scazzero, *Emotionally Healthy Woman*, p. 80-88.

– Fui para casa para pensar a respeito – contou ele. – Em seguida reuni três amigos meus e lhes relatei o que o homem dissera. Em seguida, pedi-lhes ajuda para avaliar a censura.

Durante o mês seguinte, os amigos se reuniram sem a presença de Gordon e repassaram todos os momentos em que haviam estado com ele. Um dos amigos então resumiu a visão dos três:

– Nós nos reunimos e queremos que você saiba que não vimos nenhuma amargura em você.

– Agradeço a Deus por aqueles amigos confiáveis – Gordon concluiu. – De outra forma, eu teria presumido que aquele homem estava certo, e teria passado muitas noites lutando com algo que não era problema meu.

Quando os líderes perguntam como obter *feedback*, eu sempre recomendo como o mais seguro buscar informações de várias fontes – um diretor espiritual, um conselheiro, um mentor, um bom amigo, um membro do conselho. Rotineiramente, procuro dados de todas essas fontes em momentos determinados, dependendo da intensidade da ocasião em que me encontro. O retorno de uma fonte pode ser tendencioso (positiva ou negativamente), mas obter dados de partes diferentes do corpo de Cristo nos manterá na zona de segurança de uma perspectiva ampla e equilibrada. Lanço mão disso sempre que possível.

Quando uma pessoa vem a mim com uma crítica particularmente cortante, eu a levo às pessoas em quem confio e que Deus colocou ao meu redor. No meu caso, essas pessoas estão no conselho de presbíteros da *New Life*. Algumas viram minha sombra durante anos. Elas têm sido uma bênção para mim nos momentos mais difíceis.

Siga esses quatro caminhos para enfrentar sua sombra e comprometa-se em seguir adiante por pelo menos um deles como um primeiro passo: dominar seus sentimentos dando-lhes nome, usar um genograma para explorar o impacto do seu passado, identificar os textos negativos que lhe são apresentados, e buscar *feedback* de fontes confiáveis. Essas trilhas lhe servirão bem na jornada de enfrentar sua sombra. Mas o mais importante é ficar perto de Jesus nesse processo. Ele é a sua âncora à medida que você navega nessas águas desafiadoras.

Permanecendo com Jesus à medida que você enfrenta sua sombra

Sempre que decide enfrentar em vez de ignorar sua sombra, você segue Jesus para a cruz. É quase sempre uma experiência de nudez, vulnerabilidade, dor, flagelação, solidão, medo e trevas que sussurra que isto levará somente ao desespero e à morte. Há períodos em que Deus usa estas experiências para nos despir, expondo ainda outra camada de nossa sombra. A tarefa mais importante durante esses períodos é esperar no amor do Pai como Jesus o fez quando estava pendurado na cruz. Permaneça. Suporte. Aguente. Como Jesus.

À medida que espera, você se firma no fato de que o amor e a graça de Deus são verdades e a ressurreição é uma certeza. Com base na experiência pessoal, posso prometer que você nascerá de novo em um novo lugar de maturidade em Cristo. Você se tornará mais compassivo, mais sensível, mais quebrantado e mais amoroso. Cada vez que passar por um período de enfrentamento de sua sombra, você será transformado ainda mais à imagem de Jesus.

COMPREENDENDO A AVALIAÇÃO DE SUA SOMBRA

Se você fizer a avaliação de sua sombra nas páginas 57 e 58, aqui estão algumas observações para ajudá-lo a refletir sobre suas reações.

Se a sua pontuação se concentrou em um e dois, o relacionamento com sua sombra está apenas começando. É provável que o alvo de sua liderança seja quase exclusivamente fazer a obra de Cristo no mundo, com pouca atenção em sua vida interior. Esta pode ter sido uma avaliação assustadora ou difícil para você. Se foi, não se preocupe. Você pode começar devagar com um dos caminhos para enfrentar sua sombra. Deus o levará em um ritmo que seja apropriado para você.

Se a sua pontuação se concentrou em dois e três, provavelmente você já começou a enfrentar sua sombra e agora Deus o convida para o nível seguinte de consciência e crescimento. Seu desafio será dar os passos necessários para verdadeiramente se aprofundar em sua vida interior. Como local de partida, eu o encorajo a fazer o seu "genograma de família" (visite www.emotionallyhealthy.org/genogram). Peça a Deus companhias sábias e confiáveis para a sua jornada. Você pode esperar que Deus o ensine como conduzir sua fraqueza, como fez o apóstolo Paulo, para que o poder de Cristo possa repousar em você de maneira renovada.

Se a sua pontuação se concentrou em quatro e cinco, provavelmente você tem uma sã percepção de sua sombra. Isso é maravilhoso. Você integrou o enfrentamento de sua sombra em sua liderança e agora não experimenta mais as consequências negativas de ignorar sua sombra. Você pode até ter descoberto os tesouros ocultos de sua sombra para a sua liderança. Você pode esperar novos níveis de descoberta à medida que continuar a se envolver com sua sombra. E, pela graça de Deus, você pode ser um instrumento nas mãos dele para alegremente ajudar outros a descobrir e enfrentar suas sombras.

CAPÍTULO 3

Liderando a partir de seu casamento ou vida a sós

Meu amigo Sam, professor do seminário, esteve na China recentemente visitando vários amigos. Entre eles estava uma mulher chamada Li, pastora principal de uma igreja de cinco mil membros. Eles se encontraram para almoçar num tranquilo restaurante num dia ensolarado de primavera e começaram a conversa compartilhando as últimas notícias sobre suas famílias. Mas, em poucos minutos, a pastora Li começou a chorar, rompendo em soluços várias vezes ao longo das duas horas de almoço. Ela estava desesperada por derramar a alma, e Sam estava igualmente desesperado tentando compreender o que ela estava dizendo em meio a lágrimas e sua limitada compreensão do chinês mandarim. Aos poucos, a verdade surgiu.

A pastora Li estava exausta. Ela pregava seis vezes por domingo e não havia tido um dia de folga, muito menos férias, em sete anos. Além disso, ela dava um curso sobre teologia sistemática num seminário próximo. Seu único pastor auxiliar não tinha permissão para pregar porque não era ordenado.

A certa altura da conversa, seu telefone celular tocou e ela recebeu um telefonema de um membro da igreja. Sam aguardou pacientemente, bebericando seu café. Dez minutos depois, ela retomou a conversa.

– Meu celular fica ligado 24 horas por dia, sete dias por semana – queixou-se ela. – Fica ligado a noite toda para que as pessoas possam me achar. – Seus olhos mais uma vez se encheram de lágrimas.

Sam a encorajou a desligar o telefone à noite para que pudesse dormir. A pastora Li fez uma careta e respondeu asperamente:

– Suponha que alguém precise da minha ajuda às duas da manhã!

Sam ficou sabendo também que o marido de Li morava a cinco horas de viagem numa cidade próxima onde dava aulas num seminário. Eles se viam apenas um dia a cada duas semanas. Seus dois filhos adolescentes estavam nos Estados Unidos estudando. Ela os via uma ou duas vezes por ano, no máximo. Ela se sentia péssima, mas, com todas as suas responsabilidades, não tinha tempo para eles.

– Essa não é uma boa situação – Sam disse amavelmente. – Podemos conversar sobre algumas mudanças...

A pastora Li o cortou.

– Você acha *minha* situação difícil? – perguntou ela, apontando o dedo para Sam. – Deixe-me falar de outro pastor de outra cidade. Sua esposa e o filho moram aqui e frequentam nossa igreja. Mas o pastor está numa cidade a vinte horas de trem. Ele é tão ocupado que vem para casa apenas uma vez por ano para o Novo Ano Chinês. Ele fica uma noite, mas depois volta para sua igreja.

– O quê? – chocou-se Sam.

– E pior que isso... – continuou a pastora Li. – Ele tem tanta coisa a fazer, que se sente culpado por descansar. Há muita necessidade. Ano passado, quando ele estava prestes a embarcar no trem para deixar a família por mais um ano, seu filhinho correu atrás dele, chorando e pedindo:

– Por favor, fique aqui, papai.

A voz da pastora Li ficou suave.

– Quer saber o que o pai fez? – perguntou ela, baixando o olhar para seus sapatos. – Ele chutou o filho e disse: "Diabo, para trás de mim". Depois, empurrou o filho e entrou no trem.

Sam estava estupefato.

– Veja, Sam – Li concluiu com resignação na voz –, o que você não compreende é que é errado se não sacrificarmos tudo pelo evangelho.

A história de Li pode parecer-lhe extrema – e é. Mas a verdade é que a perspectiva dela não é de todo diferente do que eu absorvi de formas mais sutis em minha própria formação como líder. A mentalidade que captei foi algo assim: *Como líderes cristãos, nós rotineiramente lidamos com questões de vida e morte na vida das pessoas. Se lideramos na igreja, estamos envolvidos no trabalho com ramificações eternas. Se lideramos no setor sem fins lucrativos, somos chamados a sermos mãos e pés de Cristo para um mundo assolado por muitos males – pobreza, cuidados de saúde inadequados, vício, rompimento familiar, e muito mais. Onde quer que lideremos, estamos, em última análise procurando construir o reino de Cristo e estender seu amor por meio de nossos esforços. O que poderia ser mais importante? Como poderíamos jamais pensar em nos recusar quando o mundo está desesperadamente necessitado?*

Essa linha de pensamento parece familiar?

Curiosamente, a questão de como a vida de solteiro ou o casamento de um líder se ajusta a esse chamado sacrificial à liderança não foi muito discutida, mas recolhi algumas mensagens sobre isso ao longo do caminho.

"Duplique seu ministério para Deus"

Em meus vinte anos, fui a quatro conferências missionárias para estudantes. O objetivo de tais conferências era encorajar e preparar estudantes para dedicar a vida a Cristo em algum lugar do mundo ou enfrentar uma necessidade crítica na América do Norte. Lembro-me claramente de uma conferência, especialmente, durante a qual um dos oradores trovejou: "Se você vai se casar, tenha certeza de que o fará com alguém que duplique seu ministério e não o corte pela metade!"

Ninguém havia dito aquilo tão abruptamente antes, mas era praticamente a mensagem que eu já tinha recebido sobre o casamento cristão e a vida a sós. Meus amigos jovens e eu saímos com a clara compreensão de que a nossa prioridade na vida era ampliar o reino de Deus. Se fôssemos nos casar, então precisava ser com esse objetivo. Do lado positivo, muitos conferencistas enfatizaram a importância de não ficar sob jugo desigual com cônjuge que não compartilha nosso compromisso com Cristo. Foi um bom aviso, mas uma base pobre para integrar casamento ou vida a sós com a liderança ministerial.

Então eu orei por uma mulher que duplicasse meu impacto por Deus.

Deus respondeu a essa oração quando conheci Geri. Havíamos sido amigos durante oito anos antes de nos apaixonarmos loucamente. Ambos éramos ex-funcionários da InterVarsity Christian *Fellowship* e profundamente dedicados a Cristo. Depois de casados, entregamos nossa vida para servir a Jesus na implantação da igreja em Nova York.

Oito anos passaram-se rapidamente. A igreja que implantamos estava crescendo e pessoas estavam vindo à fé em Cristo. Embora também fosse verdade que eu tinha muito a fazer em tão pouco tempo, eu o aceitei porque isso era o estado normal para todo pastor e líder que eu conhecia. Mas foi durante esse tempo que a tristeza de Geri se desenvolveu numa total depressão quando ela se viu sozinha criando nossas quatro filhas. Mesmo quando ela manifestava suas preocupações, eu não levava o seu estado muito a sério. *Ela é a cristã mais forte que eu conheço,* pensava. *Vai passar.*

Finalmente, uma das coisas que ela disse chamou minha atenção:

– Pete, minha vida seria melhor se estivéssemos separados. Pelo menos você teria de ficar com as crianças nos fins de semana.

Mas eu estou fazendo a vontade de Deus, eu me tranquilizei. *E tenho certeza de estar fazendo melhor que o meu pai.* Lembrei-me também de que nosso casamento era melhor do que muitos outros ao nosso redor. Inconscientemente eu desejei que Geri fosse mais cooperativa e apoiadora do meu ministério, mas, claro, eu continuaria do mesmo jeito. E assim, fiz-lhe uma oferta de paz.

– Geri, vamos achar uma babá para as meninas e passar a noite fora.

O problema era que, mesmo ao fazer a oferta, eu percebia em mim um certo ressentimento. Superficialmente, pelo menos, não podia deixar de pensar que, em vez de duplicar meu ministério para Deus, Geri estava então cortando-o pela metade!

Nem a noite fora nem chegar em casa cedo durante um mês poderia curar nossa crescente desconexão. Nossa teologia de casamento e liderança, se é que tínhamos uma, era deficiente. Seria preciso muito mais que um Band-Aid para que um fim de semana fora consertasse o que estava errado.

Depois que Geri deixou a igreja (não o casamento, felizmente), em janeiro de 1996, fomos para um retiro intensivo de cinco dias com dois conselheiros cristãos. Meu objetivo era consertar Geri. O de Geri, consertar a igreja. Parece que a intenção de Deus foi consertar nosso casamento – e nosso casamento era o último lugar onde eu esperava encontrar Deus. Mas, no meio da semana, nós aprendemos uma simples habilidade que agora chamamos de "escuta encarnada".[1] Não me lembro do conteúdo exato da conversa. O que vou para sempre me lembrar é de *ver* Geri e *ser visto* por Geri. Foi o que o filósofo judeu Martin Buber chamou de momento Eu-Tu. Deus entrou no espaço sagrado entre nós. Ficamos mudos de admiração.[2]

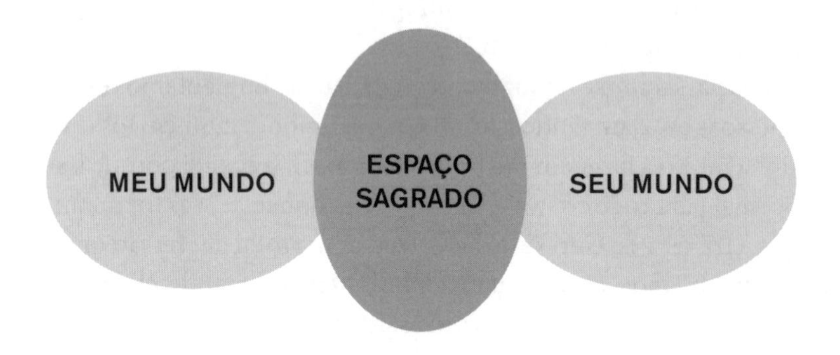

[1] V. nosso *Emotionally Healthy Skills 2.0 Curriculum*, seção 5.

[2] Para uma explanação mais completa do Eu-Tu de Martin Buber, ir par Peter Scazzero, *Espiritualidade Emocionalmente Saudável*. São Paulo: Hagnos, 2013, p. 227.

Naquela época, eu já era cristão havia mais de dezessete anos, mas nada tinha me preparado para a glória de Deus que encheu o espaço entre nós. Embora eu não tivesse uma estrutura teológica para o que aconteceu, eu sabia que havíamos provado um pouco do céu. E me dei conta pela primeira vez de que era a vontade de Deus para Geri e eu desfrutarmos nosso casamento. Esse foi o momento que lançou o movimento e o ministério global que agora chamamos de Espiritualidade Emocionalmente Saudável, ou EES.

Informei Geri que eu estava comprometido em estimular a alegria do nosso casamento, o transbordar da taça de amor de um pelo outro. E se eu não pudesse manter os limites necessários para evitar que as pressões da liderança impactassem negativamente nosso casamento, eu de bom grado renunciaria à minha posição.

– Certo – respondeu ela cautelosamente, embora fosse claro que ela estava incrédula.

Eu queria que ela confiasse na minha promessa.

– Querida, sei que viver em Nova York é difícil para você. Se, em qualquer momento, você sentir que não quer mais ficar lá, vou entender isso como Deus falando a nós dois. Deixarei a *New Life*, e podemos buscar a vontade de Deus para nós em seguida.

Até eu estava atônito pelo que estava dizendo. Mas eu quis dizer cada palavra.

Dois meses depois, tiramos três meses e meio de descanso sabático para começarmos a construir um relacionamento que nos possibilitaria retornar à *New Life* e dar os primeiros passos para estimular de maneira sustentável o nosso casamento. No fim das contas, ao longo dos dezenove anos seguintes, embarcamos em uma inesperada jornada de estudo da Escritura e pesquisa de literatura disponível por percepções sobre como integrar casamento e vida a sós com a liderança. Nossas descobertas alteraram profundamente nosso relacionamento com Jesus, junto com cada aspecto de como lideramos a *New Life*.

Compreendendo o casamento e a vida a sós como vocação

Todo cristão tem o mesmo chamado primário ou vocação: *Somos chamados para Jesus, por intermédio de Jesus e por Jesus.* Nosso primeiro chamado é para amá-lo com todo o nosso ser e ao nosso próximo como a nós mesmos. Os escritores bíblicos usam muitas analogias para descrever nosso relacionamento com Deus (pastor/ovelha, senhor/escravo, pai/filho), mas o matrimônio é talvez o mais abrangente e "menos inadequado"[3] (Ez 16; Mc 2.19, 20; Ap 19–22).

Nos tempos antigos, o casamento incluía dois eventos: o noivado e a cerimônia. Durante a fase de noivado, o homem e a mulher eram considerados marido e mulher (pense em Maria e José), mas o casamento só estava consumado após a formalidade. Quando recebemos Jesus como Senhor e Salvador, somos efetivamente *noivos* dele. Este casamento será consumado quando o virmos face a face no final da nossa vida terrena.

Nós trabalhamos este casamento para Jesus através de nossos chamados secundários, ou vocações, como pessoas solteiras ou casadas.

Ao longo da história da igreja, os cristãos têm se inclinado a aumentar a importância de uma coisa sobre a outra. Durante os primeiros 1.500 anos da igreja, o celibato era considerado o estado preferido e a melhor forma de servir a Cristo. Os solteiros sentavam-se à frente na igreja. Os casados eram mandados para trás.[4] As coisas mudaram depois da Reforma em 1517, quando as pessoas solteiras foram mandadas para trás e os casados se mudaram para a frente – pelo menos entre os protestantes.[5]

A Escritura, entretanto, refere-se a ambos os status como vocações significativas, importantes. Vamos dedicar mais tempo a cada um deles no capítulo, mas aqui está uma visão sucinta.

Casados. É uma referência a um homem e uma mulher que formam a união de uma só carne através de um voto de aliança – a Deus, de um para o outro e à comunidade em geral – de se amarem de forma permanente, livre, fiel e produtivamente. Adão e Eva ofereceram o mais claro modelo bíblico disto. Como casal constituindo uma só carne, eles foram chamados por Deus para tomar a iniciativa de "frutificar... encher a terra e sujeitá-la" (Gn 1.28).

Solteiros. A Escritura ensina que os seres humanos foram criados para intimidade e conexão com Deus e entre si. O casamento é uma estrutura na qual se trabalha isto; a vida a sós é outra estrutura.

[3] Para um tratamento abrangente do casamento como a analogia menos inadequada para retratar nossa relação com Deus, v. o influente trabalho de João Paulo II, *Homem e mulher o criou: catequese do amor humano*. Bauru, Edusc, 2005.

[4] A literatura da igreja primitiva do terceiro, quarto e quinto séculos indica que a maioria das igrejas via o celibato como superior ao casamento. Esta visão foi tão prevalecente que o Concílio da Calcedônia (345 d.C.) teve de anatematizar quem sustentava que o casamento impedia a entrada do cristão no reino de Deus. Isto fez pouco, entretanto, para reprimir a posição popular da igreja na qual o casamento era visto como terceira classe depois da virgindade e da viuvez. V. Carolyn A. Osiek e David L. Balch, *Families in the New Testament World: Households and House Churches* [As famílias nos mundo do Novo Testamento: lares e igrejas em casa]. Louisville, KY: Westminster John Knox Press, 1997.

[5] Os católicos romanos continuam insistindo no celibato para padres e monásticos. As igrejas ortodoxas permitem que tanto casados como solteiros sirvam como líderes.

Embora o celibato possa ser uma escolha voluntária ou involuntariamente imposta, temporária ou duradoura, um evento repentino ou desenvolvido gradualmente, a vida cristã a sós pode ser compreendida dentro de dois chamados distintos:

- *O voto do celibato.* Trata-se de indivíduos que fizeram votos perpétuos para permanecerem solteiros e manter abstinência sexual a vida toda como meio de viver seu compromisso a Cristo. Eles fazem isso livremente em resposta ao dom da graça dada por Deus (Mt 19.12). Hoje, talvez estejamos mais familiarizados com o voto do celibato com o exemplo de freiras e padres da Igreja Católica ou da Igreja Ortodoxa. Esses celibatários prometem renunciar ao casamento terreno para participarem mais plenamente da realidade celestial, que é a eterna união com Cristo.[6]
- *Celibatários consagrados.* Trata-se de solteiros que não necessariamente fizeram um voto para a vida toda de permanecerem solteiros, mas que escolheram a abstinência sexual enquanto forem solteiros. O compromisso deles ao celibato é uma expressão do seu compromisso a Cristo. Muitos desejam se casar ou são livres para a possibilidade. Eles podem não ter ainda encontrado a pessoa certa ou estão postergando o casamento para buscar uma carreira ou instrução adicional. Eles podem estar solteiros devido a divórcio ou a morte de cônjuge. O apóstolo Paulo reconhece esses celibatários consagrados em sua primeira carta aos Coríntios (1Co 7).

Compreender a vida a sós e o casamento como chamado ou vocação nos ajuda tanto na autopercepção quanto no fortalecimento de nossa liderança. Toda a nossa vida como líder é testemunhar o amor de Deus para o mundo. Mas nós o fazemos de maneiras diferentes como casados ou solteiros. Casais dão testemunho do *profundo* amor de Cristo. Seus votos focam e os limitam a amar uma pessoa exclusiva, permanente e intimamente. Os solteiros – por voto ou consagração – dão testemunho da *largura* do amor de Cristo. Pelo fato de não estarem limitados pelo voto a uma pessoa, eles têm mais liberdade e tempo para expressar o amor de Cristo a uma ampla variedade de pessoas.

[6] V. SCHNEIDER, Sandra M. *Selling All: Commitments, Consecrated Celibacy, and Community in Catholic Religious Life* [Compromissos, celibato consagrado e comunidade na vida religiosa católica]. Mahwah, NJ: Paulist Press, 2001, p. 117-59.

Tanto casados como solteiros apontam e revelam o amor de Cristo, mas de forma diferente. Ambos precisam aprender um com o outro sobre esses diferentes aspectos do amor de Cristo.

Este pode ser um conceito radicalmente novo para você, mas fique comigo. A intenção de Deus é que esta rica visão teológica informe nossa liderança de forma que poucos de nós temos considerado. Antes de explorar as ligações entre liderança e casamento ou vida a sós, é importante compreender a forma como o casamento e a vida a sós são geralmente entendidos na prática padrão entre os líderes hoje.

SUA CAPACIDADE DE LIDERAR TENDO EM VISTA SEU CASAMENTO OU VIDA A SÓS É SAUDÁVEL?

Use a lista de declarações seguintes para fazer uma breve avaliação de sua liderança em relação ao casamento ou vida a sós. Em seguida a cada declaração, anote o número que melhor descreve sua resposta. Use a escala a seguir:

5 = Totalmente verdadeiro
4 = Bastante verdadeiro
3 = Parcialmente verdadeiro
2 = Raramente verdadeiro
1 = Falso

Liderança e casamento

____ 1. Vejo meu casamento como um sinal profético do amor de Deus para a igreja e para o mundo.

____ 2. Considero a qualidade e a integridade do meu casamento como a mais importante mensagem do evangelho que eu prego.

____ 3. Coloco a maior prioridade em investir tempo e energia para construir um casamento saudável que revela o amor de Cristo à igreja e ao mundo.

____ 4. Eu experimento uma conexão direta entre minha harmonia com Jesus e minha harmonia com meu cônjuge.

____ 5. Um fator fundamental para eu discernir a vontade de Deus em importantes iniciativas ministeriais é o impacto que isso terá em meu casamento.

____ 6. Estou consciente de quanto os problemas de minha família de origem impactam minha capacidade de estar emocionalmente disponível e saudável para meu cônjuge, bem como para as pessoas a quem eu sirvo.

____ 7. Eu não excedo minhas funções como líder em prejuízo do meu casamento.

____ 8. O que é importante para meu cônjuge se torna importante para mim, independentemente de minhas responsabilidades de liderança.

____ 9. O fruto produzido em meu ministério transborda da riqueza do meu casamento.

___10. Estou à vontade articulando uma visão bíblica para casados e solteiros de como cada um trabalha para dar testemunho do amor de Deus.

Liderança e vida a sós

___1. Vejo minha vida a sós como um sinal profético do amor de Deus para a igreja e para o mundo.

___2. Considero a qualidade e a integridade de minha vida a sós como a mais importante mensagem do evangelho que eu prego.

___3. Coloco a maior prioridade em investir tempo e energia para construir uma saudável vida a sós que revele o amor de Cristo à igreja e ao mundo.

___4. Eu experimento uma conexão direta entre minha harmonia com Jesus e minha harmonia com amigos íntimos e a família.

___5. Um fator fundamental para eu discernir a vontade de Deus em importantes iniciativas ministeriais é o impacto que isso terá em minha capacidade de uma vida a sós plena, rica e saudável.

___6. Estou consciente de quanto os problemas de minha família de origem impactam minha capacidade de ser uma forma emocionalmente disponível e saudável para meu amigos íntimos, minha família e aqueles a quem sirvo.

___7. Eu não excedo minhas funções como líder em prejuízo de uma vida saudável e equilibrada.

___8. O que é importante para meus amigos mais próximos e minha família se torna importante para mim, independentemente de minhas responsabilidades de liderança.

___9. O fruto produzido em meu ministério transborda de meus íntimos relacionamentos com minha família e amigos.

___10. Estou à vontade articulando uma visão bíblica para casados e solteiros de como cada um trabalha para dar testemunho singular do amor de Deus.

Reserve um momento para rever rapidamente suas respostas. O que mais se destaca para você? Embora não haja uma pontuação definitiva para a avaliação, aqui estão algumas observações gerais que podem ajudá-lo a compreender melhor onde você se encontra.

Se suas respostas não são as que esperava, você não está sozinho. A integração de casamento e ministério foi uma das partes mais negligenciadas de minha liderança ao longo de meus primeiros dezessete anos como pastor. Onde você se encontrar, a ótima notícia é que um pouco de consciência e algumas mudanças podem ter um impacto imediato e positivo não só na sua vida pessoal, mas sobre aqueles que você lidera.

O PAPEL DO CASAMENTO E DA VIDA DE SOLTEIRO

Frequentei dois excelentes seminários teológicos e participei das melhores conferências de liderança cristã nos Estados Unidos. Na época, em momento algum foi abordada a questão da integração entre liderança e casamento ou liderança e vida a sós. Às vezes um orador bem conhecido aconselhava os casados a uma noite romântica, um momento especial com os filhos ou umas férias bem planejadas, mas isso era tudo. Não se falava de sexualidade, exceto para a advertência ocasional: "Não façam fora do casamento". Presumia-se, por exemplo, que os líderes cristãos soubessem manter um relacionamento sexual estimulante com seu cônjuge. E pouco esforço, se é que havia, era feito para reconhecer ou incluir cônjuges em eventos de liderança. Com o passar do tempo, percebi que a mensagem sub-reptícia sobre casamento e liderança era: *Pete, busque primeiro o reino de Deus. Edifique a igreja e tudo mais lhe será acrescentado. Isso inclui um casamento e família abençoados. Você precisa de um casamento (ou de vida a sós) estável para ter um ministério forte e estável.*

Por isso, não surpreende que minha primeira prioridade foi ser um pastor inovador com um ministério crescente. Como eu não tinha um caso amoroso, não me envolvia em pornografia e não era casado com alguém que me criticasse publicamente ou ameaçasse me deixar, eu estava bem. Para os líderes solteiros, aplicava-se o mesmo princípio. *Mantenha-se moralmente, mas sua primeira prioridade é edificar o ministério e ampliar o reino de Deus.*

Se pouco preparo foi dado para ajudar líderes cristãos, menos ainda foi dado aos líderes solteiros. A conexão entre vida a sós e liderança foi raramente, se é que foi, mencionada. Mas a mensagem nem tanto sutil por trás do silêncio foi alta e clara: *Você pode ter um ministério mais amplo e mais eficiente se for casado.* Em alguns casos, os líderes solteiros eram até considerados suspeitos, e a mensagem subjacente era: *O que há de errado com você que ainda está solteiro?*

Entre os líderes cristãos hoje, o pensamento padrão sobre o casamento e a vida de solteiro na liderança é algo como:

- A mais alta prioridade do líder é construir um ministério eficiente e bem-sucedido para revelar o amor de Jesus ao mundo. Damos o nosso melhor tempo e energia para conseguir esse objetivo. O casamento (ou vida de solteiro) é importante, mas secundário na lista de prioridade.
- A conexão ou unidade do líder com Jesus não está correlacionada com a conexão com o cônjuge (se casado) ou amigos íntimos e família (se solteiro).
- Como uma decisão pode impactar o casamento ou a vida a sós de um líder é uma consideração secundária e não primária no discernimento do ministério e na tomada de decisão.

- Líderes precisam de tanto treinamento e preparo quanto possível para melhorar suas habilidades de liderança. Quanto a treinamento e preparo para o casamento ou vida a sós, só se tiverem problemas ou crise.
- Os líderes cristãos precisam de sã doutrina e fundamento teológico, mas não podem ser especialistas em tudo. Existem mais coisas essenciais para saber e compreender do que uma teologia de casamento, vida a sós, ou sexualidade.
- Os líderes cristãos não precisam estar excessivamente preocupados sobre casamento ou vida a sós do seu pessoal. Os líderes mais velhos, em particular, deveriam saber como cuidar desses aspectos de suas vidas ao entrarem em níveis mais altos de liderança.

São frases um pouco caricaturais, mas algumas destas perspectivas lhe parecem familiares? Você reconhece alguns de seus próprios padrões de pensamento nessa mistura?

Dentro da comunidade cristã, esta desconexão generalizada entre liderança e a vocação de alguém (seja casado ou solteiro) é tão marcante – e tão sutilmente considerada "normal" – que somente uma poderosa visão teológica de Deus pode reverter e redimir este perigoso estado de coisas. Mas, para viver uma nova visão, precisamos compreender o que isso significa em termos práticos: organizar a vida e a liderança de forma a nos possibilitar verdadeiramente estimular nosso casamento ou a nossa vida a sós.

Liderando a partir do casamento

Em 1996, quando Geri e eu começamos a pesquisar a conexão entre casamento e liderança, ficamos chocados com a carência de reflexão teológica em torno do casamento, particularmente com respeito à sexualidade. Continuamos a nos aprofundar nas reflexões sobre nosso próprio casamento e sexualidade, mas estávamos empenhados em identificar e compreender as diferenças entre casamento cristão e secular – especialmente para líderes. Por fim, identificamos três qualidades fundamentais que acreditamos informar o casamento ou vida a sós do líder emocionalmente saudável.

Vamos explorar as qualidades para ambos, começando com o casamento. Se você quer liderar a partir do seu casamento, então deve fazer do casamento – não da liderança – sua primeira ambição, sua primeira paixão e sua mais alta mensagem do evangelho.

O casamento é a sua primeira ambição

A palavra *ambição* é definida como "um forte desejo de conseguir algo". Isso parece uma coisa razoável de ter, certo? E todos nós temos ambição de um ou de outro tipo. Mas na igreja, *ambição* é uma palavra da qual nossa tendência é nos distanciarmos. Nós a associamos negativamente a um espírito competitivo ou à "ambição egoísta" da facção que divide igreja à qual Paulo se refere (Fp 1.17). Todavia, ambição pode ser uma coisa boa, especialmente quando motiva uma busca do bom, do verdadeiro e do belo.

A primeira ambição dos líderes cristãos, em vez de liderar a igreja, a organização ou a equipe, deve ser amar o cônjuge apaixonadamente. Devemos cultivar forte desejo de tornar visível o invisível – o amor de Jesus por sua igreja – no amor que temos por nosso cônjuge. É então que usufruímos o fluir desse amor. Em outras palavras, do ato de dar e receber o amor em nosso relacionamento, temos um amor "dado de presente". Ele transborda da nutrição, da conexão e da sensação de bem-estar que recebemos um do outro.[7]

Quando nós cristãos nos casamos, prometemos amar nosso cônjuge fiel, livre, produtivamente e para sempre. Desse ponto em diante, todas as decisões importantes que tomamos devem ser orientadas por esse voto. O ritmo da igreja ou organização a que servimos, os compromissos que assumimos e o foco da paixão do nosso coração, tudo deve ser orientado por esse voto. Dizendo francamente: se você é casado, não é mais uma opção você viver como se fosse solteiro. Por quê? Você fez votos de casamento. Eu sei que às vezes é doloroso conectar-se com seu cônjuge, mas, no longo prazo, é ainda mais doloroso não fazê-lo.

Isto significa que o primeiro item da descrição de tarefas de sua liderança é conduzir sua vida de tal maneira que seu comportamento e escolhas demonstrem consistentemente ao seu cônjuge que ele ou ela é amado(a) e digno(a) do seu amor. O que é importante para ele(a) se torna importante para você.[8] Isso significa que eu me levanto todos os dias e me pergunto: *O que é importante para Geri hoje? Como posso me apresentar a ela de forma que reflita o amor de Jesus?*

[7] Sou profundamente grato a Ron e Kathy Feher, fundadores de Living in Love, que compartilham de forma significativa de nossa compreensão de casamento como nossa primeira ambição, paixão e nossa mais alta mensagem do evangelho. V. site deles, www.livinginlove.org.

[8] As raízes desta rica aplicação da teologia bíblica remontam ao "think tank" conjugal iniciado pelo padre jesuíta Chuck Gallagher, que reuniu um amplo espectro de casais, teólogos e profissionais de saúde mental para desenvolver e articular uma espiritualidade conjugal ancorada em Cristo. Por seu trabalho e o do ministério Living in Love (livinginlove.org), Geri e eu somos profundamente gratos.

Minha tendência é me distrair e ficar absorvido em fazer a obra do ministério que eu amo: pastorear a *New Life*, ensinar sobre a espiritualidade emocionalmente saudável, escrever livros. Com o casamento como minha primeira ambição, sou levado a priorizar coisas que poderia, caso contrário, protelar ou minimizar – fazer um passeio com Geri num dia chuvoso, preparar uma comida saudável juntos, ajudar com as coisas que precisam ser feitas pela casa. E tudo isso está em forte contraste com o que observei tanto no meu crescimento em família como nos modelos de liderança dos meus primeiros dias de ministério. Essa visão não é natural ou fácil para mim. De fato, as mudanças necessárias para verdadeiramente liderar a partir do casamento não vêm naturalmente para a maioria de nós. Eu vi isto, por exemplo, num amigo meu que plantou uma igreja numa cidade próxima.

Philip trabalhou duro. A igreja que ele abriu havia começado com 25 pessoas, e em cinco anos, os membros somavam trezentos. O problema era que Philip estava trabalhando rotineiramente oitenta a noventa horas por semana.

– Meu dia começava por volta das cinco da manhã – ele me disse certa tarde. – Houve vezes em que eu dormi somente três a quatro horas por noite. Eu saía pelo menos quatro a cinco noites por semana. Às vezes eu ficava fora a noite toda. Eu tirava de três a quatro férias por ano, mas somente de uma semana, e isso durava de segunda a sexta-feira.

Philip fez uma pausa e respirou fundo.

– Como eu era o único pastor, voltava a pregar todos os domingos. Então realmente não tinha férias, porque precisava preparar o sermão. Eu estava ficando gordo e não dormia bem. Minha esposa pensava ser sua responsabilidade cooperar com o que Deus estava fazendo, por isso nunca se queixou. Após colocar nossos três filhos na cama, ela passava muitas noites sozinha em casa assistindo à televisão.

Certo domingo à noite, depois de um fim de semana particularmente cansativo que incluiu falar num retiro de fim de semana, pregar em dois cultos, dar um jantar em casa a recém-chegados e uma reunião de aconselhamento de fim de noite para um casal em conflito, Philip sentiu-se exausto e desesperado. Seu único pensamento foi: *Eu quero morrer. Não quero mais viver.* Deus finalmente conseguiu a atenção de Philip. Poucos dias depois, ele consultou o conselho da igreja e fez os preparativos para um período sabático de dois meses. Isto o levou à jornada que chamamos de "espiritualidade emocionalmente saudável". Três anos depois, eis como Philip descreve seu ministério e seu casamento:

Um dos maiores indícios de que estou num lugar saudável agora é que realmente amo ser marido e pai, mais do que ser pastor. Meu casamento é o meu ministério mais importante agora, o que realmente contraria a base da minha cultura coreana. Foi o que me forçou a desacelerar. Eu recuso com frequência convites para falar em conferências e retiros fora da igreja. Estou fora pelo menos uma, ou no máximo, duas noites por semana. Susan e eu colocamos as crianças para dormir às nove horas da noite e então passamos a noite juntos. Incialmente foi difícil porque Susan havia passado muitos anos sem me ter por perto. Então, embora eu estivesse em casa à noite, não sabíamos como nos conectar. No final das contas, aprendemos.

Mas tem havido alguns "recuos" de algumas pessoas na igreja. Na semana passada mesmo, uma de nossas líderes reclamou:

– Você *nunca* está disponível.

Quando ouvi isso, meu primeiro pensamento foi: "Será que preciso trabalhar mais?" Então lembrei a mim mesmo de quanto ainda trabalho, mas que parece pouco ("nunca", para ela) em comparação a antes. Acho que estou começando a compreender o que significa liderar a partir de meu casamento.

O maior medo de Philip, segundo confidenciou, era que a igreja afundasse se ele fizesse esta mudança. Na verdade, ficou provado o contrário. A igreja continuou seu crescimento firme. A diferença agora é que Philip está contente e desfrutando o processo de ser pastor e líder.

O casamento é sua primeira paixão

Paixão, de acordo com o Novo Dicionário Aurélio, é um "sentimento ou emoção levados a um alto grau de intensidade, sobrepondo-se à lucidez e à razão". Se o casamento é a nossa primeira paixão, os líderes cristãos deveriam estar entre os casais "mais apaixonados" da igreja. Isso significa que a nossa paixão – o foco desse sentimento levado "a um alto grau de intensidade" – não deve voltar-se para metas ou realizações de liderança, e sim, para nosso cônjuge.

Quando pensamos em amor conjugal, nossa tendência é enfatizar compromisso e lealdade. Como resultado, um casal cristão pode ir à igreja e trabalhar junto, mas quase sempre acaba com apenas um senso vagamente imparcial de devoção de um ao outro. Isto está muito longe do desejo de Deus para a aliança do casamento.

Deus nos ama com amor *ágape* fiel e perseverante. Todavia, sua aliança de amor por nós é também caracterizada por *eros,* a palavra grega para amor que se expressa na paixão sexual. Isto significa que o amor de Deus por nós é ardente e selvagem com prazer. Ele é doido por nós! Considere as seguintes passagens bíblicas que expressam este aspecto do amor de Deus por nós:

> *Ele se agradará de ti com alegria... Ele... se alegrará em ti com júbilo* (Sf 3.17).
>
> *Seu pai o viu... e correndo, lançou-se ao seu pescoço e o beijou [repetidamente, em grego]* (Lc 15.20).
>
> *Como te abandonaria...? O meu coração se comove, as minhas compaixões despertam todas de uma vez* (Os 11.8).
>
> *Para que todos sejam um; assim como tu, ó Pai, és em mim, e eu em ti, que também eles estejam em nós* (Jo 17.21).

Você percebe a paixão do amor de Deus por nós?

Essa mesma paixão deve ser refletida em cada casamento cristão, mas especialmente no casamento dos que estão na liderança. Devemos amar nossos cônjuges como Deus ama – com compromisso e paixão. Ao fazer isso, damos o exemplo do amor de Jesus para nossas equipes e para as pessoas a quem servimos.

Muitos casais estão apaixonados quando noivos. Não deixam de pensar um no outro. Dia e noite imaginam como entregar-se ao futuro cônjuge. Há atração sexual. São arrancados do foco egoísta para o foco no outro. Essa paixão, entretanto, não está condenada a diminuir com o passar de anos e décadas; ao contrário, o propósito de Deus é que se aprofunde e se torne madura. A paixão é realmente central para nossa vocação conjugal. Significa apontar para algo além de nós, para oferecer ao outro uma imagem e um gosto do mesmo amor apaixonado que Deus tem pelo mundo.

Infelizmente, a maioria dos casais fica menos apaixonada e menos atraída sexualmente depois do casamento, especialmente quando um dos cônjuges fica absorvido pelas tarefas da liderança. Bem poucos de nós foram preparados para ter um casamento apaixonado, florescente. Nós esperamos que isso aconteça naturalmente. Não acontece: deve ser cultivado.[9] A pergunta, então, é: *como*? Como cultivarmos um casamento apaixonado, especialmente no contexto da liderança?

[9] Todavia, como o papa João Paulo II destacou muito bem, Deus quis que o seu plano para o casamento fosse tão óbvio para nós que ele o carimbou em nossos corpos como macho e fêmea. A união sexual, o tornar-se uma só carne, é um mistério profundo que aponta para algo além de si mesmo. É o prenúncio da nossa união definitiva com Jesus Cristo, nosso amante perfeito. Para um melhor tratamento disto, v. João Paulo II, *op. cit.*

Há três coisas que possibilitam Geri e eu fazermos do nosso casamento, em vez do ministério, nossa primeira paixão: orar por paixão, tornar a paixão uma prática espiritual intencional e afirmar um ao outro.

Nós oramos por maior paixão. Geri e eu oramos regularmente, sozinhos e às vezes juntos, por maior paixão. Inicialmente eu tentei permanecer apaixonado sem orar e vi que era incapaz de mantê-lo por minha própria força. A oração liberou o poder do Espírito Santo em nosso casamento, e isso fez toda a diferença. Resistir à tentação de permanecer apáticos em nossa paixão requer um poder de fora. Nós pedimos a Deus graça para *vivermos apaixonados*[10] cada dia, procurando estar presentes um para o outro da mesma forma com que Deus está presente a nós. A oração mudou tudo com relação a isto.

Por intermédio da oração, o Espírito Santo nos mantém pensando um no outro durante o dia. A oração também nos mantém focados no coração de Deus e seu amor pelo mundo. Nossa oração é que outros possam ver nosso amor apaixonado de um pelo outro, experimentem uma revelação e digam: "Uau, é assim que Jesus me ama!"

Fazemos da paixão cultivada uma prática espiritual intencional. Estamos comprometidos com uma prática espiritual que declara a importância da nossa vocação como cônjuges: procuramos separar vinte minutos por dia para ficarmos nus e sem nos envergonharmos nos braços um do outro (Gn 2.24). O objetivo não é o ato sexual. Queremos apenas estar apaixonadamente ligados um ao outro – física, espiritual, emocional e intelectualmente.

Esta prática espiritual de vinte minutos serve também para cultivar uma atmosfera de atração sexual entre nós. O casamento é diferente de qualquer outro relacionamento. Somos mais do que bons amigos com valores semelhantes. Somos mais do que colaboradores por Cristo. O que torna o casamento diferente é o nosso relacionamento sexual. Nós intencionalmente "fazemos amor" fora do quarto (toques suaves, gestos pensados, presentes-surpresa, vestido atraente) bem como dentro do quarto. Essa prática pele-com-pele se derrama sobre toda a nossa vida, permeando todos os nossos dias e atividades.

Temos cem por cento de sucesso nesses esforços? Não. Nosso ritmo é interrompido, por exemplo, por férias com a família, feriados, problemas

[10] Sou grato a Ron e Kathy Feher do ministério Living in Love sobre casamento por esta frase e pelo exemplo e aconselhamento deles a nós sobre o que é viver em amor com paixão.

de saúde, épocas em que viajamos e fazemos palestras. Independente disso, quando estabelecemos com firmeza o casamento (e não a liderança) como nossa primeira paixão, isso vem com naturalidade e constância a nossos pensamentos e corações.

Nós falamos sobre paixão, planejamos paixão e oramos por paixão. E acrescentamos aos nossos pensamentos sobre paixão e à nossa regular disciplina de vinte minutos uma importante prática final – afirmação.

Nós afirmamos intencionalmente um ao outro. Durante nossa prática espiritual de regular nudez física, afirmamos intencionalmente um ao outro. Dizem que se encontra o que se procura – procure falhas e você encontrará falhas, procure beleza e você encontrará beleza. A afirmação regular e sincera é um dos maiores presentes que o cônjuge pode dar ao outro. Quando procuramos bondade e beleza um no outro e falamos palavras honestas de vida um para o outro, tornamo-nos Deus com pele um para o outro. Afirmações curam feridas, cobrem vergonha e comunicam como Deus nos vê – infinitamente valiosos e amáveis. Um fluxo constante de críticas, por outro lado, suga a vida de nossos relacionamentos. É um dos maiores assassinos da paixão.

Quando eu intencionalmente compartilho com Geri as qualidades que acho atraentes nela – sejam físicas, emocionais, espirituais ou relacionais – não somente me sinto diferente a respeito dela, ela se sente mais perto e mais segura comigo. Receber palavras de afirmação de Geri pode ser desafiador para mim às vezes porque elas foram raramente recebidas em minha família de origem. Mas Deus usou as palavras dela pra me lembrar do evangelho e de como Deus me vê. Afirmar intencionalmente seu cônjuge – especialmente quando você conhece suas falhas melhor do que ninguém na terra – é um dos maiores presentes que você pode lhe dar. Isso serve também para contribuir grandemente para uma paixão maior.

Deus sabe que estamos em nosso melhor momento quando estamos vivendo numa atmosfera de paixão um pelo outro. Somos mais generosos, mais pacientes e mais indulgentes. Quando não podemos conseguir o bastante um do outro, vemos o mundo totalmente colorido, não em preto e branco.

O casamento é a sua mais alta mensagem do evangelho

Muitos líderes cristãos acreditam que a mais alta mensagem que pregamos ao mundo é feita de palavras, ou talvez de serviço aos outros em nome de Jesus.

Nos primeiros anos de ministério, pensei que plantar uma igreja e pregar sermões seria minha mais alta mensagem do evangelho.

Quando digo que o *casamento* é a mais alta mensagem do evangelho que o líder pode pregar, quero dizer que o casamento cristão aponta além de si mesmo para algo mais importante – para Cristo. Como tal, o casamento é um sinal e uma maravilha. Jesus transformou água em vinho, e este foi relatado como o primeiro de seus sinais milagrosos. O milagre apontou para Jesus o Messias como o melhor vinho que foi preservado até a plenitude do tempo na história. Muito mais aconteceu em Caná do que simplesmente água transformar-se em vinho. O milagre apontou para Jesus como *o vinho* que nunca acaba, que sempre satisfaz, e que nunca transborda em abundância extravagante.

O apóstolo Paulo faz esta mesma conexão na que pode ser sua mais importante declaração sobre o casamento:

> *Por isso o homem deixará pai e mãe e se unirá à sua mulher, e os dois serão uma só carne. Esse mistério é grande, mas eu me refiro a Cristo e à igreja* (Ef 5.31,32).

A compreensão de Paulo do casamento terreno é mais do que duas pessoas se unindo para terem filhos e desfrutarem uma vida ótima. É mais do que um fundamento para nossa liderança. Ele vê o casamento como sinal e maravilha de duas maneiras distintas. Como foi mencionado anteriormente, o amor conjugal torna visível como Deus ama o mundo – total, fiel, livre e proveitosamente. Para os cristãos, o amor entre os cônjuges se destina a revelar como Deus ama o mundo. O casamento terreno aponta para o nosso eterno destino, quando estaremos perfeitamente unidos e realizados por seu amor. O apóstolo Paulo vê o casamento terreno como um sinal profético da Ceia Nupcial do Cordeiro (Ap 19–22). Foi por isso que Jesus disse não haver casamento no céu. Tendo chegado lá, o sinal não será mais necessário (Mt 22.30); teremos alcançado nosso destino, o casamento com Cristo, e desfrutaremos uma celebração de bodas que durará para sempre.

Assim, o que isso significa em termos práticos? Como líderes cristãos fazem do casamento a mensagem mais alta do evangelho que pregamos?

Quando mudei de uma visão não vocacional de liderança ("sou um líder que por acaso é casado") para uma visão vocacional ("eu lidero *a partir de* meu casamento"), várias coisas mudaram. Ganhei uma alta consciência de mim mesmo como marido de Geri, não como pastor Pete. Abracei o chamado de Deus para ser "Deus de carne e osso" para Geri, procurando estar presente e sensível a ela como sou com meu próprio corpo. Minha definição de sucesso na liderança foi transformada além de meramente aumentar a igreja para nutrir um casamento apaixonado que transborda para o mundo. Minha necessidade de ter minha amabilidade afirmada por meio de realizações no ministério se dissipou quando experimentei plenamente o profundo amor de Geri por mim e seu deleite em mim. Nos primeiros passos desta nova jornada, eu reestruturei minhas prioridades de liderança para que o topo da minha lista semanal de coisas a fazer ficasse assim:

- Passar tempo a sós com Deus (listando momentos e práticas espirituais para a semana)
- Investir em Geri e no casamento (listando momentos e ações específicas para a semana)
- Todo o resto na *New Life Fellowship* (preparação da mensagem, reuniões com o pessoal, preparação de reunião com o conselho etc.)

Tornar o casamento nossa mais alta mensagem do evangelho não significou que Geri e eu tivéssemos repentinamente começado a fazer tudo juntos. Não fizemos e não fazemos. Mas, uma vez que coloquei meu coração em tornar importante para mim aquilo que é importante para Geri, as coisas mudaram. Talvez a maior mudança em mim tenha sido um aumento de minha consciência e de minha habilidade de estar presente para Geri em primeiro lugar – especialmente nos cultos da *New Life*. No passado, quando eu chegava à igreja para os trabalhos de fim de semana, eu não pensava muito em Geri, nem tocava nela se ela estivesse por perto. As pessoas a quem eu estava ali para servir vinham em primeiro lugar. Mas, para Geri, aqueles eram momentos que mais importavam. Inicialmente, fiz um esforço consciente para atravessar a sala e colocar meu braço em torno dela, segurar sua mão no meio do louvor, abraçá-la no vestíbulo após o culto. Agora, procurar Geri numa multidão é uma extensão natural da nossa unicidade em amor. Ela ama isso e, para minha surpresa, outros também observam. Estou plenamente consciente de quanto pregamos o amor de Cristo por meio do nosso casamento quando estamos em público – mesmo que eu não esteja ensinando publicamente.

Não é exagero dizer que essas foram mudanças dramáticas, todas as quais me impulsionaram a direcionar minha melhor energia, primeiro ao nosso casamento, e depois a meu papel como pastor. Investir em nosso casamento tornou-se central para a minha liderança na *New Life,* não um "extra". Isso também me ajudou a compreender mais a respeito do que significa liderar a partir da vida de solteiro.

Liderar a partir da vida de solteiro

Da mesma forma que precisamos de uma robusta espiritualidade do casamento vocacional, também precisamos de uma rica espiritualidade de uma vida a sós vocacional se a igreja quiser amadurecer em tudo o que Deus pretende. Mas, antes de explorarmos o que significa liderar a partir da vida de solteiro, preciso reconhecer as limitações que tenho para escrever este tópico.

Para começar, não sou solteiro. Embora tenha sido solteiro dos 19 aos 28 anos, escrevo como alguém que agora é um pastor casado há 31 anos. Não tive a experiência dos desafios e complexidades de servir durante décadas como líder solteiro. Não sei o que é ser tratado com suspeita ou um cidadão de segunda classe devido ao estado de solteiro. Também vim de uma tradição protestante que, de um modo geral, não desenvolveu uma teologia bíblica do celibato, muito menos sua aplicação prática na igreja. E, embora tenha estudado o celibato cristão durante anos e falado com centenas de solteiros sobre suas experiências, permaneço profundamente consciente de quanto eu *não* sei.

Apesar dessas limitações, escrevo para desenvolver uma conversa significativa e muito necessária sobre o assunto dentro da igreja. Espero ansiosamente que líderes solteiros sejam encorajados a tomar seus corretos lugares de liderança na igreja, e que os líderes casados mostrem uma sensibilidade maior às questões e preocupações de solteiros para que todos nós, juntos, possamos desenvolver a causa de Cristo no mundo.

Reconhecidas minhas limitações, sinto-me confiante para afirmar que, se você quer liderar a partir de sua condição de solteiro, há três coisas que você deve fazer: ter consciência sobre o tipo de solteiro que Deus quer que você seja, fazer da vida de solteiro (não da liderança) sua primeira ambição e torná-la sua mais alta mensagem do evangelho.

Entenda o tipo de solteiro que Deus quer que você seja

Um número cada vez maior de líderes no corpo de Cristo hoje é de solteiros. Houve um tempo em que o termo *solteiro* referia-se quase que exclusivamente a jovens adultos que não haviam se casado. Hoje, poderia facilmente referir-se a um pai de 40 anos divorciado, um viúvo de 65 anos ou a um homem de 33 que fez o voto do celibato. Isto significa que temos cada vez mais líderes cristãos que precisam ter certeza de que sua condição é um voto ou não.[11]

O voto do celibato

Hoje, a maioria dos que praticam o celibato por voto serve nas ordens religiosas e igrejas católica romana e ortodoxa. Infelizmente, na maioria das igrejas protestantes, pouco se fala sobre o voto do celibato, nem se considera tal decisão um chamado válido.[12] Aos poucos, entretanto, isto está mudando. Nos últimos duzentos anos tem havido uma espécie de redescoberta do ensino bíblico sobre o celibato vocacional e um ressurgimento de sua prática na igreja protestante em todo o mundo.[13]

Foi Jesus quem primeiro reconheceu a ideia do celibato por voto ou consagração. E ele fez isso num tempo e numa cultura que considerava a possibilidade chocante. Nem a história e a cultura judaicas, nem mesmo o ensino do Antigo Testamento, deram espaço real para a pessoa intencionalmente solteira.[14] De fato, era tão tido por certo que um homem judeu se casaria, que não havia uma palavra hebraica para solteirão. Alguns rabis ensinavam que não estar casado aos vinte anos de idade era considerado pecado. Continuar o nome da família através do filho mais velho era considerado literalmente uma questão de vida e morte. Nada era pior do que o extermínio do nome da família.[15] A pressão da família, da sinagoga e da cultura para o casamento era enorme. Assim, tenha esse contexto em mente ao ler estas palavras de Jesus:

[11] Cada cristão é chamado para uma vida de celibato (solteiro) no sentido de que, a menos que sejamos casados, nosso corpo e sexualidade pertencem somente a Cristo. O celibato cristão não é uma rejeição do corpo ou da sexualidade, mas uma afirmação da união e comunhão com Jesus, o propósito do qual é produzir fruto e nutrir filhos para ele. V. Christopher West, *Theology of the Body I: Head and Heart Immersion Course* [Teologia do corpo I: Curso de imersão cabeça e coração]. West Chester, PA: Ascension Press, 2007. Eu fui a este seminário de cinco dias dado por Christopher West em 2012.

[12] Uma das infelizes consequências da Reforma protestante do século XVI foi a eliminação de todos os monastérios das áreas da Europa de controle protestante. De 1536-1540, por exemplo, Henrique VIII aboliu todo o sistema monástico da Inglaterra, fechando mais de oitocentos mosteiros, abadias e conventos que abrigavam mais de dez mil monges, freiras, frades e cânones. Em abril de 1540, não restou nenhum.

[13] Além de centenas de comunidades monásticas anglicanas em todo o mundo, encontramos o voto do celibato em ordens monásticas protestantes na Alemanha, como a Communität Christusbruderschaft Selbitz (Comunidade da irmandade de Cristo em Selbitz), que é parte da Igreja Evangélica Luterana na Bavária, e a Irmandade Evangélica de Maria, uma ordem religiosa ecumênica fundada por Madre Basilea Schlink. Na França, Irmão Roger Schütz, pastor luterano, fundou a comunidade ecumênica de Taizé. Existe o Monastério da Santa Transfiguração, fundado pela União Batista na Austrália, e nos Estados Unidos, encontramos a Comunidade de Jesus e o Monastério da Sabedoria Santa, ambas comunidades ecumênicas de mulheres – para citar algumas.

[14] Somente o profeta Jeremias foi chamado para observar o celibato como sinal profético para Israel.

[15] CLAPP, Rodney, *Families at the Crossroads* [Famílias nas encruzilhadas]. Downers Grove, IL: InterVarsity Press, 1993, p. 95-98.

Nem todos podem aceitar essa condição, mas somente aqueles a quem isso é concedido. Porque há eunucos que nasceram assim; e há eunucos que foram feitos assim pelos homens; e ***há outros que a si mesmos se fizeram eunucos por causa do reino do céu****. Quem puder aceitar isso, aceite* (Mt 19.11-12, ênfase do autor).

Jesus, porém, lhes respondeu: Este é o vosso erro: não conheceis as Escrituras nem o poder de Deus; ***pois na ressurreição não se casarão nem se darão em casamento****; mas serão como os anjos no céu* (Mt 22.29,30, ênfase do autor).

A palavra *eunuco* em Mateus 19.12 refere-se não apenas a alguém do sexo masculino que foi castrado, mas a qualquer pessoa que escolha não oferecer seu corpo sexualmente a outra. Após reconhecer que alguns são celibatários devido a incapacidades físicas e que outros o são devido à castração, Jesus abre uma categoria inteiramente nova – os que renunciaram ao casamento *por causa do reino do céu*. Essa é definição exata do celibato por voto.

Os celibatários que fizeram voto recebem um *carisma*, uma capacitação de Deus dada a certos homens e mulheres para que possam oferecer um dom especial de serviço ao mundo.[16] Eles escolhem livremente dar-se como dádiva exclusiva e para a vida toda a Cristo. Ao fazer isso, eles renunciam ao sinal temporal do casamento na terra para que possam participar mais plenamente agora da realidade celestial para a qual o casamento aponta – o eterno casamento com Cristo.

A declaração de Jesus em Mateus 19 deixa claro que poucos homens e mulheres recebem esta vocação: *Nem todos podem aceitar essa condição, mas somente aqueles a quem isso é concedido* (Mt 19.11). No entanto, tais vocacionados existem entre os líderes em nossas igrejas e ministérios. Talvez você esteja entre esse pequeno número. Se você está se perguntando se esse pode ser o caso, permita-me encorajá-lo a visitar uma comunidade monástica perto de você para conhecer homens e mulheres que já fizeram o voto do celibato. Ouça a história deles e seu processo de discernimento. É comum, pelo menos nas comunidades monásticas que eu conheço melhor, exigir um processo de discernimento de cinco a sete anos antes de fazer um voto para a vida toda. De fato, uma de nossas ex-líderes da *New Life* está na metade do seu processo de discernimento numa comunidade monástica.

[16] SCHNEIDERS, Sandra M, I.H.M. *Selling All: Commitment, Consecrated Celibacy, and Community in Catholic Religious Life* [Vendendo tudo: compromisso, celibato consagrado e comunidade na vida religiosa católica]. Mahway, NJ: Paulist Press, 2001, p. 29-30.

Se você é solteiro, mas não se sente chamado para o voto do celibato, há mais uma opção: o celibato dedicado, a vocação de muitos líderes protestantes solteiros hoje.

Celibatários dedicados

Os celibatários dedicados escolhem praticar o celibato enquanto permanecem solteiros como parte de seu compromisso a Cristo. Eu escolhi o celibato dedicado por um período de nove anos, entre os 19 e os 28 anos. Eu queria viver em devoção completa, sem me distrair por um relacionamento, para crescer espiritualmente e servir a Cristo. O desejo de me casar veio à tona quando eu tinha 27 anos. Eu me perguntei: "Quem é a mulher mais piedosa que eu conheço – alguém que seguiria Jesus mesmo que eu não seguisse?" A resposta foi fácil. Foi Geri, minha boa amiga e colega havia muito tempo na InterVarsity. Nos anos seguintes, nós namoramos e o resto é história.

Geri foi também uma celibatária dedicada dos 8 aos 20 anos. Ela estava prestes a ficar noiva quando se converteu. Devido a sua união com Jesus, passou pelo doloroso processo de terminar o relacionamento (*graças a Deus!*). Viveu sinceramente para Cristo, namorou ocasionalmente e serviu tanto no ministério vocacional como professora na faculdade. Aos 26 anos, enquanto se preparava para se mudar para a Tailândia num compromisso ministerial de dois anos, pedi-lhe que pensasse em permanecer nos Estados Unidos para que pudéssemos discernir o que Deus podia ter para o nosso relacionamento. Embora Geri estivesse contente com a vida de solteira, estava também aberta a Deus com relação ao seu futuro.

Nós dois desfrutamos nossos anos de solteiros como seguidores de Cristo e líderes ministeriais. Se tivéssemos permanecido solteiros, sem dúvida teríamos encontrado novos desafios aos 30, aos 40, aos 50... Mas conhecemos muitos amigos solteiros ao longo dos anos que passaram bem por tais complexidades e, no processo, ensinaram-nos muito sobre o celibato dedicado. Sue é uma dessas amigas.

Sue é uma talentosa líder e professora na *New Life*. Ela ensinou em retiros, prestou cuidados pastorais a pessoas em situações difíceis, aconselhou pessoal e deu orientação oportuna à nossa comunidade em mais ocasiões do que eu posso me lembrar. Eis como ela descreve sua jornada:

Quando me converti, aos 17 anos, achava que acabaria me casando. Mas sabia também que o primeiro chamado em minha vida era amar a Deus e os outros – eu devia ser uma amante. Assim, aos 18 anos, comprei um anel e gravei nele este versículo de Cântico dos Cânticos: *Eu sou do meu amado, e o meu amado é meu* (6.3). Era um lembrete de que eu pertencia primeiro a Cristo.

Não me senti chamada para o celibato vitalício. Eu esperava acabar encontrando alguém com quem passar o resto da minha vida. Eu tive um relacionamento que era sério, mas ele se sentiu chamado para servir a Deus na África (eu não), e nós seguimos nossos caminhos separados. Então, mesmo não sendo meu plano inicial, abracei o celibato.

Estou agora com 64 anos e tenho vivido uma vida plena. Em meu trabalho como terapeuta, aconselhei tanto casais quanto solteiros. Sinto também verdadeiramente que tenho muitos filhos – não filhos biológicos, mas pessoas a quem dediquei minha vida durante anos. Tenho grande alegria e satisfação nisso.

Não sinto ter perdido qualquer coisa. Na verdade, sinto-me incrivelmente abençoada. Pelo fato de ser solteira, sou livre para ir atrás de muitas coisas que de outra forma seriam impossíveis. Não tenho também a ilusão de que o casamento cura a solidão. A solidão é parte do ser humano. É o convite para abrirmos nosso coração mais profundamente a Deus. No entanto, isso não significa termos de levar uma vida solitária.

Mesmo quando vivi sozinha durante dez anos, fiz questão de convidar com frequência pessoas a minha casa (solteiras, casadas e famílias). E, nos últimos 34 anos, tenho compartilhado minha vida com Bonnie, minha amiga com quem divido a casa. A comunidade é uma parte muito importante da minha e da nossa vida. Acredito que a igreja é uma comunidade. Somos família de Deus. Não há razão para qualquer um de nós ser solitário. Bonnie e eu temos nossa própria vida, mas temos também uma vida em comum.

Minha palavra aos solteiros é: *Não viva como se estivesse esperando. Viva mais plenamente a vida que você pode ter agora.*

Eu gosto de muitas coisas a respeito da história de Sue – sua compreensão da solidão como parte da condição humana, seu compromisso com a hospitalidade, com amizades íntimas, e especialmente sua disposição em aceitar o celibato dedicado que inicialmente ela não queria. Se você conhecesse Sue, veria também que uma das coisas mais bonitas sobre ela é sua intencionalidade e alegria como líder solteira. Ela irradia a todos ao seu redor e reflete o amor de Jesus.

Para a maioria dos solteiros, entretanto, escolher viver como celibatário solitário não é uma escolha fácil de fazer. Emily, uma missionária paraeclesiática interdenominacional, tem trabalhado com estudantes universitários e treinado outros obreiros durante os últimos trinta anos. Quando lhe pedi para me falar de sua intencionalidade como celibatária dedicada, esta foi sua resposta:

> Intencionalidade? Essa é uma palavra difícil. Eu não queria ficar solteira. Isso é o que me foi destinado. Minha pergunta foi: *Para onde eu vou com isto?* Eu não queria ficar sentada esperando. Queria ter sucesso na vida.
>
> Meus 30 anos foram difíceis porque eu ia a muitos casamentos e me perguntava o que havia de errado comigo que ainda estava solteira. Mas as coisas mudaram aos 40 anos. No meu quadragésimo aniversário, peguei meu diário e escrevi: "O que há de bom nisto?" Então anotei os nomes de pessoas nas quais havia investido porque eu estava solteira e disponível. Eu tinha uma lista de trezentas pessoas! Meus 40 anos foram uma época maravilhosa para mim. Eu estava fazendo de fato diferença na vida das pessoas. Isto me fez atravessar alguns momentos difíceis.
>
> Aos 42 anos eu ainda desejava muito um parceiro, um companheiro de mais idade, alguém para estar presente. Tentei permanecer indiferente, como afirma Inácio, mantendo meus desejos e querendo muito o casamento com as palmas das mãos abertas, não com minhas mãos firmemente fechadas. Por fim, eu disse: *Deus, não vou mais orar a respeito disso. Tu sabes o que está no meu coração. Tenho orado a respeito. De agora em diante, o que decidires me dar – vida de solteira ou casamento – vou receber como um presente de ti. O que realmente quero é o Senhor. Tu és tudo.* Depois, derramei lágrimas de verdadeiro contentamento e renúncia.
>
> Foi quando me dei conta de uma forma mais profunda de que o meu desejo por casamento era a expressão exterior do meu anseio interior pelo Senhor. Aquele foi um momento muito significativo para mim. Deus havia me levado para um momento de completa indiferença. Eu realmente não me importava em me casar ou não.

A história de Emily destaca três verdades sobre a experiência de uma escolha deliberada do celibato dedicado. Primeira, ela estava comprometida a uma vida de amorosa união com Jesus, independentemente das circunstâncias. (Vamos falar mais sobre isto no próximo capítulo). Segunda, sua intencionalidade foi um processo. Render-se ao amor e à vontade de Deus não é um acontecimento de uma vez por todas. Emily nos permite adentrar o processo muito humano que todos experimentamos em nossa vida quando nossa vontade colide com a de Deus. E finalmente, esta vocação, como as outras, transmite seu tipo singular de sofrimento, todos os quais foram usados por Deus para formar Cristo nela.

Se você é um líder solteiro, deve muito bem ter experimentado alguma ou todas as verdades em sua própria vida, embora talvez não tenha as palavras ou estrutura para vê-las como vocação. Ou talvez, como Sue e Emily, a escolha do celibato dedicado seja algo com o qual esteja lutando. Onde quer que você se encontre, ser intencional sobre a sua vocação e permitir que Deus a use será um passo significativo em sua jornada para se tornar um líder emocionalmente saudável.

Sua vida de solteiro é sua primeira ambição

Você vai se lembrar da seção sobre casamento que ambição "é um sentimento levado a um alto grau de intensidade". A primeira ambição para os líderes cristãos solteiros deve mudar de liderar uma igreja, organização, ou equipe para investir numa saudável vida a sós. Assim como os líderes casados, os líderes solteiros são chamados para estimular um transbordamento de seu relacionamento de amor com Jesus e a doação e recepção de amor de seus íntimos relacionamentos.

Isto significa que o primeiro item a respeito da descrição de trabalho de sua liderança como líder solteiro é fazer escolhas claras para cultivar uma vida a sós sadia. Ao se levantar cada dia, deve se perguntar: *O que preciso fazer hoje para estimular uma saudável vida de solteiro para Cristo?* O que torna esta escolha particularmente crítica é a existência de uma regra não escrita de que os líderes solteiros precisam de menos tempo do que os casados. Na verdade, a realidade é o oposto.

Myra, pastora de um grupo pequeno, resumiu isso bem numa carta ao seu pastor quando ele lhe pediu, junto com outros funcionários solteiros, para ficar até mais tarde arrumando as coisas depois de um retiro enquanto as pessoas casadas foram encorajadas a irem embora para seus cônjuges:

> Por favor, não acredite que você conhece minha vida social. Minha rede de amigos íntimos é tão importante para mim quanto seu cônjuge é para você. Eu gostaria que você levasse em consideração minhas necessidades de descanso e conexão íntima com a minha rede de amigos tão a sério quanto você considera o compromisso de estar com o seu cônjuge. Meus amigos íntimos são os que Deus me deu, e realmente requer mais esforço, não menos, desfrutar relacionamentos saudáveis com eles. Por quê? Porque não é algo natural, não estarmos esperando um ao outro em casa.

Se uma vida de solteira saudável não fosse sua primeira ambição, teria sido fácil para Myra simplesmente fazer o que seu supervisor lhe pediu e atribuir aqulo ao fato de ser uma serva líder, mesmo que intimamente ficasse ressentida. Mas quando a vida de solteira saudável é sua primeira ambição, você pode enfrentar situações como esta quando outros são insensíveis aos incomparáveis desafios de ser uma líder solteira. Ninguém mais pode afirmar o que você precisa a este respeito; você precisa gentilmente, mas verdadeiramente, apelar para que outros respeitem esse aspecto de sua liderança. E você pode continuar a construir esta ambição de três maneiras diferentes: investir em excelentes cuidados pessoais, cultivar a comunidade e praticar a hospitalidade.

Dedique-se a excelentes cuidados pessoais. Construa em sua liderança ritmos fortes de limites de adequados cuidados pessoais. O princípio bíblico é: *Tem cuidado de ti mesmo... persevera* (1Tm 4.16). Visto que você cuida de gente, é vital que se cuide. Parker Palmer, autor e educador, expressa isso muito bem:

> Eu tenho deixado claro pelo menos uma coisa: o cuidado pessoal nunca é um ato egoísta – é simplesmente mordomia do único dom que temos, aquele que ofereço às pessoas ao ser colocado na terra. Sempre que pudermos ouvir ao verdadeiro ego e dar-lhe o cuidado que ele requer, o fazemos não somente para nós mesmos, mas para muitos outros cujas vidas nós tocamos.[17]

Para ser um bom administrador do limitado recurso que é *você*, é vital que você faça distinção do tipo de pessoa, lugares e atividades que te dão prazer. Faça a si mesmo rotineiramente a pergunta: *O que restaura e reabastece a minha alma? O que me enche de prazer?* Meu amigo Hector é um solteiro que passou pela experiência de uma transformação diante de meus próprios olhos nesta área num espaço de dez anos. Eis a sua história:

> O que eu penso de ser um homem de 41 anos, primogênito de pais imigrantes que ainda é solteiro? Embora não seja a minha preferência – ou de meus pais, ainda prefiro ser feliz, produtivo e solteiro com Jesus do que casado e insatisfeito ou, pior ainda, extremamente infeliz. Eu vivo de maneira intensa e gosto de investir de forma relacional fazendo coisas com meus amigos das quais eu gosto – jogar frisbee, cruzar o país de moto, começar grupos pequenos e até mesmo me mudar para me juntar a um trabalho missionário a dezesseis mil quilômetros de Nova York. Embora ainda avalie a oportunidade de ter a experiência de vida como casado, meus relacionamentos – com meus irmãos, sobrinhas, pais, melhores companheiros, amigo íntimos, família da igreja e colegas – deixam-me agradecido e com meu cálice transbordando.

[17] PALMER, Parker. *Let Your Life Speak* [Que a sua vida fale]. San Francisco: Jossey-Bass, 2000, p. 20-31.

O que mais me impressiona na vida do Hector é a ampla gama de hobbies e prazeres nos quais ele investe como líder solteiro – de esportes a dança e motociclismo. Ao se comprometer com uma vida que lhe dá alegria, ele não somente rompeu com o mandamento de sua cultura de que o trabalho é a coisa mais importante da vida, mas também evitou a visão equivocada em alguns círculos cristãos de que o prazer e deleite são, de alguma forma, suspeitos, se não completamente pecaminosos. Se você quer tornar excelente o cuidado pessoal, torne a busca da alegria e do prazer uma parte intencional de sua vida e liderança.

Invista na comunidade, cultivando pelo menos um ou dois companheiros para a jornada. Casado ou solteiro, ser líder é quase sempre uma experiência solitária. Mas essa solidão pode ser maior nos líderes solteiros, talvez especialmente os que vivem sozinhos. Como Filho de Deus, Jesus poderia ter escolhido conduzir seu ministério sozinho. Em vez disso, ele escolheu cercar-se dos Doze. Ele também desenvolveu íntimos relacionamentos com a família de Maria, Marta e Lázaro.

Investir na comunidade é natural para alguns líderes solteiros. Por exemplo, Hector prioriza a amizade com cinco homens a quem ele se refere como seus "cinco pilares". São amigos que encontrou em vários pontos de sua jornada. Ele ora por eles, permanece atualizado com eles, sabe que pode ser totalmente transparente com eles e se sente à vontade para contatá-los a qualquer momento para conselho. Sue é bem intencional em seu relacionamento com Boonie, a colega com quem divide a casa. Isto tem produzido ricos frutos em sua vida pessoal e liderança. No entanto, para Mark, um pastor associado de 45 anos que se mudou recentemente para uma nova cidade, desenvolver novas amizades se mostrou algo desafiador. A seguir, sua história:

> Preciso desesperadamente de amigos, mas ser pastor e líder complica as coisas. Quando eu entro numa sala as coisas mudam. As pessoas me tratam de forma diferente. Isto torna difícil desenvolver relacionamentos autênticos. Também acho que outros membros da equipe e do conselho – muitos dos quais são casados – às vezes não compreendem as demandas de um líder solteiro. Por isso, parte do meu papel consiste em educá-los sobre quanto é importante desenvolver amizades fora do trabalho.
>
> Acredite ou não, meu cão está realmente me ajudando nisso. Tenho o hábito de ir ao parque dos cães para conhecer pessoas da vizinhança. Eu saio do escritório todos os dias às 16h para pegar meu cão e ver meus amigos no parque às 16h30.

> Meu cachorro me faz companhia quando volto para um apartamento silencioso. Em vez de preencher o espaço vazio com uma TV sem importância ou barulho, sinto-me bem com o silêncio. Estar com meu cão e cuidar dele lembra-me da bondade da criação de Deus e de como é importante para mim me relacionar em amor com outras pessoas – mesmo que isso comece com o meu cão.

A história de Mark coloca em relevo os raros desafios que certos contextos de liderança apresentam quando se trata de construir relacionamentos íntimos. Mas esta criatividade, iniciativa e persistência em buscar conexões em sua vizinhança – e se dispor a construir essas relações a partir do zero – oferecer um modelo de formas simples pelas quais Deus pode levá-lo a começar a fazer um investimento intencional para novas amizades. Relações autênticas não acontecem da noite para o dia, mas você pode fazer amigos que, com o tempo, podem se tornar companheiros íntimos para sua jornada.

Pratique a hospitalidade regularmente. Convide uma gama variada de pessoas – homens e mulheres, casados e solteiros, de todas as idades – à sua casa para uma refeição, ou reserve tempo para um café.

Como Mark mora num pequeno apartamento numa cidade grande, ele fez amizade com o proprietário de uma loja de chocolate. Ali, ele costuma juntar de quinze a vinte pessoas para festas. Cada pessoa paga vinte dólares e aprecia uma seleção de comida leve e chocolate. Mark convida amigos do parque dos cães, de sua igreja e do prédio onde mora. Embora isso demande tempo e energia, tem sido um excelente meio tanto para cuidado pessoal como para a construção de um círculo de amigos. Além disso, Mark começa a despontar num hobby – gosta de cozinhar e de boa comida – que não tem relação com sua descrição de cargo como pastor.

Há várias formas de praticar a hospitalidade. Sue convida um fluxo constante de amigos e membros da igreja para sua casa. Emily tem vários compromissos que são fundamentais em sua vida. Além de receber em sua casa um grupo de mulheres uma vez por semana, ela participa de retiros semestrais com grupos de mulheres casadas e solteiras. E todos os sábados de manhã, a menos que esteja viajando, ela se reúne com uma boa amiga para um café. Esses compromissos a possibilitaram receber um grande número de "estrangeiros e peregrinos" em sua vida. Da mesma forma, a hospitalidade é um costume criativo facilmente adaptado às nossas singulares necessidades e circunstâncias.

A condição de solteiro é a sua mais alta mensagem do evangelho

Você irá se lembrar da seção sobre o casamento que a perspectiva da maioria dos líderes cristãos é que a mensagem mais alta que pregamos ao mundo vem de nossas palavras ou, talvez, do serviço aos outros em nome de Jesus. Entretanto, quando eu digo que nossa mais alta mensagem do evangelho é, ao contrário, nosso casamento ou condição de solteiro para Cristo, quero dizer que a nossa vocação aponta *além de nós mesmos* para algo mais importante – para Jesus. Neste sentido, a condição de solteiro, tal como o casamento, é um sinal e uma maravilha.

A condição de solteiro é uma maravilha pelo menos de duas formas específicas. Primeira, como líder solteiro, você dá testemunho da suficiência e da plenitude de Jesus por meio do seu celibato. Você não está abandonando o seu corpo. Você não está "ficando". Por quê? Você está casado com Cristo. Toda a sua pessoa pertence a ele. Isto serve como a base de sua vida e liderança. Seu compromisso afirma a realidade de que Jesus é o pão que satisfaz – mesmo em meio aos desafios de ser um líder solteiro. Cada dia em que você decide manter esse compromisso, sua vida a sós se coloca como uma contracultura e sinal profético do reino de Deus – para a igreja e para o mundo.

Em segundo lugar, se você é um líder solteiro que nunca se casou nem teve filhos, você dá testemunho da realidade da ressurreição de uma forma singular. Neste sentido, o celibato dedicado pode ser uma forma menos óbvia de transmitir o evangelho, mas não menos significativa. O autor Rodney Clapp expressa isso desta forma:

> Os cristãos solteiros são, por conseguinte, testemunhas radicais da ressurreição. Eles abrem mão dos herdeiros – a única possibilidade humana de sobrevivência além da sepultura – na esperança de que um dia toda a criação seja renovada. O cristão solteiro não faz sentido se o Deus de Jesus Cristo não for vivo e verdadeiro.[18]

Em outras palavras, nossa crença na ressurreição dos mortos nos fornece uma perspectiva única sobre a curta e breve vida terrena. Nossos dias estão contados à luz da eternidade (Sl 90.12) e para Deus mil anos são como um dia. Nós vivemos na realidade de que Jesus está vivo, e por isso nós também viveremos com ele para sempre, plenos como membros da família de Deus e da comunhão dos santos.

[18] CLAPP, Rodney, *op. cit.*, p. 101.

O que significa em termos práticos, para os líderes cristãos, fazer da vida de solteiro a mais alta mensagem do evangelho que pregamos? Significa que expandimos nossa definição de sucesso de liderança para incluir ser um líder solteiro saudável para Cristo. Nosso objetivo é experimentarmos o profundo amor e o prazer de Deus por nós por meio de amigos chegados, da comunidade e dos ricos dons encontrados na vida diária. Tal como casados, nós também devemos reestruturar nossa vida para que as prioridades em nossa lista semanal de tarefas sejam mais ou menos assim:

- Passar tempo sozinho com Deus (listar momentos e práticas espirituais para a semana)
- Investir em meus amigos íntimos e em novas amizades (listar momentos e ações específicas para a semana)
- Praticar o deleite (p. ex., caminhar, correr, arte, música, clubes de leitura, dançar)
- Tarefas da liderança (preparar a mensagem, reuniões da equipe, preparar reunião do conselho, etc.)

Reconheço que esta ideia de liderar a partir de sua vida de solteiro como um celibato por voto ou dedicado pode ser uma ideia nova para você. Onde quer que você esteja no processo de fluxo e refluxo de dizer sim a Deus e abraçar sua condição de solteiro para ele, eu o encorajo a continuar a jornada aceitando esse convite, que se aplica tanto a casados como a solteiros.

Comece com um pequeno passo

Pode ter certeza de que Deus quer usar sua vocação (como casado ou solteiro) para torná-lo um líder mais eficiente. Ele quer lhe dar a graça da ambição, paixão para ser centrado no próximo, força para priorizar o cuidado pessoal e clareza para comunicar a mensagem do evangelho através de sua vida e vocação. No entanto, liderar a partir da vida de solteiro ou casado *é* uma escolha radical, tanto dentro como além da igreja. Se você escolher seguir e fazer mudanças, não tenha dúvida de que encontrará resistência, quando não, oposição direta. Por isso eu o encorajo a começar com humildade, buscando a orientação de Deus em oração. A oração libera o poder do Espírito Santo, tornando possível o que de outra forma parece ser impossível. Peça a Deus:

- Que o ensine a usar sua vocação de casado ou solteiro para que seja um sinal e uma maravilha a apontar claramente para o Senhor Jesus Cristo.
- Que crie abertura e receptividade em seu cônjuge (se casado) ou seus amigos chegados (se solteiro) à medida que você compartilha esta visão de liderança a partir do casamento ou da vida de solteiro e lhes pede companheirismo e apoio.
- Que derrame em você o poder do Espírito Santo para ajudá-lo a amar livre, fiel, produtiva e incondicionalmente as pessoas chegadas a você.
- Que lhe dê graça para permanecer profundamente conectado à pessoa de Jesus no processo.

Talvez seja útil, para começar, uma oração específica. Ofereço-lhe as seguintes orações para ajudá-lo em sua caminhada. Eu mantenho em minha pasta a oração por casados e procuro fazê-la todos os dias.

Uma oração por casais

Senhor, concede-me a força para responder ao teu chamado para ser um sinal vivo do teu amor.
Que meu amor por _____ seja como o teu: apaixonado, permanente, íntimo, incondicional e doador de vida.
Que eu possa estar presente para ______ assim como tu estás presente, para que o mundo todo possa ver tua presença manifestada em nosso terno amor.
Ajuda-nos a permanecermos perto de ti no corpo de Cristo. E continua a nutrir o nosso amor com o teu amor.
Em nome de Jesus, amém.[19]

Uma oração por solteiros

Senhor, concede-me a força para responder ao teu chamado para ser um sinal vivo do teu amor.
Que meu amor por outros hoje reflita o teu amor por mim: leal, fiel, incondicional e doador de vida.
Que eu possa estar tão presente aos outros como estás para mim, para que o mundo todo possa ver tua presença manifestada em meu terno amor pelos outros.

[19] Esta oração é adaptada de um panfleto distribuído no ministério Living in Love, de Ron e Kathy Feher.

Ajuda-me a estar junto a ti no corpo de Cristo.
E continua a nutrir meu amor com o teu amor.
Em nome de Jesus, amém.[20]

Liderar a partir do casamento ou da vida de solteiro é algo inseparável de uma vida de amorosa união com Jesus. Não podemos dar testemunho do Senhor Jesus a menos que reorganizemos nossa vida para habitar profundamente com ele. Isto significa que devemos desacelerar nosso ritmo e atividades para cultivarmos intencionalmente nossa unidade com Jesus. Isto nos leva naturalmente ao tema do nosso próximo capítulo – desacelerar para uma união em amor.

COMPREENDENDO SUA AVALIAÇÃO DA LIDERANÇA A PARTIR DO CASAMENTO OU DA VIDA DE SOLTEIRO

Se você fez a avaliação nas páginas 86 e 87, aqui estão algumas observações para ajudá-lo a refletir sobre suas respostas.

Se a sua pontuação se concentrou em um e dois, as chances são de que você não pensou muito no que significa – de modo teológico ou prático – liderar a partir do casamento ou da vida de solteiro. Não se preocupe. Você não está sozinho. Se este capítulo desafiou seus paradigmas de liderança, foi um ótimo começo. Sugiro mais estudos bíblicos para ampliar sua compreensão. Pesquise solteiros por convicção e comunidades monásticas que refletiram profundamente no casamento e na vida a sós como vocações. Procure evitar quaisquer mudanças abruptas ou conflituosas para sua vida e liderança. Em vez disso, peça a Deus por um ou dois passos práticos que você possa dar.

Se a sua pontuação se concentrou em dois e três, você pode estar liderando, em certo grau, a partir do casamento ou da vida a sós, mas ainda carece de uma rica visão teológica ou aplicações práticas das verdades deste capítulo. Você também pode beneficiar-se de mais estudos bíblicos. Converse com solteiros por convicção e busque comunidades monásticas que refletiram profundamente sobre o casamento e na vida de solteiro como vocação. Permita que Deus alargue seus horizontes. Agora é a sua oportunidade de fazer alguns ajustes na sua

[20] Cuidar da qualidade de líderes tanto casados como solteiros requer que encaremos a relação homem e mulher seriamente (não apenas como fonte potencial de tentação). Não cuidar quase sempre resulta em mulheres solteiras subdesenvolvidas como líderes, sem investimento adequado. Este é um tema amplo, mas vitalmente importante se tivermos de criar ambientes onde tanto solteiros como casados se relacionem uns com os outros de forma madura para que ambos possam florescer em suas vocações.

V. Barton, Ruth Haley. *Equal to the Task: Men and Women in Partnership* [Iguais em suas tarefas: homens e mulheres em parceria]. Downers Grove, IL: InterVarsity Press, 1998; Carol E. Becker, *Becoming Colleagues: Women and Men Serving Together in Faith* [Tornando-se colegas: homens e mulheres servindo juntos em fé]. San Francisco: Jossey-Bass, 1998.

liderança, vivendo-a a partir de seu casamento ou vida de solteiro. Tenha cuidado em evitar quaisquer mudanças abruptas. Gaste tempo ponderando novos passos com Deus, pedindo-lhe clareza em duas ou três áreas nas quais ele gostaria que você se concentrasse.

Se a sua pontuação se concentrou em quatro e cinco, você é abençoado. Você está liderando a partir da vida a sós ou do casamento. Espero que este capítulo tenha aprofundado e ampliado sua perspectiva em torno da visão de Deus para você como líder. Que convite você pode estar recebendo de Deus hoje? Peça-lhe que, em seus próximos passos, você ajude outros a discernirem e integrarem seu casamento ou vida a sós com sua liderança.

CAPÍTULO 4

Desacelere em favor de uma união amorosa

Larry tem 41 anos de idade e é o fundador de uma igreja em rápido crescimento. Ele e a esposa, Rebecca, estão casados há vinte anos e têm quatro filhos. Em seus dezoito anos na liderança da igreja, a congregação cresceu de um grupo central de pouco mais de cem pessoas para mais de quatro mil, com uma equipe de 35 auxiliares. Larry é cordial, maleável e amado por sua equipe.

As coisas com a igreja e em sua vida pareciam estar indo bem até o dia em que ele abruptamente apresentou sua renúncia ao conselho. Alegou estar esgotado nos últimos anos, especialmente depois de uma recente campanha para a construção de um novo centro de adoração.

A verdade, no entanto, é que a história era bem outra.

Um visitante recente havia encontrado Larry com outra mulher num hotel numa cidade próxima. E não era um encontro fortuito, mas um caso intermitente de três anos. Larry pareceu pensar que sua renúncia evitaria, de alguma forma, que o caso fosse descoberto pela igreja, mas era tarde demais para isso. Depois, também descobriram que Larry havia acumulado um débito financeiro bastante grande nos últimos anos.

Larry renunciou. Seu casamento terminou. A igreja foi deixada para juntar os cacos.

É uma história tristemente familiar, não é? Mas há outro aspecto desta história que levanta questões com as quais todo líder cristão precisa lidar. Durante os três anos em que a vida de Larry estava saindo dos trilhos, a igreja estava prosperando. A frequência teve um aumento de setecentas pessoas, muitos creram em Cristo, a contribuição e o orçamento do ministério aumentaram e o impacto da igreja sobre a comunidade se ampliou. Larry até foi palestrante numa conhecida série sobre casamento bíblico e vida em família durante seis semanas naquele período.

De alguma maneira, a igreja teve a experiência de um "sucesso" de curto prazo mesmo quando algo estava terrivelmente errado na liderança. Mas, depois da renúncia de Larry, a igreja entrou rapidamente numa espiral decrescente. As pessoas sentiram-se traídas e decepcionadas. Dedos eram apontados. Recursos e energias uma vez dedicados à evangelização passaram a ser redirecionados ao cuidado com os membros. O orçamento sofreu uma redução de quarenta por cento. Isso significou que ministérios locais e internacionais foram descontinuados ou cortados radicalmente.

Alguns membros, frustrados, quiseram saber por que o pessoal administrativo e o conselho não notaram qualquer sinal dos problemas de Larry. No final da reunião trimestral da congregação na qual o problema foi levantado, o presidente do conselho resumiu a resposta do conselho: "Nós vimos as coisas que nos diziam respeito. Larry estava sempre em movimento, fazendo malabarismo em novos projetos, falando em conferências, contratando nova equipe. Era difícil para nós acompanhar a velocidade com que a igreja estava mudando. Nenhum de nós examinava e fazia perguntas mais profundas. A realidade é que ficamos tão animados com a campanha para a construção do novo templo e o número de presença disparando, que desconsideramos o que realmente vimos. E atribuímos este comportamento ao estresse normal que vem com o crescimento".

Seguiu-se uma longa pausa. O silêncio na sala ficou dolorosamente pesado.

O presidente do conselho reconheceu o que muitos outros estavam pensando: "O que torna toda esta situação tão difícil de se entender é que alguns de nossos mais eficazes trabalhos de fim de semana ocorreram durante os três anos em que ele estava tendo seu caso".

O perigo de liderar sem Jesus

Se você é líder de uma igreja, a declaração do presidente do conselho tem de atingi-lo direto na boca do estômago. De certo modo, tornou-se parte do nosso padrão de pensamento que os marcadores externos de sucesso são uma indicação de que tudo deve estar bem no plano da liderança. De outra forma, não seriamos bem-sucedidos, certo? Mas, como a história de Larry demonstra, é possível construir uma igreja, uma organização ou uma equipe confiando apenas em nossos dons, talentos e experiência. Podemos servir a Cristo com nossa própria energia e sabedoria. Podemos expandir um ministério ou um negócio sem pensar muito em Jesus ou confiar nele durante o processo. Podemos pregar audaciosamente verdades que não vivemos. E se nossos esforços forem bem-sucedidos, poucas pessoas notarão ou terão problema com as lacunas entre o que somos e o que fazemos.

Jesus nos adverte sobre as consequências do envolvimento na atividade ministerial sem ele:

> Nem todo o que me diz Senhor, Senhor! entrará no reino do céu, mas aquele que faz a vontade de meu Pai, que está no céu. Naquele dia, muitos me dirão: Senhor, Senhor, nós não profetizamos em teu nome? Em teu nome não expulsamos demônios? Em teu nome não fizemos muitos milagres? Então lhes direi claramente: Nunca vos conheci; afastai-vos de mim, vós que praticais o mal (Mt 7.21-23).

Jesus enfrenta o autoengano dos que fazem maravilhas em seu nome. Eles profetizam; expulsam demônios; realizam milagres. Impressionam e de fato ajudam pessoas. O que poderia estar errado com isso? De acordo com as aparências, seus esforços têm a marca de um ministério vibrante, crescente!

Mas Jesus diz que há algo terrivelmente errado:

– Nunca vos conheci.

Um momento! Como pode ser isso? Ele nos conheceu no útero de nossa mãe. Jesus conhece cada fio de cabelo de nossa cabeça. Ele nos conhece melhor do que nós mesmos. Como poderia Jesus dizer: "Nunca vos conheci"? E, em todo caso, não faria mais sentido ele dizer: "*Vós* nunca *me* conhecestes"?

A força da palavra bíblica usada para o verbo *conhecer* é uma referência ao conhecimento da relação íntima, pessoal; é similar à unidade de Adão e Eva no jardim quando estavam nus e não sentiam vergonha (Gn 2.25). Podemos ser sinceros em dizer: "Senhor, Senhor" e atuar no que parece ser um ministério bem-sucedido. Podemos saber muito a respeito de Deus em nossa cabeça. Mas nada dessas coisas importam se permanecermos *desconhecidos* por Cristo. O que importa é o fruto genuíno que resulta somente de uma conexão profunda e submissa com Jesus.

Produzir fruto requer desacelerar o suficiente para dar a Jesus acesso direto a cada aspecto de nossa vida e liderança. Só porque Deus tem acesso a tudo que é verdade *sobre nós* não significa que Deus tem acesso *a nós*. Uma união amorosa é um ato de rendição – dar completo acesso a Deus – e não podemos fazer isso com pressa. Precisamos ser humildemente acessíveis, com a porta do nosso coração continuamente aberta para ele. Jesus não força isso em nós; é algo que somente nós podemos fazer.

Imagine acumular uma vida toda de troféus de liderança somente para vermos no final Jesus dizer: "Nunca vos conheci". O fato de "muitos" de nós irmos apresentar nossas credenciais no julgamento final e ter a reprovação de Jesus "deveria ser genuinamente assustador para muitos de nós".[1] Não é suficiente chamar Jesus de "Senhor". Não é suficiente estar ocupado acumulando impressionantes realizações no ministério. Jesus condena esses seguidores exteriormente bem-sucedidos nos termos mais duros e caracteriza seus esforços não meramente como fracos ou fracassados, mas como um completo "mal".

A questão fundamental é: em que medida a porta do nosso coração está aberta a ele? Temos permitido que as incessantes exigências da liderança nos preocupem de tal forma a não termos tempo para manter a porta aberta – continuamente? A nossa permanência em Jesus é esporádica? Ou estamos operando numa espécie de piloto automático espiritual?

Lembre-se, Jesus não diz que não podemos liderar ou construir uma igreja sem ele. O que ele de fato diz é que nossos esforços são inúteis a menos que fluam de um relacionamento de amorosa união com ele (Jo 15.5). Em outras palavras, embora o que fazemos importa, o que somos importa muito mais.

Porque temos tanto a fazer e tanta coisa em nossa mente, nossa tendência a aceitá-la é tão normal que...

- Líderes do louvor ou músicos que não se conectam a Jesus pessoalmente durante a semana podem ainda conduzir pessoas à presença de Jesus durante cultos de fins de semana.
- Comunicadores talentosos podem ensinar a Escritura e treinar outros sem dedicar o tempo necessário para a mensagem de Deus penetrar seus próprios corações.
- Administradores eclesiásticos podem efetivamente construir infraestrutura, supervisionar pessoal, gerenciar finanças sem ter uma vida devocional consistente com Deus.

Não se trata de intencionalmente defendermos que líderes se conduzam dessa forma; é que não consideramos bem um problema quando eles o fazem.

Eu estava nos meus anos iniciais como cristão quando me deparei com a triste verdade de que Deus pareceu usar importantes líderes cristãos cuja relação com Jesus ou era inexistente ou seriamente subdesenvolvida. Foi uma descoberta que

[1] Bruner, Frederick Dale. *Matthew: A Comentary, Volume 1* [Mateus: comentário, Volume 1]. Dallas: Word, 1987, p. 287.

me deixou confuso e desorientado. Todavia, após décadas de ministério, não fico mais confuso. Por quê? Porque tenho experimentado até certo ponto o que é ser um desses líderes. Preparei e preguei sermões sem pensar em gastar tempo com Jesus. Conheço a experiência de fazer coisas boas que ajudaram muitas pessoas embora, ao mesmo tempo, estivesse ocupado demais ou em meio ao redemoinho das preocupações da liderança para estar intimamente conectado a Jesus.

Em um estudo bíblico exaustivo, o teólogo Jonathan Edwards (1703-1758) escreveu sobre a frequência com que a Escritura descreve pessoas que fazem coisas *para* Deus sem ter uma vida *com* Deus. Personagens como Balaão, profeta do Antigo Testamento, Judas Iscariotes e Saul estavam todos engajados no que muito certamente teria sido considerado um trabalho eficiente para Deus por suas comunidades, mas sem ter uma autêntica conexão com ele. A única marca da genuína maturidade espiritual e eficácia ministerial, Edwards concluiu, é o trabalho extra do *ágape* – um amor doação por Deus e pelos outros.[2] Essa é a única qualidade de nossa vida e liderança que o Diabo nunca pode imitar. E a fonte desse amor ágape pode ser encontrada apenas numa vida de união amorosa com Deus.

Como líderes cristãos, é improvável que a maioria de nós tivesse problemas com qualquer dessas coisas. *Claro que precisamos experimentar a amorosa união com Deus!* Quem irá discordar disso? É aqui que está o problema. Fazer a nossa parte para cultivar um relacionamento de amorosa união com Deus requer tempo – tempo que, paradoxalmente, não temos porque estamos ocupados demais servindo-o. E assim, intencionalmente ou não, vemo-nos evitando nosso relacionamento com ele. No processo, derivamos em priorizar a liderança sobre o amor. Em outras palavras, deixamos de desacelerar em favor de uma amorosa união com Deus.

Como isso acontece? Na maioria das vezes começa muito sutilmente. Todavia as consequências de deixar de estimular a amorosa união são de tão longo alcance, que é extremamente importante definir claramente o que é e o que não é a amorosa união.

O QUE É A AMOROSA UNIÃO?

Amorosa união não é o equivalente efetivo de devoções e tempo de recolhimento. Nem se trata do envolvimento numa longa lista de práticas

[2] Para ler mais sobre o sermão de Edwards sobre "Love More Excellent than the Extraordinary Gifts of the Spirit" [Amor mais excelente que os dons extraordinários do Espírito] baseado em 1Coríntios 13.1, v. www.biblebb.com/files/Edwards/charity2.htm.

espirituais. Ou ter experiências emocionalmente intensas com Deus. União amorosa não trata de gerenciar sua agenda melhor ou simplesmente não estar ocupado. Não é tanto sobre ter um ritmo de vida sustentável. Tão importante quanto essas coisas possam ser, é possível envolver-se nelas sem necessariamente experimentar uma amorosa união.

Então o que é a amorosa união, e por que ela requer tanto tempo?

Em seu clássico livro *Prayer* [Oração], o teólogo Hans Urs von Balthasar descreve Jesus desta forma: "Aqui está um homem, sem pecado, porque amorosamente permitiu o completo alcance da vontade do Pai em sua vida"[3]. Pense por um instante nessa simples, porém profunda declaração. Leia-a mais algumas vezes até realmente mergulhar nela. O que von Balthasar está descrevendo aqui é amorosa união – *permitir amorosamente que Deus tenha pleno acesso à sua vida.* Essas são as palavras de Jesus aos cristãos de Laodiceia e a nós: *Estou à porta e bato; se alguém ouvir a minha voz e abrir a porta, entrarei em sua casa e cearei com ele e ele comigo* (Ap 3.20).

Na união amorosa, mantemos essa porta bem aberta. Permitimos que a vontade de Deus tenha pleno acesso a todas as áreas de nossa vida, incluindo cada aspecto da nossa liderança – desde conversas e decisões difíceis até administrar nossos gatilhos emocionais. Cultivar este tipo de relação com Deus não pode ser algo precipitado nem apressado. Devemos desacelerar e construir dentro de nossa vida uma estrutura e um ritmo que torne este tipo de amorosa rendição rotineiramente possível.

A questão com a qual devemos lutar é esta: *De que forma o meu ritmo de vida atual e minha liderança aumentam ou diminuem a capacidade de permitir que a vontade e a presença de Deus tenham completo alcance em minha vida?* Quaisquer práticas espirituais que possamos escolher tornam-se então meios para esse fim, não o fim em si mesmas. Mas não se engane, permanecer submisso enquanto navega nas intensas pressões e exigências da liderança não é tarefa pequena.

Jesus enfrentou pressões esmagadoras em sua vida – pressões que ultrapassam de longe o que a maioria de nós jamais enfrentará. Todavia ele rotineiramente se afastou dessas exigências infindáveis da liderança para passar tempo significativo com o Pai. Ele desacelerou para garantir que estava em sincronia com Deus – que ele estava no Pai e o Pai estava nele, preenchendo poderosamente cada espaço do seu corpo, mente e espírito. Ao se afastar

[3] BALTHASAR, Hans Urs. *Prayer* [Oração]. San Francisco: Ignatius Press, 1976, p. 171.

sistematicamente do seu trabalho ativo, ele confiou o resultado de suas circunstâncias, problemas e ministério ao Pai. E como resultado, cada ação de Jesus estava enraizada num lugar de profundo descanso e centralização do seu relacionamento com Deus.[4]

Assim como Jesus viveu em união descontraída e amorosa com o Pai, ele nos convida a compartilhar desse relacionamento com ele: *Quem permanece em mim e eu nele, esse dá muito fruto; porque sem mim nada podeis fazer* (Jo 15.5). O verbo grego traduzido por *permanece* pode também ser traduzido por *habitar, continuar com, ficar com, fazer um lar com.* Ele captura a exigência inegociável do que significa seguir Jesus na união amorosa. Ele promete que se fizermos isto, "fruto" sempre virá. No entanto, quando recusamos a desacelerar em favor da união amorosa, as consequências podem ser significativas e duradouras, levantando ondas para fora de nós e afetando não só as pessoas a quem lideramos, mas além.

EM QUE MEDIDA SUA EXPERIÊNCIA DE AMOROSA UNIÃO COM DEUS É SAUDÁVEL?

Use a lista de declarações seguintes para fazer uma breve avaliação de sua amorosa união com Deus. Em seguida a cada declaração, anote o número que mais bem descreve sua resposta. Use a escala a seguir:

5 = Totalmente verdadeiro
4 = Bastante verdadeiro
3 = Parcialmente verdadeiro
2 = Raramente verdadeiro
1 = Falso

____1. Minha mais alta prioridade como líder é reservar tempo cada dia para permanecer em amorosa união com Jesus.

____2. Eu ofereço a Deus pleno acesso à minha vida interior quando tomo decisões, interajo com membros da equipe e inicio novos planos.

____3. Eu espero para dizer sim ou não a novas oportunidades até ter tempo suficiente para em oração e cuidadosamente discernir a vontade de Deus.

____4. Eu rotineiramente me afasto das exigências da liderança e reservo tempo para me deleitar nas dádivas de Deus (uma refeição demorada com os amigos, uma bela peça musical, uma caminhada na natureza, o pôr do sol etc.).

[4] Jesus foi Deus encarnado. Todavia, devemos lembrar que ele também foi plenamente humano. E ele foi o exemplo para nós de uma vida humana plenamente redimida no Espírito como foi concebida para ser vivida – em amorosa união com o Pai.

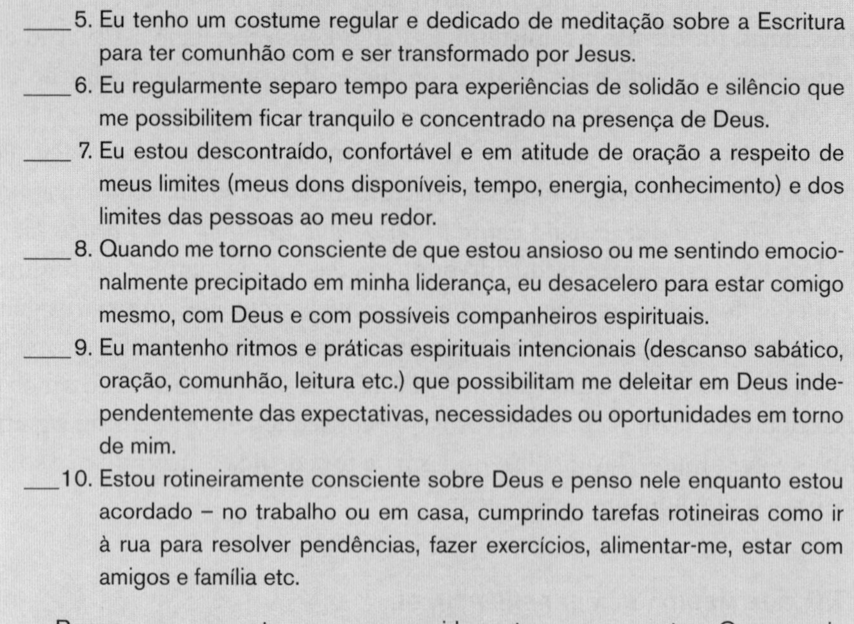

____5. Eu tenho um costume regular e dedicado de meditação sobre a Escritura para ter comunhão com e ser transformado por Jesus.

____6. Eu regularmente separo tempo para experiências de solidão e silêncio que me possibilitem ficar tranquilo e concentrado na presença de Deus.

____7. Eu estou descontraído, confortável e em atitude de oração a respeito de meus limites (meus dons disponíveis, tempo, energia, conhecimento) e dos limites das pessoas ao meu redor.

____8. Quando me torno consciente de que estou ansioso ou me sentindo emocionalmente precipitado em minha liderança, eu desacelero para estar comigo mesmo, com Deus e com possíveis companheiros espirituais.

____9. Eu mantenho ritmos e práticas espirituais intencionais (descanso sabático, oração, comunhão, leitura etc.) que possibilitam me deleitar em Deus independentemente das expectativas, necessidades ou oportunidades em torno de mim.

____10. Estou rotineiramente consciente sobre Deus e penso nele enquanto estou acordado – no trabalho ou em casa, cumprindo tarefas rotineiras como ir à rua para resolver pendências, fazer exercícios, alimentar-me, estar com amigos e família etc.

Reserve um momento para rever rapidamente suas respostas. O que mais se destaca para você? Ao final do capítulo (páginas 137-139) estão algumas observações gerais para ajudá-lo a compreender melhor onde você está enquanto considera seus próximos passos.

Como a amorosa união – ou ausência dela – com Deus impacta a liderança

Permita-me fazer uma conjectura quanto ao que você pode estar pensando agora. Talvez seja algo assim: *Pete, tudo isto parece bom, mas eu tenho um papel realmente exigente e uma situação complexa. Eu preciso de um ponto de partida. O que significa buscar a amorosa união com Deus em meio às exigências muito reais da liderança?* É uma ótima pergunta. E talvez a melhor forma de compreendê-la é considerar alguns cenários que demonstram as diferenças nos líderes que reagem a partir de um lugar de amorosa união ou não com Deus.

Cenário 1. Lucas é um plantador de igreja com cinquenta pessoas em seu grupo central. Depois de quase nove meses de preparativos, a igreja foi oficialmente iniciada. Foram recebidos mais de 35 visitantes nas primeiras quatro semanas. Lucas e sua equipe estão cheios de entusiasmo e expectativa sobre o que Deus está fazendo. O único problema é que Lucas tem mais afazeres do que é humanamente possível.

- *Reação da união não amorosa.* Lucas escreve sua lista de tarefas fielmente todo domingo à noite. Ele sabe que não pode cumpri-la toda, por isso pesa os prós e os contras de cada item, tentando identificar as atividades com mais potencial de impacto. Então ele fixa suas prioridades, esperando que possa pelo menos passar da metade da lista até o final da semana. Lucas estuda em atitude de oração seu texto do sermão para suas devocionais matinais. Ele trabalha duro, durante longos dias (e às vezes noites sem dormir). Ele intercede pelas necessidades da igreja e das pessoas a quem serve. O medo de que a igreja fracasse causa-lhe ansiedade, mas a afasta num esforço para focar no positivo. Ele pensa: *Não vamos fracassar porque Deus é fiel e obviamente ele está nisto. Eu não tenho tempo para muito mais neste momento, mas quando chegarmos a uma frequência de cem pessoas, as coisas devem se estabilizar.*
- *Reação da união amorosa.* Lucas está muito consciente da situação potencialmente perigosa na qual ele se encontra. As demandas sobre seu tempo são grandes. Seu maior desafio e as mais altas prioridades sobre sua lista de tarefas são manter seus ritmos de descanso semanal, passar tempo em solidão e silêncio e imergir na Escritura à parte dos tempos de preparo do sermão. Ele é cuidadoso sobre permitir tempo suficiente para convidar Jesus para entrar em cada parte de sua vida e liderança. Uma vez por mês, ele se reúne com um diretor espiritual porque sabe que precisa de uma âncora nos mares tormentosos deste primeiro ano liderando uma igreja. Prioriza sua lista aos domingos à noite procurando discernir a direção e a sabedoria de Deus. Submete suas ansiedades a Deus e abertamente compartilha seus medos e vulnerabilidades com sua esposa, o orientador da plantação de igreja e um amigo chegado. Ele ora por graça para cumprir a vontade de Deus numa profunda e humilde consciência de como seria fácil omitir Jesus durante esta exigente fase de plantação de igreja.

Cenário 2. Ruth é a diretora executiva do Espiritualidade Emocionalmente Saudável (EES), um ministério sem fins lucrativos que atua nos Estados Unidos e em 25 países em todo o mundo. Ela é a única funcionária em tempo integral da organização, mas também lidera uma pequena e crescente equipe de funcionários. Ruth deixou uma carreira no mercado de trabalho e começou a trabalhar para a EES com um terço do seu salário anterior. Ela se reporta a um chefe forte, criativo e visionário (eu!) e é responsável por gerir um ministério em rápido crescimento com limitados recursos financeiros.

- *Reação da união não amorosa.* Durante sua viagem de trem para o trabalho, Ruth lê uma página de um panfleto devocional gratuito que ela pegou numa igreja. Sentindo-se confiante de que começou seu dia com Deus, ela não pensa muito mais a respeito dele durante o dia a menos que haja crise ou problema. De fato, todos os seus pensamentos estão no trabalho, pois as necessidades ao seu redor são intermináveis. Sua atitude é: *Se não colocar minha vida toda nisto, não estou dando o meu melhor para o trabalho de Deus.* Ela também se preocupa com as finanças do ministério e o que poderia acontecer se deixar de progredir e crescer. Ganhar a aprovação de seu chefe e do conselho está sempre em sua mente. Para Ruth, qualquer fracasso no ministério é um fracasso pessoal. Ela contratou as melhores pessoas com as aptidões certas para servirem em sua equipe e não faz perguntas sobre a vida pessoal delas. O foco de Ruth é acrescentar mais projetos, aumentar o orçamento e expandir o trabalho.
- *Reação da união amorosa.* Durante sua viagem de trem para o trabalho, Ruth passa o tempo orando, lendo e refletindo sobre a Escritura. Ela se esforça para manter um senso de conexão com Deus ao longo do dia, ouvindo-o e convidando-o a entrar em seus esforços para construir o ministério dele, não o dela. Ela sente-se leve e livre embora esteja ganhando um terço do seu salário anterior. Ruth trabalha duro, mas define um limite em torno das noites e fins de semana para que tenha tempo para descansar e criar uma vida mais ampla em Deus. Ela pratica o descanso semanal e cultiva intencionalmente seus relacionamentos com amigos, a família e alguns companheiros espirituais. Embora ame seu papel de diretora executiva, sente que pode ficar longe dele a qualquer momento. Por quê? Ela lhe dirá: "Eu sei que sou bonita, amável e amada por Deus e pelos outros". Ela não se sente pressionada a fazer as coisas rapidamente. De fato, quando começa a sentir-se sobrecarregada, ela diz isso ao seu chefe (eu) e dá um tempo. Ela convida Deus para ajudá-la a discernir o que fazer diante de seus limites pessoais bem como dos limites do pessoal do EES. No passado, ela desenvolveu um plano de marketing e então orou: *Deus, aqui estão os passos que estou dando para promover EES. Peço que tu os abençoes.* Agora ela considera

cuidadosamente suas opções e ora: *Senhor, qual é a melhor forma de maximizar nosso impacto com tempo e recursos limitados?* Ela está profundamente consciente de que todas as suas ações afetam as pessoas que se reportam a ela, por isso está em atitude de oração preparando-se para reuniões e tomando cuidado para não apressar o processo. "O que é mais importante para mim não é o que eu quero, mas o que é melhor de Deus para os membros da minha equipe". Ela vê o seu pessoal como pessoas com sentimentos e preocupações, não um meio para um fim. Quando os discipula, não só tem em vista a excelência do trabalho a ser feito, mas manifesta interesse em suas vidas. Está atenta a seus próprios problemas emocionais e espirituais, plenamente consciente de que, talvez mais do que tudo, é sua própria transformação que mais afeta sua equipe.

Cenário 3. Dylan lidera o ministério de grupo pequeno em sua igreja, atuando na equipe há cinco anos. Ele foi recentemente a uma inovadora conferência sobre liderança onde ouviu histórias inspiradoras de outros ministérios de grupos pequenos que tiveram um crescimento explosivo. Inspirado por todas as estratégias ministeriais criativas que descobriu, voltou para a igreja cheio de animação e nova visão.

- *Reação da união não amorosa.* Dylan agradece a Deus pela conferência e está ansioso para agir a partir do que aprendeu. Em seu primeiro dia no escritório, ele marca uma reunião com seus cinco líderes principais para compartilhar sua visão e suas ideias. Enquanto se prepara para a reunião, Dylan quer ajudar a equipe a atingir logo o objetivo, por isso identifica três passos práticos que podem colocar em prática imediatamente. Ele ora, pedindo a Deus que dê à sua equipe corações que estejam abertos e não resistentes a mudanças. Dylan está apenas vagamente consciente de sua ansiedade e não leva em consideração a adrenalina percorrendo seu corpo. Ele sabe que o pastor titular ficará feliz se eles puderem fazer progressos significativos conectando novas pessoas na igreja por meio de novos grupos. Ele comanda a reunião com grande entusiasmo, ansioso por passar a visão e mobilizar sua equipe para um progresso real nos grupos pequenos e na igreja.
- *Reação da união amorosa.* Antes de Dylan entrar em reunião com seus cinco líderes principais, ele passa uma tarde sozinho com Deus para

orar e processar sua animação decorrente da conferência. Está plenamente consciente da ansiedade e da adrenalina. Dylan faz a si mesmo perguntas como estas: *De onde vem esta minha animação, e o que Deus poderia estar me comunicando através dela? Estou animado porque colocar essas novas ideias em prática ajudará meu ministério a crescer – o que significa que o pastor titular e o conselho verão o trabalho maravilhoso que estou fazendo? Ou é realmente porque ajudaria tantas pessoas?* Ele então marca uma reunião para conversar com Fran, uma sábia colega, para que possa compartilhar com ela seu entusiasmo durante o almoço. Ele lhe pede sua opinião e qualquer ideia que possa ter. Em seguida, ele se reúne com o pastor titular para conseguir mais ideias. Após três semanas de ainda mais leitura, reflexão e oração, Dylan convoca a reunião com seus cinco líderes principais. Ele compartilha sua experiência na conferência e descreve as ideias e estratégias que o animam tanto. Ele ouve a opinião de todos, suas preocupações e perguntas. Durante a reunião, Dylan ouve Deus através de sua equipe e de seus próprios pensamentos e emoções. A equipe ora unida pedindo sabedoria e discernimento e então concorda sobre três ações específicas.

É importante notar que as reações amorosas nos três cenários não são uma estratégia de liderança, uma forma mais eficiente de *fazer* as coisas. Em vez disso, são a consequência natural da amorosa união com Deus, uma forma diferente de *ser*. Esses tipos de respostas são possíveis somente quando intencionalmente permitimos que a vontade e a presença de Jesus tenham pleno acesso a todas as áreas de nossa vida.

Tanto Lucas, o plantador de igrejas, como Ruth, a diretora executiva, têm mais a fazer do que é humanamente possível. Esse é um dos maiores desafios que a maioria de nós normalmente enfrenta. Eles fundamentaram toda a sua abordagem não nas circunstâncias ou nos resultados, mas em sua amorosa união com Deus, que amparou as decisões, o estabelecimento de prioridades e a definição de sucesso. Como resultado, desfrutam de uma liberdade e alegria únicas, dadas por Deus em suas funções apesar das pressões que enfrentam. Após desacelerar para estar com Deus, Dylan, o líder do ministério de grupo pequeno, sábia e sensivelmente foi capaz de levar sua equipe para uma nova jornada. Seu compromisso em permanecer em amorosa união o fortaleceu, a ele e à sua equipe, para discernir melhor os planos de Deus para o ministério deles.

Há consequências em não diminuir o ritmo em favor de uma amorosa união, mas nem sempre são evidentes no começo. Podemos justificar a negligência do tempo com Deus e apressar as tarefas de liderança, pensando: *Certo, talvez eu tenha me antecipado um pouco, mas pelo menos parece que estamos mais à frente do que antes. Não houve dano.* Mas, deixada sem controle, essa abordagem da liderança acaba criando uma ilusão de progresso e crescimento saudável, que acabará dando maus frutos.

VOCÊ SABE QUE NÃO ESTÁ VIVENDO A AMOROSA UNIÃO QUANDO...

- Sempre trabalha sob pressão por ter muito a fazer em pouco tempo.
- Está sempre com pressa.
- É rápido em disparar opiniões e julgamentos.
- Está sempre temeroso a respeito do futuro.
- Está quase sempre preocupado com o que os outros pensam.
- Está na defensiva e se ofende facilmente.
- Está quase sempre preocupado e distraído.
- Ignora sistematicamente o estresse, a ansiedade e a rigidez do seu corpo.[5]
- Não sente entusiasmo ou se vê ameaçado pelo sucesso dos outros.
- Passa sistematicamente mais tempo falando do que ouvindo.

O QUE OCORRE SE NÃO REDUZIMOS O RITMO

O apóstolo Paulo nos lembra de que o desejo de ser um líder é uma tarefa "excelente" (1Tm 3.1). É belo, bom, louvável e excelente dar nossa vida em serviço a outros por amor de Jesus. A igreja e o mundo precisam desesperadamente de líderes, mas só vamos piorar as coisas se não liderarmos do jeito de Deus. Quando deixamos de desacelerar em favor da amorosa união, cedo ou tarde colheremos as consequências – e elas são sérias, tanto para nós quanto para os que almejamos servir. Em quase trinta anos de ministério, eu colhi todas as consequências que estou prestes a descrever. Embora possa dizer que, como resultado, aprendi muito, foi uma educação dolorosa e custosa. Minha esperança é que você possa aprender com meus erros, evitar essas armadilhas e tomar um rumo diferente do que muitos de nós que viemos antes de você.

[5] Geri e eu gostamos de dizer: "O corpo é um profeta maior, não menor". Em outras palavras, o corpo quase sempre conhece antes da mente quando nossa vida está fora de alinhamento com Deus. Por exemplo: sinto um nó no estômago, meu pescoço fica rígido, eu transpiro, eu cerro os punhos, meus ombros enrijecem, não consigo dormir etc.

Você não pode fazer o trabalho de Deus à sua maneira sem pagar um alto preço

Moisés, junto com seu irmão e pastor executivo, Arão, trabalharam e esperaram durante quase quarenta anos para entrar na terra prometida. Tendo começado com 603.550 homens[6] para administrar – para não mencionar todas as mulheres e crianças – a paciência de Moisés e Arão foi repetidas vezes testada ao limite por uma barreira de queixas aparentemente infindável. Quando o povo clama devido à falta de comida e água e acusa Moisés de levá-los ao deserto para morrerem, Moisés fica pálido. A esta altura, ele está também exausto e mal consegue controlar a raiva e o ressentimento. Imagine a cena quando ele perde a calma:

> E o Senhor disse a Moisés: Pega a vara e reúna a comunidade, tu e teu irmão Arão. **Falareis à rocha diante do povo**, para que ela dê suas águas. Tirarás a água da rocha e darás de beber à comunidade e aos seus animais. Então, Moisés pegou a vara de diante do Senhor, conforme este lhe havia ordenado. Moisés e Arão reuniram a assembleia diante da rocha, e Moisés lhes disse: Rebeldes, ouvi agora! Será que vamos tirar água desta rocha para vós? **Então Moisés ergueu o braço e bateu na rocha duas vezes com a vara,** e saiu muita água, e a comunidade e os seus animais beberam. E o Senhor disse a Moisés e a Arão: Não fareis esta comunidade entrar na terra que lhes dei, porque não acreditastes em mim, não santificando-me diante dos israelitas (Nm 20.7-12).

Não há dúvidas de que Moisés e Arão estão servindo o povo. Só que então, após décadas de fiel liderança, Moisés se afasta da amorosa união com Deus e faz as coisas à sua maneira. Ele ataca e censura o povo, chamando-os de "rebeldes". Em vez de honrar e obedecer a Deus, ele confia numa antiga estratégia de ferir a rocha porque já funcionou uma vez (Êx 17.6).

E, milagrosamente, jorra tanta água que satisfaz a sede de quase três milhões de pessoas – e de seus animais! As necessidades do povo foram atendidas, mas Moisés e Arão pagam um alto preço. Deus denomina a ofensa básica deles de rebelião e descrença[7] e os proíbe de liderar o povo à terra prometida.[8]

[6] Números 2.32.

[7] "Não acreditastes em mim" (Nm 20.12) e "fostes rebeldes" (Nm 20.24). Grifos do autor.

[8] É importante notar que os filhos de Arão morreram no local por oferecerem incenso que não fora ordenado. Moises e Arão receberam uma consequência muito mais leve.

Mais vezes que consigo admitir, "feri a rocha" por raiva e frustração com Deus.[9] Conheço também a experiência de abrir uma reunião da equipe com oração e pedir direção, e depois ir adiante com meus próprios planos sem Deus. Já confiei no que funcionou no passado – e no que parecia estar funcionando para outros líderes e ministérios – sem o processo piedoso de discernir a vontade de Deus para a nossa situação particular. Por quê? Porque era mais fácil e mais rápido. E, assim como outros líderes que eu conheço, perdi a alegria e o contentamento da "terra prometida", algo que teria vindo se eu estivesse disposto a fazer a vontade de Deus, do jeito de Deus e no tempo de Deus.

E quando foi a última vez que você tomou as rédeas em suas mãos e "feriu a rocha" em sua liderança? Qual "terra prometida" você estaria sacrificando agora mesmo? Sejam quais forem as características da sua situação, posso prometer que uma das primeiras coisas a perder será a alegria e a paz de Jesus. A liderança tornar-se-á difícil. O povo a quem você serve parecerá uma carga e sua vontade será sumir dali. Você começará a sentir-se como se estivesse vagando num deserto perguntando: *Onde Deus está? O que aconteceu?* Você acabará se dando conta de que saiu do curso, tentando voltar para recomeçar todo o processo. Mas então lhe ocorrerá: "Qual será o custo disso?"

Você não pode correr em alta velocidade sem deformar sua alma

Quando eu desafio líderes a reorganizarem suas vidas para buscar a amorosa união, uma das respostas mais comuns é: "Pete, eu não tenho todo o tempo do mundo". Se essa é também a sua resposta, pode estar se movendo depressa demais. Ainda que nunca deixe a peteca cair, a velocidade em que está vivendo e liderando vai cobrar pedágio, e você dificilmente conseguirá ver o dano que está causando à sua alma. Uma história do Novo Testamento, importante porém quase sempre negligenciada, ilustra os perigos da pressa em ter um ministério poderoso sem reduzir o ritmo em favor de uma amorosa união com Jesus.

Quando os sete filhos de Ceva observam os extraordinários milagres de Paulo e o explosivo crescimento da igreja de Éfeso, eles querem uma parte da ação. Eles desejam o poderoso ministério e o sucesso de Paulo. Eis a história:

[9] O estudioso J. de Vaulx sugere que, ao ferir a rocha, Moisés estava ferindo Deus. "Deus está frequentemente ligado a uma rocha (p.ex., Sl 18.2; 31.3; 42.9). O apóstolo Paulo, ao escrever sobre os anos no deserto, diz: *E todos beberam da mesma bebida espiritual, porque bebiam da rocha espiritual que os acompanhava; e essa rocha era Cristo* (1Co 10.4)", citado em WENHAM, Gordon J. *Numbers: An Introduction and Commentary* [Números: introdução e comentário]. Downers Grove, IL: InterVarsity Press, 1981, p. 151.

Aconteceu também que alguns judeus, exorcistas ambulantes, tentaram invocar o nome de Jesus sobre os que tinham espíritos malignos, dizendo: Eu vos expulso por Jesus a quem Paulo prega. E os que fizeram isso eram os sete filhos do judeu chamado Ceva, um dos principais sacerdotes. Todavia, o espírito maligno respondeu: Conheço Jesus, e sei quem é Paulo; mas vós, quem sois? Então o homem em quem estava o espírito maligno, saltando sobre eles, os subjugou e os espancou, de modo que, nus e feridos, fugiram daquela casa.

Se lhes dermos o benefício da dúvida, poderíamos dizer que os sete filhos de Ceva estavam tentando fazer uma boa coisa – queriam participar na expansão do reino. Entretanto, é grande a probabilidade de que a motivação deles estivesse muito confusa. Num esforço de capturar um pouco do prestígio concedido sobre os que liberavam o poder de Deus sobre os espíritos malignos, eles tomaram um atalho espiritual. Eles deixaram de fazer um investimento a longo prazo numa vida de amorosa união – a fonte dos milagres de Paulo – e se lançaram numa realidade espiritual que não compreendiam e com a qual estavam lamentavelmente mal preparados para lidar. Como resultado, mal escaparam vivos.

Sempre que queremos o impacto do ministério *de* Jesus enquanto resistimos a gastar tempo *com* Jesus, nós nos posicionamos para uma sessão de espancamento que vai terminar com algo parecido com "expulsos nus e feridos". Os sete filhos de Ceva tentaram falar e agir sobre verdades que não estavam arraigadas na vida deles. Eles não tinham força suficiente em sua vida *com* Deus para suportar o nível de batalha espiritual na qual estavam envolvidos. As lacunas de integridade na caminhada deles com Deus os expôs ao perigo e ao dano.

Eu nunca fui espancado por espíritos malignos nem fugi de casa nu e ferido. Mas conheço o sentimento vazio de falar verdades para os outros que eu mesmo não havia digerido. Eu tenho pedido emprestadas percepções e ideias porque elas funcionaram para alguém, porque me impressionei com o poder que vinham de suas palavras. *Por que não foram também poderosas para mim?* O problema foi que eu não tive tempo para permitir que as palavras de Deus faladas por intermédio deles realmente se tornassem as palavras de Deus para mim. Eu pensei: *Há muita coisa a fazer agora. Deus, tu sabes a pressão sob a qual estou. Vou fazer isso mais tarde. Apenas me ajude a ajudar meu povo agora.* Então o que aconteceu? Nada. Minhas palavras soaram ocas. Pouco poder. Pouco resultado. Pouca mudança de vida.

Sempre que fazemos o que os filhos de Ceva fizeram, compramos uma ilusão. Nós nos apresentamos como algo ou alguém que não somos. Não reservamos tempo para dar acesso a Jesus para nossas motivações e medos. Então nossa alma murcha e se deforma quando nos extraviamos mais e mais do que é verdade.

Você não pode ser superficial sem pagar um preço a longo prazo

Jesus passou mais de noventa por cento da vida – trinta de seus 33 anos – na obscuridade. Naqueles anos de anonimato, ele forjou uma vida de amorosa união com o Pai. A grandeza observável do seu ministério de três anos foi construída sobre o fundamento do investimento que Jesus fez naqueles anos ocultos.[10] E Jesus continuou fazendo este investimento em seu relacionamento com o Pai durante aqueles três anos, independentemente das pressões do ministério. Desde seus primeiros dias em Cafarnaum, acordando de manhã cedo para orar (Mc 1.35), até suas horas finais no Getsêmane (Mt 26.36-46), Jesus separou tempo para estar com o Pai.

Se foi necessário para Jesus ter este tipo de fundamento e relacionamento contínuo com o Pai, seria delírio da nossa parte pensar que podemos deixar de investir em nossa vida oculta com Deus sem sofrer consequências de longo prazo. Jesus nos dá exemplos de contentamento sob pressão, calma diante da traição e poder para perdoar quando estava sendo crucificado – tudo fruto de uma longa história de harmonia com seu Pai. Eu estou convencido de que, se muitos líderes cristãos deixam de apresentar as qualidades exemplificadas por Jesus, é porque tratamos superficialmente o nosso relacionamento com Deus. Em vez de contentamento e calma, nossa liderança é marcada por descontentamento e ansiedade. A história de Ryan é emblemática.

Ryan é pastor principal da Primeira Assembleia há onze anos. Ele tem fielmente seu momento de recolhimento todas as manhãs, lendo a Bíblia uma vez por ano. Após sua meia hora de leitura ele tem de dez a quinze minutos de intercessão por sua família, pela igreja e pelo mundo. Ryan trabalha seis dias por semana (às vezes sete no caso de emergências) e tira três semanas de férias de verão. Além de preparar sermões e dirigir o culto de domingo, Ryan visita fielmente os doentes, dirige estudo bíblico no meio da semana,

[10] Eu recomendo um ótimo livro sobre este assunto: CHOLE, Alicia Britt. *Anonymous: Jesus' Hidden Years and Yours* [Anônimo: Os anos ocultos de Jesus e os seus]. Nashville: Nelson, 2006.

supervisiona voluntários que coordenam diferentes ministérios e serve como capelão da polícia de sua cidade.

Quando ele começou, a frequência de fim de semana na igreja estava em torno de duzentas pessoas. Boas coisas estão acontecendo na Primeira Assembleia. As pessoas estão vindo sistematicamente a Cristo. A igreja está unida. Vários relacionamentos saudáveis dão grande sensação de segurança e estabilidade à família da igreja mais ampla. Os ministérios de estudantes e de crianças estão fortes. E a igreja está ativa servindo à cidade de várias maneiras práticas.

Entretanto, Ryan se sente um fracasso. Está descontente e infeliz. Após onze anos investindo sangue, suor e lágrimas, a frequência de fim de semana permanece estática, com somente um ligeiro ganho sobre os duzentos com os quais ele começou. Ele pensa: *Eu não sou um bom líder. Se fosse, a igreja estaria maior.*

Nas reuniões anuais da denominação, as conquistas das igrejas maiores são celebradas. Por mais que ele saiba que a quantidade de membros não é o mais importante, ele se sente julgado por esse critério. Isso o rói por dentro e o deixa ansioso.

Ryan ama pastorear pessoas individualmente. Ele sabe que precisa aprender novas habilidades de liderança para liberar os dons da pessoa. No entanto, seu problema maior, mais abrangente, não é externo. É interno. Embora seu costume de tempo de recolhimento seja bem intencionado, é limitado. Limitar o tempo de recolhimento para ler a Escritura, preparar o sermão e interceder por sua igreja e família, significa reduzir as práticas espirituais que permitem Jesus acessar sua vida interior. Ele não pratica solitude e silêncio, nem gasta tempo simplesmente encontrando Jesus na Escritura. Ryan está agindo superficialmente.

Ryan precisa de uma gama mais ampla de práticas espirituais para se posicionar para uma transformação profunda em Cristo. Ele precisa repensar o modo com que segue Jesus e mergulha em seu amor. Isto o capacitará a redefinir o sucesso como *fidelidade* ao que Deus lhe deu para fazer em sua igreja e *resistência* à pressão interna que lhe causa tanto incômodo físico e psíquico. Se Ryan criar coragem para tomar esse caminho, muito provavelmente experimentará os três clássicos elementos de conversão: uma percepção reveladora de que ele é e de quem Deus é, uma volta para Jesus e uma profunda mudança de vida.[11]

É uma conversão que eu espero que você também possa experimentar. Ao pedir a você que faça as mudanças necessárias para reduzir o ritmo em favor

[11] Para mais detalhe, v. PEACE, Richard. *Conversion in the New Testament: Paul and the Twelve* [Conversão no Novo Testamento: Paulo e os Doze]. Grand Rapids, MI: Eerdmans, 1999, p. 52, 67, 89-91.

de uma amorosa união com Deus, não estou pedindo que você acrescente um ou mais itens à sua agenda já sobrecarregada. Estou pedindo que você faça uma volta de 180 graus e reorganize sua vida em torno de uma maneira inteiramente nova de ser líder. De fato, o que estou pedindo que você faça é nada menos que um ato inovador, um ato de rebelião que desafie o estilo contemporâneo ocidental de praticar liderança.

Dê seus primeiros passos para reduzir o ritmo em favor da amorosa união

Investir numa vida de amorosa união é um assunto digno de um livro inteiro, e muitos livros foram escritos sobre vários aspectos do que isto significa. Meu objetivo aqui é oferecer algumas ideias para ajudá-lo a dar os primeiros passos em sua jornada para reduzir o ritmo em favor de uma amorosa união com Jesus. Ao começar, saiba que, assim como qualquer relacionamento íntimo, é um processo para a vida toda, que se desenvolverá e florescerá mais plenamente com o tempo.

Encontre seu "deserto" com Deus

Em toda a Escritura e na história da igreja, o deserto tem sido um lugar de preparação espiritual, purificação e transformação. Moisés passou quarenta anos no deserto antes de Deus o chamar para tirar o povo do Egito. O profeta Elias viveu no deserto e, como resultado, permaneceu firme como profeta de Deus num dos momentos mais baixos da história de Israel. João Batista passou muito de sua vida adulta no deserto. Daquele lugar em Deus, ele chamou uma nação ao arrependimento e discerniu Jesus como Messias. Paulo passou três anos no deserto da Arábia recebendo a revelação de Deus antes de ir a Jerusalém para começar seu ministério apostólico. Intencionalmente, Jesus alternava entre seu ministério ativo com pessoas e um lugar deserto para estar a sós com o Pai. Para diminuirmos o ritmo em favor de uma amorosa união, precisamos desenvolver um ritmo similar encontrando o nosso "deserto" com Deus.

Em sua própria busca da amorosa união com Deus, os Pais e Mães do Deserto do terceiro ao quinto séculos viveram como monges ou ermitões no deserto da Síria, Palestina e Egito. Um desses monges foi Antônio, o Grande do Egito (251–356 d.C.). Após receber uma excelente educação e criação de seus pais cristãos no Egito, Antônio começou a viver em solidão fora do seu vilarejo antes de acabar se retirando para o deserto para viver durante vinte anos. O autor Henri Nouwen escreve: "Ele renunciou a posses para aprender a liberdade de espírito; renunciou ao discurso a fim de aprender a compaixão; renunciou à atividade a fim de aprender a orar. No deserto, Antônio tanto descobriu Deus como travou intensa batalha com o Diabo".[12]

Quando Antônio emergiu de sua solidão após vinte anos, as pessoas reconheceram nele as qualidades de um homem autêntico e saudável – ele era completo no corpo, na mente e na alma. Milhares o procuraram em busca de conselho, e Deus o usou poderosamente. Mais tarde na vida, ele se retirou novamente, dessa vez para uma "montanha interior" no deserto, onde viveu sozinho o resto de sua vida. Eis como um autor o descreve: "Não era sua dimensão física que o distinguia do resto, mas a estabilidade de caráter e pureza da alma. Com a alma livre de confusão, ele mantinha seus sentidos externos também imperturbados... ele nunca se incomodava, com a alma calma, ele nunca parecia sombrio, sua mente era feliz".[13]

Obviamente, como líderes cristãos, podemos passar muito tempo no deserto. Mas o deserto fornece uma rica metáfora para encontrarmos um espaço – um banco de jardim, uma biblioteca, um quarto, uma cadeira voltada para a janela, um centro de retiro – onde podemos nos desembaraçar das pessoas e das atividades para estarmos sozinhos com Deus. Cada um de nós precisa identificar e proteger um espaço de deserto com Deus mesmo vivendo num ambiente urbano congestionado. No deserto – aquele lugar solitário, onde não há distração – nós nos posicionamos para abrir a porta do nosso coração o melhor que pudermos para que a presença de Jesus e sua vontade tenham pleno acesso a cada área de nossa vida. Nós desaceleramos para tornar possível este tipo de rendição amorosa.

Eis uma pequena história da vida de Antônio na qual tenho pensado durante anos:

> *Abba* Antônio recebeu uma carta do imperador Constantino convidando-o para visitá-lo em Constantinopla. Ele ficou pensando se deveria ir e perguntou a *Abba* Paulo, que respondeu: "Se você for, será chamado de Antônio, mas se ficar aqui [no deserto], será chamado *Abba* Antônio".[14]

[12] NOUWEN, Henri. *In the Name of Jesus: Reflections on Christian Leadership* [Em nome de Jesus: Reflexões sobre liderança cristã]. New York: Crossroad, 1991.

[13] GREGG, Robert C. *Athanasius: The Life of Antony and the Letter to Marcellinus* [Atanásio: A vida de Antônio e a Carta para Marcelino], Classics of Western Spirituality. Mahwah, NJ: Paulist Presss, 1980, p. 81.

[14] *The Sayings of the Desert Fathers: The Alphabetical Collection* [Citações dos Pais do Deserto: coleção em ordem alfabética], traduzido por Benedicta Ward. Kalamazoo, MI: Cistercian, 1975, p. 8.

Antônio acabou declinando do convite para ir a Constantinopla para ministrar ao rei. Por quê? Isso o teria afastado do que Deus tinha para ele no deserto. Ele foi chamado para se tornar um "Abba", um pai da fé, que teria um impacto sobre aqueles a quem ele servia em relativa obscuridade. Se ele tivesse abandonado o deserto e o estilo de vida de redução do ritmo em favor da amorosa união com Deus, o título *Abba* não teria sido aplicado a ele. Antônio foi cuidadoso e teve discernimento, como nós precisamos ter, sobre o delicado equilíbrio que o Pai teve para ele como líder. Deus tem diferentes chamados para cada um de nós, equilibrando nossa *atividade para* Deus e o nosso *estar com* ele.

Principalmente na tradição protestante, estamos tão mergulhados nos valores de realização do nosso meio ocidental contemporâneo que assumimos ser normal um nível de atividade intenso demais. Nós cremos que, se uma porta de oportunidade nos foi aberta, então entrar por ela corajosamente deve ser a vontade de Deus. Mas raramente esse é o caso. De fato, esta tendência em agarrar cegamente mais e mais oportunidades para Deus tem destruído muitos líderes cujas boas intenções carecem de forte fundamento em Deus e com Deus. Para estabelecer este tipo de fundamento, precisamos aceitar o dom de nossos limites humanos.

Talvez o mais poderoso limite que Geri e eu aceitamos foi a antiga prática chamada Regra de Vida. Em última análise, isto é o que nos deu uma estrutura para tirar o que não é essencial de nossa vida e dar espaço para uma vida em Deus mais ampla.

Estabeleça uma Regra de Vida

O termo Regra de Vida tem suas raízes linguísticas numa antiga palavra grega que significa "treliça". A treliça é uma estrutura de suporte para plantas, como a videira. Apoiada nela, a videira sai do chão e cresce, tornando-se frutífera. É uma linda imagem do que é uma Regra de Vida e de como ela funciona – um suporte que nos ajuda a crescer e permanecer em Cristo, permitindo que nossa vida e nossa liderança prosperem espiritualmente para sermos abundantemente frutíferos.[15]

[15] Dedico um capítulo inteiro a desenvolver uma Regra de Vida em *Espiritualidade Emocionalmente Saudável.* Mais dois excelentes livros sobre o tema são *God in My Everything* [Deus é meu tudo], de SHIGEMASTU, Ken (Grand Rapids, MI: Zondervan, 2013) e *Crafting a Rule of Life* [Elaborando uma Regra de Vida], de MACCHIA, Steve. Downers Grove, IL: InterVarsity Press, 2012.

A maioria de nós tem algum tipo de plano para desenvolver nossa vida espiritual. Isto pode incluir, por exemplo, ler a Bíblia toda uma vez por ano, passar trinta minutos cada manhã com Deus, participar de um grupo pequeno, ter um retiro anual de uma noite. Entretanto, bem poucos de nós temos o apoio de que precisamos. Reduzir o ritmo o suficiente para que a vontade e a presença de Deus preencham nossa vida e nossa liderança requer um plano sério e integrado.

Uma Regra de Vida formal organiza nossa harmoniosa combinação de práticas espirituais numa estrutura que nos capacita a prestar atenção a Deus em tudo o que fazemos. Embora exista um número infinito de variações para desenvolver uma Regra de Vida, eu tenho usado a mesma estrutura há vários anos (ver figura a seguir). Ela inclui as quatro categorias primárias da vida espiritual beneditina: oração, descanso, relacionamentos e trabalho. Embora esta estrutura de quatro partes permaneça a mesma, eu atualizo as características em cada categoria uma ou duas vezes por ano.

As categorias não estão simplesmente associadas a tarefas, mas são um meio de receber e dar o amor de Deus. O amor de Deus em si está localizado no centro porque, a menos que eu esteja recebendo o amor de Deus durante o dia todo e confiando nele, não tenho nada de valor duradouro para dar. Manter as quatro áreas em equilíbrio me impede de acrescentar atividades ou compromissos numa área que me proibiria de manter meus compromissos em outra. Por exemplo, não vou assumir um compromisso de trabalho que colocaria fora de equilíbrio meus ritmos de descanso, oração e relacionamentos.

Eu realmente mantenho este diagrama diante de mim sempre que penso assumir um novo compromisso de trabalho. Por exemplo, recentemente ele me ajudou a dizer não a uma oportunidade para falar numa grande conferência internacional, algo que eu gostaria muito de ter feito. Quando olhei para meus compromissos existentes de oração, descanso e relacionamentos, ficou claro que não havia tempo suficiente para me preparar para o evento, viajar ao redor do mundo, gastar energia para falar num grande encontro, recuperar-me do cansaço e do fuso horário, e ainda atender fielmente minhas responsabilidades em casa e na *New Life*. Para aproveitar a oportunidade, minha única opção seria eliminar uma ou mais tarefas da caixa "trabalho". Como eu não conseguiria nem estava disposto a fazer isso, a escolha foi fácil: rejeitei o convite.

ORAÇÃO

- Descanso semanal
- Ofício Divino (3 a 4 vezes por dia)
- Lectio Divina
- Dia sozinho com Deus (1 a 2 vezes por mês)
- Registro regular em diário
- Solitude e silêncio
- Exame diário
- Leitura dos Pais do deserto e dos Pais da igreja
- 4 a 5 dias de reclusão (anualmente)

DESCANSO

- Exercite-se 5 a 6 vezes por semana
- Férias bem planejadas
- Dois terços do dia de folga às sextas-feiras
- Muita leitura e visitas a bibliotecas
- Três a quatro meses de descanso sabático a cada sete anos
- Fases de terapia
- Praia, contato com a natureza, caminhadas, bicicleta
- Limite a mídia social
- Limite o falar

AMOR DE DEUS (receber e dar)

RELACIONAMENTOS

- Atento à diversão com Geri
- Compromisso com Eva, Maria, Christy e Faith
- Boa comunicação com irmãos de sangue
- Encontros regulares com o diretor espiritual
- Estar presente à equipe da *New Life*/EES
- Participar do grupo pequeno da *New Life*
- Passar tempo com amigos
- Estar presente em eventos da família ampliada
- Férias/feriados com a família de Geri

TRABALHO

- Desenvolvimento pessoal
- Monitorar a equipe sênior da *New Life*
- Pregar/ensinar na *New Life*
- Suprir nova fase da NLF/NLCDC
- Treinar a equipe nos cinco valores de M
- Blog/Facebook/Twitter
- Desenvolver, planejar, treinar treinadores do EES
- Supervisionar finanças em casa
- Limitar escrita
- Orar/processar antes de dizer sim

Existem duas tentações comuns que solapam os líderes diante da Regra de Vida. A primeira é não fazer nada – sentir-se paralisado e pensar: *Jamais vou conseguir seguir isso! É limitante e esmagador.* A segunda é fazer tudo – empreender muitas mudanças ao mesmo tempo só para abandonar tudo um mês depois, por ter criado uma Regra de Vida que, embora ideal, é impossível de seguir nas circunstâncias e na condição espiritual atuais.

Permita-me preveni-lo contra a tentação do tudo ou nada – ou, ainda, contra a ideia de tomar um atalho, adotando minha Regra de Vida (ou outra qualquer) como sua. Tenho acrescentado e eliminado itens em minha Regra de Vida há mais de treze anos. Se você está apenas começando, não tente enfrentar mais Regra de Vida do que você pode lidar. Faça uma Regra de Vida que se ajuste a quem você é nesta fase de sua jornada. É importante começar pequeno e simples. Calcule de quanta estrutura você precisa à luz de sua personalidade e fase da vida – muito ou pouco – e então construa sobre isso.

A melhor forma de começar a montar uma Regra de Vida é primeiro fazer algum trabalho preparatório. Antes de preencher uma folha com compromissos de oração, descanso, relacionamentos e trabalho, tome algum tempo para trabalhar nas seguintes perguntas:

- **O que você faz atualmente que estimula seu espírito e o enche de prazer?** Pense em pessoas e lugares, bem como em atividades. Anote tudo o que lhe vier à mente. Sua lista pode incluir jardinagem, levar o cão para passear, conversar com amigos chegados, cozinhar, pintar, pular de paraquedas ou quaisquer outras possibilidades. Faça uma lista abrangente. Se você atualmente não faz muita coisa que estimula seu espírito, reserve algum tempo identificando algo que possa tentar.
- **Que pessoas, lugares e atividades você precisa evitar porque elas o esgotam ou tornam difícil a você permanecer leal a Cristo?** Isto inclui qualquer coisa que afeta negativamente seu espírito – filmes violentos, pressa, ir além dos seus limites etc. Novamente, anote tudo que lhe vem à cabeça.
- **Que deveres afetam o seu ritmo nesta fase da vida?** Por exemplo, o cuidado de pais idosos, criar um filho ou uma criança com necessidades especiais, lidar com problemas de saúde, conduzir uma fase difícil no trabalho etc.

Uma vez tendo uma boa ideia de coisas que o estimulam, o esgotam e são inegociáveis em sua agenda, você tem um patamar para considerar o que quer incluir nas quatro categorias da Regra de Vida – oração, descanso, relacionamentos e trabalho. (Você pode achar útil usar a folha da Regra de Vida fornecida no Apêndice 2, página 309). Porque quase todos os líderes que eu conheço têm uma caixa de "trabalho" que está muito mais cheia do que as outras três caixas, eu o estimulo a começar com as outras e preencher a caixa de trabalho depois.

Enquanto considera cada categoria, preste atenção primeiro aos desejos do seu coração. O que você mais quer em determinada área de sua vida? Deus sempre fala a nós através dos nossos desejos, por isso não os subestime nem diminua sua importância. Tenha certeza de que sua regra inclui alguma alegria, brincadeira e diversão. Dê passos de criança. Não faça sua regra impossível de seguir.

Quando considerar as categorias oração e descanso, eu o encorajo a começar escolhendo uma ou duas das que eu considero as cinco principais que nos capacitam a reduzir o ritmo em favor da união amorosa: silêncio, meditação bíblica, o Ofício Divino, a oração do Exame e a guarda do sábado.

Silêncio. Em silêncio permanecemos calmos perante o Senhor numa oração sem palavras. Eu procuro estar em silêncio na presença de Deus durante vinte minutos por dia. Quando eu o faço, fico mais calmo e menos ansioso quando estou ativo. Se vinte minutos parecem demais, pense em começar de dois a cinco minutos, e inicie sua caminhada a partir daí.

Meditação bíblica. Nós reduzimos o ritmo e passamos tempo meditativamente em pequenas porções da Escritura, buscando ouvir a voz de Deus e conhecer seus pensamentos e seu coração. Em minha própria prática, eu medito cada dia sobre uma passagem de um dos Evangelhos para poder conhecer Jesus melhor. Também sempre levo comigo um ou dois versículos em que estou meditando durante a semana à parte do meu tempo sozinho com Deus.

Ofício Divino. Este é um antigo costume de usar oração para marcar os momentos do dia, por exemplo, oração da manhã e oração da noite. O propósito do Ofício Divino é criar um ritmo que nos capacite a parar nossa atividade em determinados momentos durante o dia para podermos estar presentes com Deus.[16] Parar três a quatro vezes por dia para breves momentos de oração cria um ritmo significativo para meus dias.

Oração de exame. Esta é uma ferramenta que nos ajuda a refletir sobre o dia para podermos atender aos movimentos do Espírito de Deus em nós, identificar a presença de Deus e discernir sua vontade. Em sua forma mais simples, ela inclui cinco passos:

1. Gratidão pelas bênçãos de Deus.
2. Exame do dia com franqueza e gratidão, procurando momentos em que Deus esteve presente e momentos em que você pode tê-lo ignorado.

[16] Orar o Ofício Divino inclui tipicamente silêncio, Escritura, oração e talvez uma leitura devocional. Para mais orientação, v. SCAZZERO, Peter. *Emotionally Healthy Spirituality Day by Day: A 40-Day Journey with the Daily Office*. Grand Rapids: MI: Zondervan, 2014. [Espiritualidade Emocionalmente Saudável Dia a Dia: Uma jornada de 40 dias com o Ofício Divino]. São Paulo: Hagnos, prelo.

3. Atenção às suas emoções para ouvir Deus.
4. Tristeza pelo pecado e pedido pelo amor perdoador de Deus.
5. Oração pela graça de estar mais disponível ao Deus que o ama.[17]

Eu especialmente encorajo os líderes a prestarem atenção ao passo 3. Uma das formas usadas por Deus para nos falar é por meio dos nossos mais profundos sentimentos e anseios, que Inácio de Loiola (1491-1556) chamou de "consolação" e "desolação". Consolações são aquelas experiências que nos enchem de alegria, vida, energia e paz. Desolações são as que nos exaurem e parecem morte. Consolações nos conectam mais profundamente com Deus, conosco mesmos e com os outros. Desolações nos desconectam. Ao repassar as atividades do seu dia, faça a si mesmo as perguntas:

- Onde estou experimentando sentimentos de alegria e paz? Onde estou sentindo conexão com Deus (consolação)?
- Onde estou experimentando tristeza, apatia e uma sensação de que a vida está saindo de mim? Onde estou sentindo desconexão de Deus (desolação)?

Eu recomendo praticar o Exame uma ou duas vezes por dia até ele se tornar algo quase imperceptível a você ao longo do dia. Ele serve como pedra angular para o meu discernimento da vontade de Deus cada dia em assuntos pequenos, como minha participação em reuniões da equipe, ou assuntos maiores, como trazer um novo membro para a equipe.

Descanso semanal. O sábado é um período de 24 horas no qual cessamos todo trabalho para descansar e nos deleitar nas dádivas de Deus. É tão transformador e indispensável ser um líder emocionalmente saudável que o próximo capítulo inteiro é dedicado a essa prática.

Ao começar a montar e a seguir sua Regra de Vida, cerque-se de graça. Posso garantir que às vezes você terá problema em manter seus compromissos. Coisas inesperadas e inevitáveis vêm à nossa vida. É preciso experiência e disposição para continuar tentando discernir a forma que a *sua* regra tomará. Lembre também que o ponto e o propósito de cada prática espiritual é cultivar uma vida de amorosa união com Jesus. Mais de uma vez eu perdi o objetivo, envolvendo-me obstinadamente numa prática espiritual, embora ao

[17] V. "Reflection on Our Active Lives" [Reflexão sobre nossas vidas ativas], www.ignatianspirituality.com/ignatian-prayer/the-examen/reflection-and-our-active-lives/and "The daily Examen" [Exame diário], ignatianspirituality.com, acessado em 10 de dezembro de 2014.

mesmo tempo estivesse mantendo fechada para Deus a porta do meu coração. Esforce-se por manter o coração aberto, manso e sensível.

Descanse na jornada de ser um líder imperfeito

Efetuar as mudanças necessárias para desacelerar sua vida em favor de uma amorosa união com Jesus é uma postura contracultural e profética. Não estamos vivendo num deserto ou numa comunidade monástica com estruturas e apoios embutidos. Você pode esperar começos e paradas, sucessos e fracassos enquanto encontra seu caminho e calcula o que melhor funciona à luz de sua singular personalidade, responsabilidades, limites e dinâmica familiar.

O fundamental é você assumir a visão de longo prazo. Inale, exale e *descontraia.* Nós não pisamos no freio da vida de repente para reduzir o ritmo e recomeçar tudo de uma vez. Sempre que me sinto desencorajado em meu próprio progresso, lembro-me do que um monge trapista me disse ao refletir sobre seus sessenta anos de vida dedicados à oração: "Sou apenas um iniciante".

Compreendendo a avaliação de sua amorosa união

Se você fez a avaliação sobre a amorosa união às páginas 119 e 120, aqui estão algumas observações para ajudá-lo a refletir em suas respostas.

Se a sua pontuação se concentrou em um e dois, provavelmente você está trabalhando em seu próprio poder, fazendo mais do que Deus tem pedido que você faça. Talvez cumpra muitas tarefas de liderança sem qualquer pensamento para Jesus. Por estar sobrecarregado e distraído, sua oração pode parecer mais uma obrigação que um deleite. O fato de você ter feito a avaliação e estar lendo estas palavras é uma graça de Deus. Deus está trazendo isto à sua consciência por um motivo. Considere que Deus o convida a reduzir o ritmo. Pergunte a Deus o que ele está lhe dizendo por meio desta avaliação. Busque um conselheiro ou amigo sábio que possa apoiá-lo enquanto você dá os próximos passos.

Se a sua pontuação se concentrou em dois e três, você está fazendo progresso, mas provavelmente ainda está fora de equilíbrio, com insuficiente *estar com* Deus para sustentar o seu *fazer para* Deus. Você compreende que a liderança cristã diz respeito a desfrutar a comunhão com Deus, bem como servi-lo. Faça a si mesmo a pergunta: *Estou me movendo na direção de mais união amorosa com Deus, ou menos união? Quais ajustes poderia Deus estar me pedindo a fazer neste momento?* Considere quais das práticas descritas em "Dê seus primeiros passos para desacelerar em favor da amorosa união" (páginas 131-138) poderiam ser mais úteis a você neste ponto.

Se a sua pontuação se concentrou em quatro e cinco, você está numa boa posição de descanso e centralidade em seu relacionamento com Deus. O seu *fazer para Deus* é estimulado e sustentado pelo seu *estar com Deus* num ritmo que favorece suas presentes responsabilidades de liderança. Permita-me encorajá-lo a reservar tempo para montar uma Regra de Vida (se você ainda não a fez), colocando no papel como você está vivendo sua vida com Jesus. Então, depois de gastar tempo para obter maior clareza sobre os princípios que Deus lhe deu, ofereça-os aos seus colaboradores e/ou aos que se inspiram em sua liderança. Ao mesmo tempo, pergunte a si mesmo o que poderia ser um convite adicional que Deus está lhe estendendo para aprofundar seu relacionamento com ele com base neste capítulo.

CAPÍTULO 5

Pratique o descanso sabático

Há alguns anos, senti que estava "engasgado" com pastores e líderes cristãos. Num rompente de frustração, telefonei para o meu amigo Bob. Além de uma placa extravagante na parede em que se lê "PhD", Bob é psicólogo clínico com 35 anos de experiência no aconselhamento de líderes aflitos. Eu esperava que ele me ajudasse a resolver os problemas com minha tribo profissional.

– Bob, preciso de sua ajuda – comecei. Eu não estava com disposição para medir as palavras. – Não sei onde estou errando. Pastores e líderes concordam comigo sempre que eu falo sobre reduzir o ritmo em favor de Deus, o sábado, a necessidade de nos sentarmos aos pés de Jesus. Eles não só concordam mas sempre dizem ser uma das verdades mais importantes que eles extraem de minhas palestras. Alguns deles até pregam mensagens assim para suas congregações. Mas bem poucos praticam.

Minha voz baixou à medida que minha frustração deu lugar ao desânimo.

– Eles iniciam com pequenas mudanças – lamentei – mas logo voltam ao ponto em que começaram. Sinto como se estivesse perdendo meu tempo.

Eu pensava que a reação de Bob fosse de compreensão. Em vez disso, ele riu. Eu não achei graça nenhuma.

– Por que o riso? – perguntei, sequer tentando esconder minha irritação (e me perguntando se havia cometido um erro em telefonar-lhe).

– Ah, Pete – explicou –, eles *não podem* parar. Líderes cristãos não são em nada diferentes dos advogados internacionais, CEOs e líderes empresariais que eu recebo em meu gabinete todos os dias.

– Como assim? – exclamei, cortando-o. – São pastores e líderes de igrejas! Eles conhecem a Cristo.

– Não, Pete – fez ele –, você não compreendeu.

Bob estava calmo.

Eu não estava.

Então Bob soltou a bomba.

– Eles não podem parar. Se pararem, morrerão. Eles estão aterrorizados. Morrem de medo do que verão dentro de si mesmos se reduzirem o ritmo. E você quer vê-los imersos em coisas como solitude, sábado e reflexão silenciosa? – ele novamente soltou um riso abafado. – Você faz ideia de quanto isto é estranho para *qualquer* líder, cristão ou não? Algo muito mais profundo os está orientando; eles apenas não fazem ideia do que seja.

Foi a penetrante verdade desta declaração que me deixou aturdido: *Se pararem, eles morrerão. Estão aterrorizados.*

– O terror de parar revela a profundidade do vazio deles – Bob continuou com naturalidade. – Pete, você os está convidando para práticas que bem podem suprimir todo o senso do ego deles, o ego que está arraigado no desempenho do seu trabalho. Você não consegue ver a magnitude disso?

– Realmente não – respondi, decidindo que ele havia me dado mais do que suficiente para pensar durante um dia.

Uma parte de mim se desesperou enquanto pensava quanto seria difícil para os líderes cristãos experimentar transformação nessa área de suas vidas. Mas outra parte de mim estava exultante. Bob havia de fato colocado no lugar uma peça que faltava do quebra-cabeças. Entendi por que o descanso semanal era quase impossível para tantos líderes colocarem em prática e por que havia sido uma luta para mim: medo e vergonha estavam à espreita sob a superfície de nossas vidas.

Adiante neste capítulo, falaremos mais sobre essa questão, explicando por que o descanso semanal permanece um desafio aos líderes hoje. Mas, antes de o fazermos, é importante ter uma clara compreensão e definição do que é o sábado.

O que é o sábado?

O sábado bíblico é um bloco de tempo de 24 horas no qual nós paramos, desfrutamos o descanso, praticamos o deleite e contemplamos a Deus. O tradicional sábado judaico começa ao pôr do sol da sexta-feira e termina ao pôr do sol do sábado. Na maioria das tradições cristãs, o sábado tem sido observado aos domingos. O apóstolo Paulo considerou um dia para o descanso tão bom quanto outro (Rm 14.1-17). Assim, o dia especial da semana não importa. O que importa é separar um período de 24 horas e guardá-lo.

O descanso semanal está em um gritante contraste com o ritmo típico da nossa cultura. O ritmo secular é algo como:

RITMO "SECULAR"

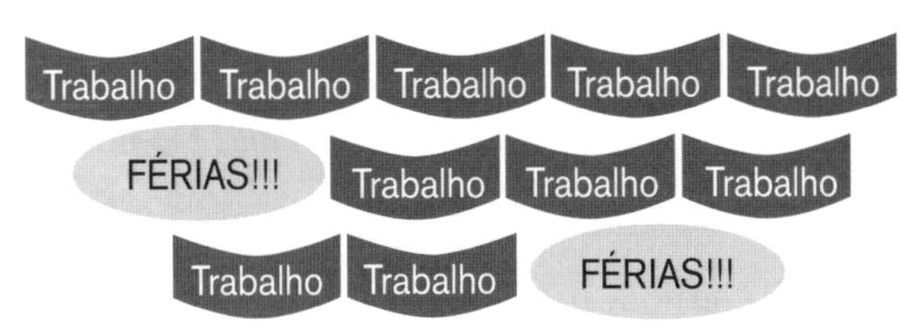

Em contraste, o ritmo de Deus é assim:

RITMO "SAGRADO"

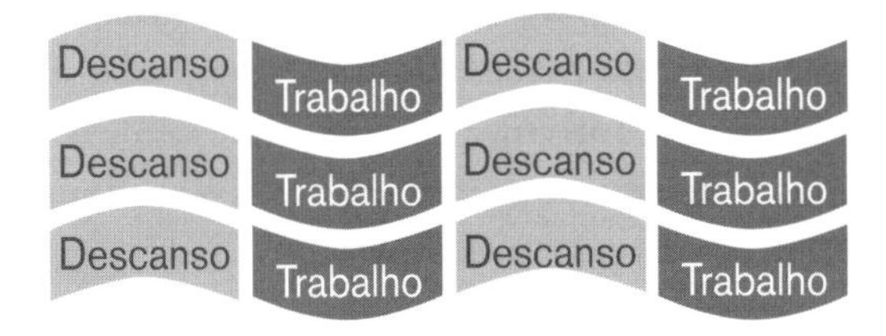

O ritmo do descanso de Deus é um reflexo do ritmo que fortalece toda a criação. No ciclo de um dia, há luz e trevas, nascer do sol e pôr do sol, marés vindo e indo. No curso dos meses, há ciclos da lua, as estações e seus ciclos de crescimento e dormência, bem como os grandes movimentos das galáxias. Como bem expressa o autor Wayne Muller: "Lembrar-se do sábado não é uma exigência penosa... mas uma lembrança de uma lei que está firmemente encravada no tecido da natureza. É uma lembrança de como as coisas realmente são, a dança rítmica à qual inevitavelmente pertencemos".[1] Todo trabalho – remunerado ou não – é bom, mas precisa estar delimitado pela prática do sábado.

O problema com tantos líderes é que permitimos que o nosso trabalho ultrapasse todas as outras áreas da vida, interrompendo o ritmo equilibrado de trabalho e descanso que Deus criou para o nosso bem.

Quando Geri e eu começamos nossa jornada na espiritualidade emocionalmente saudável em 1996, obtive uma nova perspectiva sobre a importância do ritmo sabático. Assim, li alguns livros, ocasionalmente mencionei sábado em sermões e tive a experiência de tirar um dia de descanso por semana. Mas

[1] MULLER, Wayne. *Sabbath: Para encontrar repouso, rejuvenescimento e prazer na nossa vida agitada.* São Paulo: Pensamento, 1999.

eu não estava bem certo de quanto o sábado era realmente diferente de um dia de folga. *O que era e o que não era permitido? Como eu podia separar um dia para descanso com quatro crianças pequenas para cuidar? E quanto às inevitáveis crises pastorais que rotineiramente colidem com um dia?* No final das contas, as incessantes demandas da vida, da liderança e do trabalho pastoral esmagaram minha experiência do sábado. Voltei a tirar um dia regular de folga às segundas-feiras e, de vez em quando, passados os sete anos seguintes, fiz várias tentativas frustradas de recomeçar uma prática consistente de descanso do sábado.

Foi somente depois da experiência de mudança de vida do nosso segundo período sabático em 2003-2004 que me senti compelido a resolver esta "coisa do sábado" de uma vez por todas – não somente por mim mesmo, mas também por causa de nossa igreja. Separei tempo para estudar o Sábado fazendo um estudo bíblico de cada ocorrência de *Sábado* de Gênesis a Apocalipse. Li a maioria dos livros cristãos sobre o sábado e observei atentamente as origens dos 3.500 anos judaicos e as tradições do Sábado.

Desse estudo intensivo, identifiquei as quatro características fundamentais que estão na linha inicial desta seção: sábado é um bloco de tempo de 24 horas no qual nós *paramos* de trabalhar, desfrutamos o *descanso,* praticamos o *deleite* e *contemplamos* Deus. Essas quatro características têm desde então me servido bem para distinguir a rotina do descanso bíblico. A partir de uma perspectiva secular, o propósito de um dia de descanso é repor nossas energias e nos tornar mais eficientes nos demais seis dias da semana. Tal dia de descanso pode produzir resultados positivos mas é, nas palavras do pastor Eugene Peterson, um "sábado bastardo".[2] Por isso, vamos dar uma olhada mais atenta a essas quatro características fundamentais do sábado.[3]

Parar. O sábado é em primeiro lugar um dia em que paramos todo trabalho – remunerado ou não. No sábado nós aceitamos nossos limites. Deixamos a ilusão de que somos indispensáveis para o funcionamento do mundo. Reconhecemos que nunca vamos terminar nossos objetivos e projetos, e que Deus está no trono, administrando muito bem o governo do universo sem a nossa ajuda.

Meu sábado começa na sexta-feira às 18 horas e termina às 18 horas do sábado. Quando interrompo meu trabalho para o sábado, me afasto de tudo o que tem a ver com meu papel como pastor da Igreja *New Life Fellowship,*

[2] Eu ainda rio ao me lembrar do artigo de Eugene Peterson na revista *Leadership* muitos anos atrás. Havia uma foto dele atrás das grades, de uniforme de presidiário e uma placa no peito: "Transgressor do sábado".

[3] Para uma explicação mais completa dessas quatro qualidades do sábado, v. SCAZZERO, Peter. *Espiritualidade Emocionalmente Saudável, op. cit.,* p. 206-213.

bem como qualquer redação ou preparação para falar. Eu não escrevo, não respondo e-mails, não retorno telefonemas, não concluo sermões nem termino tarefas da liderança. Evito Twitter e Facebook, visto que a mídia social está ligada ao meu trabalho. Interrompo também meu trabalho não remunerado, como pagamento de contas, lavanderia, passeio a pé, compras na mercearia e limpeza da casa.

Descansar. Uma vez parados, aceitamos o convite de Deus para descansar. Deus descansou após seu trabalho de criação. A cada sete dias, devemos fazer o mesmo (Gn 2.1-4). Nós nos envolvemos em atividades que nos restauram e nos reabastecem – cochilo, caminhada, leituras, boa comida, hobbies e esportes. O importante é descansar tanto do trabalho remunerado como do sem remuneração.

Descansar do trabalho não remunerado, entretanto, requer planejamento antecipado. Se devo ter a esperança de desfrutar o descanso do sábado, eu preciso separar tempo durante a semana para atender às tarefas da vida que não quero fazer aos sábados – pagar contas, limpar ou consertar coisas pela casa, cuidar da lavanderia, conferir o talão de cheques etc.

O que eu faço em relação ao restante? Eu tiro um cochilo, vou dar um passeio com Geri, passo tempo com nossas filhas, leio um romance, assisto a um filme, saio para uma longa caminhada, vou nadar, visito amigos e familiares ou tomo um trem para desfrutar as artes de Manhattan. Posso até aparar nosso pequeno gramado como uma agradável diversão do meu trabalho.

Deleitar-se. Depois de terminar seu trabalho de criação, Deus pronunciou o "muito bom" (Gn 1.31). Essa não foi uma fraca reflexão tardia – *Ah, foi bom ter feito isso* – mas um exultante reconhecimento e uma celebração da realização. Como parte da observação do sábado, Deus nos convida a nos juntarmos na celebração, para desfrutarmos e nos deleitarmos em sua criação e em todas as dádivas que ele nos oferece. Essas inumeráveis dádivas vêm a nós em muitas formas, incluindo pessoas, lugares e coisas.

Como parte da preparação para a prática do sábado, uma das mais importantes questões a considerar é: "O que me dá alegria e deleite?" Isto será diferente para cada um de nós, mas parte do convite ao sábado é desfrutar e se deliciar na criação e em suas dádivas. Geri e eu nos deleitamos na beleza e na grandiosidade da natureza – o oceano, os lagos, as praias, montanhas e o céu cheio de estrelas. Geri é uma "viciada" em comida: cheirar, provar e saborear a dádiva do alimento é uma alta prioridade para nós. Eu me deleito em bibliotecas e livrarias. Geri ama preparar uma nova refeição. Por todos os meios possíveis, no sábado nós procuramos nos banquetear no milagre da vida com nossos sentidos.

Contemplar. Refletir sobre o amor de Deus é o foco central dos nossos sábados. O que faz de um sábado ser um sábado bíblico é ele ser "santo ao Senhor". Nós não estamos tomando tempo do Senhor; estamos nos aproximando mais dele. O sábado é um convite para ver o invisível no visível – reconhecer como os caminhos ocultos da bondade de Deus estão agindo em nossa vida. Isso não necessariamente significa passarmos o dia todo em oração ou estudando a Bíblia, embora essas atividades possam fazer parte de um dia de sábado. Em vez disso, contemplação significa que estamos vivamente focados naqueles aspectos do amor de Deus que vêm até nós por meio de tantas dádivas de sua mão. Como escreve o poeta e sacerdote britânico Gerard Manley Hopkins: "O mundo está carregado com a grandiosidade de Deus". A Escritura afirma que toda a criação declara sua glória (v. Sl 19.1). No sábado, nós buscamos a sua grandiosidade em tudo, sejam pessoas, comida, arte, crianças, esportes, hobbies e música. Neste sentido, a contemplação é uma extensão do deleite – prestamos atenção especial às evidências do amor de Deus em todas as coisas que ele nos deu para usufruirmos.

Antes de ter observado sistematicamente o sábado, eu quase sempre voltava de férias ou de dias de folga um tanto quanto distante de Deus. Agora meus dias de sábado são momentos em que experimento sua presença e amor de forma muito palpável que antes eu associaria a meu "trabalho" como pastor. Por exemplo, quando eu experimento a sensação do prazer e a aprovação de Deus sobre o sábado, eu sei que isso não tem nada a ver com as realizações relacionadas ao meu trabalho. Isto é em si mesmo uma dádiva que tem me ajudado a separar meu relacionamento com Deus (*estar* com Deus) do meu trabalho como líder (*fazer* para Deus).

Eu espero que estas quatro características lhe proporcionem uma estrutura útil para quando você começar a considerar a prática de uma observância significativa do sábado. Porém, se você verificar que está preso demais aos detalhes e à logística – o que é fácil de acontecer –, eu o encorajo a dar um passo atrás. Concentre novamente sua atenção no significado mais amplo do sábado – a oportunidade de experimentar o antegosto da eternidade. Como escreveu o Rabi Abraham Joshua Heschel:

> A menos que a pessoa saboreie o gosto do sábado enquanto ainda estiver neste mundo, a menos que seja iniciado na apreciação da vida eterna,

ela será incapaz de desfrutar o gosto da eternidade no mundo vindouro... A essência do mundo futuro é o eterno sábado, e o sétimo dia agora é um exemplo da eternidade.[4]

No sábado, praticamos a eternidade agora. Nós olhamos à frente para aquele dia no fim de nossa vida terrena quando vamos perfeitamente parar, descansar, deleitar e contemplar a glória de Deus. Durante um breve momento no tempo, nós nos reorientamos para longe deste mundo em todas as suas imperfeições e antevemos o mundo por vir – como as coisas na terra devem ser. Num sentido muito real, a prática do sábado une céus e terra, equipando-nos não somente para descansarmos do nosso trabalho, como também trabalharmos a partir do nosso descanso.

A PRÁTICA DO SEU DESCANSO DE SÁBADO É SAUDÁVEL?

Avalie sua prática do sábado respondendo a esse breve questionário. Ao lado de cada declaração, escreva o número que mais bem descreve sua resposta. Use a escala a seguir:

5 = Totalmente verdadeiro
4 = Bastante verdadeiro
3 = Parcialmente verdadeiro
2 = Raramente verdadeiro
1 = Falso

____ 1. Eu pratico regularmente o sábado separando um período de 24 horas no qual interrompo meu trabalho e descanso.
____ 2. O sábado provê limites saudáveis para meu trabalho, seja remunerado, seja não remunerado.
____ 3. Eu reservo tempo em meu descanso semanal para me deleitar nas inumeráveis dádivas de Deus (pessoas, beleza, hobbies, montanhas, comida, música etc.).
____ 4. Eu vejo o sábado como um dia para praticar e saborear o derradeiro descanso, quando então verei Jesus face a face.
____ 5. Eu pratico o sábado como um ato profético e contracultural que resiste à cultura que me define por aquilo que faço em vez de por aquilo que sou (ou seja, como amado filho(a) de Deus).
____ 6. Estou à vontade em relação às minhas responsabilidades no sábado, confiando plenamente que Deus administre o mundo e construa seu reino sem mim.

[4] HESCHEL, Abraham. *O Schabbat: Seu significado para o homem moderno*. São Paulo: Perspectiva, 2004.

____ 7. Eu encontro minha identidade primariamente no amor de Deus em vez de no meu próprio trabalho ou em meu papel como líder.

____ 8. Eu sempre recebo percepções e discernimentos inesperados durante o sábado.

____ 9. Eu aplico a férias e feriados minhas orientações sabáticas: parar, descansar, deleitar e contemplar.

____ 10. Eu me preparo para que no sábado tenha tempo e espaço para focar no amor de Deus vindo a mim por meio das muitas dádivas de suas mãos.

Reserve um momento para rapidamente rever suas respostas. O que mais se destaca a seus olhos? No final do capítulo (páginas 167-170) estão algumas observações gerais para ajudá-lo a compreender melhor onde você está ao considerar seus próximos passos.

Por que o sábado é um desafio hoje?

O sábado foi um conceito revolucionário quando Deus o introduziu 3.500 anos atrás, e permanece um conceito contracultural até hoje, embora talvez por razões diferentes. No meu trabalho com pastores e líderes cristãos, tenho observado três desafios principais que tornam a observância do sábado especialmente difícil.

Temos medo do que poderíamos encontrar dentro de nós

Lembra-se da minha conversa com Bob e seu comentário sobre a razão de tantos líderes não conseguirem reduzir o ritmo? "Eles não podem parar", respondeu ele. "Se pararem, morrerão. Estão aterrorizados. Morrem de medo do que verão dentro de si mesmos se reduzirem o ritmo... Algo muito mais profundo os está dirigindo, mas eles não têm ideia do que seja".

O que é "algo"? O que está por trás da resistência – para alguns, até mesmo terror – quando os líderes consideram reduzir o ritmo em favor do sábado? Depois de observar e conversar com pastores pelo mundo durante alguns anos, acredito que a resposta é *vergonha.*

Vergonha é o sentimento ou a experiência intensamente dolorosos de ser fundamentalmente falho, com defeitos, sem valor e "deficiente em alguma forma vital como um ser humano".[5] Por isso trabalhamos mais e mais. *Talvez,*

[5] Adaptado de Brown, Brene. *I Thought It Was Just Me (But It Isn't): Making the Journey from "What Will People Think? to "I Am Enough"* [Pensei que fosse só eu (mas não): Passando de "O que as pessoas vão pensar?" para "Eu sou suficiente"]. New York: Gotham, 2012; Kurtz, Ernest. *Shame & Guilt* [Vergonha & culpa], 2a ed. New York: iUniverse, Kindle edition, location 211.

se eu superar essa próxima colina no trabalho, vou me sentir melhor a respeito de mim mesmo e vou poder relaxar. Mas por enquanto não posso parar.

É importante distinguir vergonha de culpa. Culpa diz respeito a algo que eu *faço*. Por exemplo: "Eu passo no sinal vermelho". É um erro que eu cometo, não um reflexo de minha pessoa toda. Vergonha, por outro lado, diz respeito ao que eu *sou*. "Eu não cometi um erro ao ultrapassar o sinal vermelho, eu *sou* um erro". Quando fracassamos como líder, pensamos coisas como: *Eu sou um idiota. Sou horrível e inútil! Sou uma fraude – isto não deveria ter acontecido se eu fosse um líder decente.* A vergonha atesta não o *agir* errado, mas o *ser* falho.[6]

O sábado pode ser aterrorizante porque não fazer nada produtivo nos faz sentir vulneráveis. Podemos sentir a exposição e a nudez emocional perante Deus e os outros. O excesso de trabalho esconde esses sentimentos de inadequação ou inutilidade, não apenas dos outros, mas também de nós mesmos. Enquanto nos mantemos ocupados, podemos correr mais rápido que a voz interna que diz coisas como:

Nunca sou bom o suficiente.

Nunca estou seguro o suficiente.

Nunca sou perfeito o suficiente.

Nunca sou extraordinário o suficiente.

Nunca sou bem-sucedido o suficiente.

Você reconhece esta voz?

Muitos líderes cristãos e pastores usam o apego demasiado ao trabalho para superar essas mensagens de vergonha. Eu mesmo me incluo entre eles, embora neste ponto eu me considere um *workaholic* em recuperação. Para uma rápida avaliação sobre suas tendências de trabalhar demais, considere essas perguntas e veja a quantas delas você responde afirmativamente:

Você fica mais animado com o seu trabalho do que com sua família ou qualquer outra coisa?

Você leva trabalho para a cama? Nos fins de semana? Nas férias?

O trabalho é a atividade de que você mais gosta e seu assunto preferido?

Você trabalha mais de quarenta horas por semana?

Sua família ou amigos desistiram de esperar você na hora certa?

Você faz trabalho extra por ficar ansioso para terminá-lo?

Você subestima o tempo de execução de um projeto e depois corre para terminá-lo?

[6] KURTZ. *Shame & Guilt* [Vergonha & culpa], location 211.

Você fica impaciente com pessoas que têm outras prioridades além do trabalho?

Suas longas horas de trabalho têm prejudicado sua família ou outros relacionamentos?[7]

Como você se saiu? Se respondeu sim a pelo menos algumas questões, o vício em trabalho pode representar um desafio para o seu sábado. E você precisa saber que estará lidando com algo mais substancial do que apenas tarefas demais ou habilidades e técnicas novas. Se você já se habituou ao excesso de trabalho por meses ou anos, a necessidade de trabalhar demais pode estar entranhada em seu corpo.

Você sabia que um padrão sistemático de trabalho em excesso pode impactar a neuroquímica do seu cérebro?[8] Quando estamos constantemente num ambiente intenso e exigente, nosso cérebro libera hormônios e substâncias para nos ajudar a atender aos desafios que enfrentamos. Com o tempo, o corpo se acostuma a esses hormônios e substâncias a ponto de desenvolvermos um tipo de dependência deles. Em alguns casos, executivos que atuam em ambientes intensos desenvolveram realmente o vício por adrenalina clínica.

Então, o que tudo isto tem a ver com o sábado? Significa que quando trabalhamos 24 horas por dia, sete dias por semana e queremos realizar uma mudança crucial para mantermos um ritmo equilibrado de trabalho e descanso, nosso corpo pode experimentar abstinência. Se você decidir-se seriamente pelo sábado, a batalha pode ser física, além de emocional e espiritual.

Nós associamos o sábado ao legalismo ou a um passado morto

A confusão em torno do sábado remonta ao sábado em si, e desde então, judeus e cristãos têm lutado para definir as regras que deveriam governar sua prática. No século IV, Constantino, o primeiro imperador romano cristão, tratou o sábado ordenando legalmente um dia de descanso para todos. Nos primeiros anos das colônias americanas, as chamadas "leis azuis" restringiram o comércio e várias outras atividades para acomodar o sábado cristão. As primeiras leis para fechar aos domingos remontam a 1610. Elas incluíam não apenas o fechamento de negócios, mas também a frequência obrigatória às igrejas. E, ainda mais de 180 anos depois, as leis ainda eram estritamente aplicadas:

[7] "How Do I Know If I'm a Workaholic?" [Como saber se sou um workaholic?], www.workaholic-anonymous.org. Acessado em 15 de novembro de 2014.

[8] V. "Pull the Plug on Stress" [Tire o estresse da tomada], www.hb.org/2003/07/pull-the-plug-on-the-stress. Acessado em fevereiro de 2015.

- O presidente dos Estados Unidos George Washington, na época recentemente eleito e em trânsito para Nova York, foi parado por violar a lei de Connecticut que proibia viajar no domingo.
- Em 1800, em Arkansas, James Armstrong foi multado em US$25,00 por colher batatas em seu campo.
- John Meeks foi multado em US$22,50 por matar esquilos no domingo.[9]

O Talmude, um texto central do judaísmo ortodoxo e base de todos os códigos da lei judaica, identifica 39 categorias de atividades proibidas no sábado. Entre elas semear, colher, tecer, construir, cozer e acender fogo. A aplicação destas proibições se desenvolveu durante séculos. Em muitas comunidades ortodoxas ou hassídicas hoje, é proibido no sábado ligar ou desligar dispositivos elétricos, dirigir carro ou afastar-se muito de casa. Luzes e pratos quentes são frequentemente colocados em *timers* automáticos. Num hospital da cidade de Nova York onde uma alta porcentagem de médicos e pacientes são judeus ortodoxos, os elevadores são programados para parar em cada andar do hospital para que os usuários não precisem trabalhar no sábado apertando o botão do elevador.

Para alguns líderes cristãos, tais regras e imposições ultrapassadas tornam a observância do sábado um legalismo inútil. Mas para muitos outros, incluindo eu em meus primeiros 27 anos como cristão, existe simplesmente uma falta de compreensão sobre o propósito mais amplo do sábado e do rico material bíblico afirmando a necessidade de salvaguardas para protegê-lo.

Nós temos uma visão distorcida de nossa identidade central

Quando encontramos alguém pela primeira vez, normalmente perguntamos: "O que você faz?" Nós perguntamos por que, em nossa época e cultura, a identidade e a cultura são definidas em grande parte pela ocupação ou descrição do emprego. E se você está desempregado ou é um pai que está em casa em tempo integral, sabe quanto é incômodo não ter uma ocupação. É como nós tipicamente nos definimos e como compreendemos nosso lugar no mundo. Nós também classificamos e valorizamos as pessoas com base no que fazem. Diga-me qual destes dois seriam mais estimados entre um grupo

[9] LABAND, David N. e HEINBUCH, Deborah Hendry. *Blue Laws: The History, Economics, and Politics of Sunday-Closing Laws* [Leis azuis: história, economia e política das leis de fechamento nos domingos] (New York: Lexington, 1987), p. 45, 46. Para uma discussão excelente, bem documentada do sábado judaico no tempo de Jesus, v. KEENER, C. S. *The Gospel of John: A Commentary, Volume One and Two* [o Evangelho de João: comentário, volumes Um e Dois]. Grand Rapids: Baker, 2003, 1.641-45.

de pastores jovens: um líder de 38 anos que construiu um próspero ministério internacional ou um pastor aposentado de 68 que serviu fielmente uma igreja rural de 75 membros por mais de trinta anos?

Parte do que somos *é* o que fazemos. Deus é um trabalhador, e nós somos trabalhadores. Mas essa não é a verdade mais profunda sobre o que somos. Somos primeiro que tudo *seres* humanos. Mas quando as coisas ao nosso redor mudam e o nosso papel ou título se torna o fundamento da nossa identidade, somos reduzidos a humanos *que fazem*. E quando isso acontece, cessar o trabalho ou a atividade produtiva torna-se extremamente difícil. Pense na história de Elliot.

Elliot, um superintendente da escola dominical da *New Life*, veio até mim certo domingo depois de ouvir uma palestra minha sobre o sábado. Ele me contou quanto sua instrução tornara o sábado especialmente desafiador para ele: "Sempre que minha irmã, dois irmãos mais novos e eu ouvíamos os passos de mamãe descendo as escadas, pulávamos para parecer que estávamos fazendo algo, alguma coisa – tirando o pó, arrumando coisas, limpando. Entendia-se que não era para ficar ali sem fazer nada! E Deus nos livre se não estivéssemos prontos para ajudá-la a carregar as sacolas quando ela chegava da mercearia. Ainda que agora já tenham se passado trinta anos, sinto-me culpado quando não sou produtivo de alguma forma".

Eu me identifico com a história de Elliot. A mensagem clara em minha família era: *Você é o que realiza.*[10] Identidade e valor estavam firmemente ligados à habilidade de produzir e realizar. Desde conseguir boas notas e praticar esportes quando crianças a conseguir bons empregos e criar bons filhos quando adultos, a expectativa era que trabalhássemos muito. Descansar foi algo feito para nos recuperar até que pudéssemos voltar ao trabalho. A ideia de usar o descanso para algo relacionado ao puro prazer era inconcebível.

Infelizmente, descobri que esse conceito distorcido de identidade e descanso em famílias como a minha e a de Elliot não é tão incomum. Da Ásia à América Latina, da América do Norte à África, do Oriente Médio à Europa e à Oceania, a tendência de famílias e culturas é definir e valorizar um ao outro não pelo que somos, mas pelo que fazemos. A esse tipo de pressão não é fácil de resistir.

[10] A ironia foi que na família de Geri o mantra era: *Saia e divirta-se.* Divertir-se vinha em primeiro lugar; a lição de casa vinha depois. A expectativa era que ela voltasse da escola, mudasse o uniforme e brincasse. Embora inicialmente tenha tido dificuldade para estabelecer limites ao longo das 24 horas do sábado e evitar trabalhar nesse tempo, não experimentou qualquer culpa nessa nova prática, ao contrário de mim e muitos outros conhecidos.

O que então nos motivará a reimaginar, repriorizar e reorganizar nossa vida em torno do sábado? A resposta está, eu creio, em capturar uma maior visão bíblica do sábado como um lindo diamante cujas muitas facetas refletem a luz e a beleza da vida na terra em relação com o Deus vivo.

O SÁBADO É UM LINDO DIAMANTE

Facetas são as superfícies planas e polidas que refletem o brilho, o fogo e a centelha do diamante. Cada faceta mostra um aspecto único da qualidade e da beleza do diamante.[11] Um diamante brilhante redondo padrão, por exemplo, pode ter até cinquenta e oito facetas!

O sábado é um inestimável diamante com muitas facetas, cada uma refletindo a presença de Deus conosco e o seu amor por nós. E assim como as facetas refletem aspectos únicos de um diamante, o sábado torna-se cada vez mais brilhante à medida que o exploramos e o praticamos. É quando nos encontramos diante de facetas fascinantes, maravilhados ante o brilho de Deus para o qual o sábado aponta.

Durante milênios o povo judeu entesourou esse lindo diamante chamado sábado. Francine Klagsbrun, autora do best-seller *Jewish Days,* descreve isso bem:

> Antes de compreender completamente a santidade do Dia, antes de verdadeiramente apreciar sua beleza, antes que pudesse interpretar seus rituais, eu percebi que o sábado era um "milagre". Era como meu pai sempre falava dele, do tempo em que eu era criança e bem em seu centésimo ano de vida... Um milagre de fato. Nenhum dia como esse existiu no universo até aparecer plenamente desabrochado na Bíblia hebraica. Outros povos antigos tinham certos "dias maus"... Mas nenhum tinha um dia fixo em todas as semanas de todos os meses de todos os anos no qual todo trabalho fosse interrompido e todas as criaturas descansassem – sim, até os animais.[12]

Eu gosto demais da forma como Klagsbrun descreve o milagre do sábado ao se concentrar numa pequena faceta do seu brilho – a singularidade da declaração de Deus de um dia fixo como santo e separado.

À luz de 3.500 anos de história judaica, meus doze anos de estudo fiel e prática do sábado são algo como uma baforada de fumaça. No entanto,

[11] V. http://kwiat.com/diamond-education/diamond-facets/5815; e http://www.hardasrocks.info/diamond-facets.htm.

[12] KLAGSBRUN, Francine, *Jewish Days: A Book of Jewish Life and Culture around the Year* [Dias judaicos: Sobre a vida e a cultura judaicas durante o ano], ilustrado por Mark Podwal. New York: Farrar Straus Giroux, 1996, p. 9-10.

consegui vislumbrar algumas facetas da beleza desse diamante aparentemente inexaurível, quatro das quais contribuíram significativamente para a minha compreensão e experiência do milagre do sábado:

- Sábado como disciplina central da formação espiritual
- Sábado como resistência aos principados e poderios
- Sábado como recreação
- Sábado como lugar de revelação

Espero e oro para que cada faceta o motive e o encoraje a dar os próximos passos para reordenar sua vida segundo o deleite do sábado e dizer "não" semanalmente, 24 horas por dia, às implacáveis pressões ao seu redor.

Sábado como disciplina central da formação espiritual

Quase toda disciplina espiritual tem valor, mas algumas práticas constituem o *centro* da maturidade em Cristo. Essas práticas não nos *salvam*, mas são indispensáveis para o crescimento. Pense nisso dessa forma. Não somos salvos pela leitura da Bíblia. Não somos salvos pela oração. Não somos salvos pelo louvor. Somos salvos confiando somente em Jesus, que morreu por nossos pecados e ressuscitou dentre os mortos. Mas se não lemos sistematicamente as Escrituras, se não oramos nem encontramos Deus no louvor, é improvável que estejamos crescendo muito espiritualmente. A observância do sábado é uma disciplina espiritual central – um mecanismo essencial de entrega para a graça e a bondade de Deus em nossa vida. Ela provê um meio ordenado por Deus para nos acalmar em favor de uma conexão significativa com Deus, conosco mesmos e com as pessoas com as quais nos preocupamos.

Creio que parte da razão por nos encontrarmos desencantados com disciplinas espirituais como a guarda do sábado é porque nossa prática degenerou num de dois extremos – legalismo ou licenciosidade.

O legalismo pode ser definido como a confiança em nossa própria obediência para ganhar a aceitação de Deus. No Novo Testamento, observamos o legalismo entre os líderes religiosos judeus que se opunham veementemente a Jesus pela quebra da lei ao curar no sábado. Mais tarde, o apóstolo Paulo advertiu claramente contra qualquer tipo de legalismo na igreja:

> Assim, ninguém vos julgue pelo comer, ou pelo beber, ou por causa de dias de festa, ou por lua nova, ou de sábados, os quais são sombra das coisas que haveriam de vir; mas a realidade é Cristo (Cl 2.16,17).

Licenciosidade, por outro lado, é um abuso da graça de Deus por desconsiderar completamente seus mandamentos. Em conexão com disciplinas espirituais, esse extremo leva pessoas a repudiar tais práticas, considerando o sábado irrelevante e desnecessário. Um exemplo contemporâneo disso seria a pessoa pular os cultos semanais por haver tantas outras coisas boas a fazer nos fins de semana. Deus não está mantendo um registro de nossa frequência à igreja, certo?

Nos primeiros 25 anos de minha vida cristã, eu estava definitivamente no campo da licenciosidade no que se referia ao sábado. A neblina clareou para mim quando finalmente compreendi que o sábado é uma disciplina fundamental para a formação espiritual, tão importante quanto a oração, o estudo bíblico, a adoração e a contribuição.[13] Mais ainda, o sábado é a boa dádiva de Deus ao seu povo. Jesus disse: *O sábado foi feito por causa do homem, e não o homem por causa do sábado* (Mc 2.27).

Em vez de pensar no sábado como uma imposição, nós precisamos aceitá-lo como mecanismo de entrega essencial em relação ao amor de Deus. Por que alguém iria querer perder algo assim? Como líderes, isso nos lembra que a vida é mais do que o trabalho; a vida tem a ver com Deus. Quando equilibrado pelo ritmo do sábado, o trabalho toma o seu lugar adequado como bom, mas não o lugar de um deus.

Sábado como resistência aos principados e poderios[14]

"Principados e poderios" estão entre o que o apóstolo Paulo descreve como "príncipes deste mundo de trevas" e "exércitos espirituais da maldade" (Ef 6.12). Eles representam uma ampla gama de influências malignas que

[13] Devo essa compreensão a Eugene Peterson e seus muitos livros e artigos sobre o tema, bem como seu cuidadoso trabalho exegético em *Christ Plays in Ten Thousand Places: A Conversation in Spiritual Theology* [Cristo brinca em dez mil lugares: uma conversa sobre teologia espiritual]. Grand Rapids, MI: Eerdmans, 2005.

[14] Sou grato a Walter Brueggemann, *Sabbath as Resistance: Saying No to the Culture of Now* [Sábado como resistência: dizendo "não" à cultura do agora]. Louisville, KY: Westminster John Knox Press, 2014, por sua exegese sobre o êxodo e o título desta seção.

podem assumir quase qualquer forma. O teólogo Walter Wink as descreveu como "tanto celestiais quanto terrenas, divinas e humanas, espirituais e políticas, invisíveis e visíveis".[15] Podem ser encontrados nos sistemas educacionais, econômicos e políticos que desumanizam e destroem as pessoas. São forças poderosas por trás de coisas como ambição desenfreada, lascívia, racismo, sexismo e adoração ao dinheiro. E esses mesmos poderes demoníacos procuram nos manter escravizados ao nosso trabalho e nos impedem o deleite do sábado.

Quando praticamos o sábado, nós resistimos aos principados e poderios. Considere o raciocínio que Deus apresenta para a prática do sábado: *Guarda o dia do sábado, para o santificar... Lembra-te de que foste escravo na terra do Egito e que o Senhor, teu Deus, te tirou dali com mão forte e braço estendido* (Dt 5.12, 15).

A frase-chave neste mandamento é: *Lembra-te de que foste escravo na terra do Egito e que o Senhor, teu Deus, te tirou dali.* Como escravos no Egito por mais de 400 anos, os israelitas trabalhavam sete dias por semana, 365 dias por ano. Seus pais, avós, bisavós e trisavós existiam apenas por uma razão – trabalhar. Eles nunca paravam. Nunca descansavam. Nunca se deleitavam.

Como poder estabelecido em oposição a Deus, o faraó foi o que o apóstolo Paulo poderia chamar de "força espiritual do mal". Ele era considerado um deus e adorado como tal. Por trás do seu governo demoníaco estavam principados e poderios que escravizavam o povo de Deus, definindo a existência deles como não-pessoas cujo único propósito era trabalhar e produzir. Mas então a opressão do faraó sobre o povo de Deus fora desfeita. E eles receberam uma nova identidade. Seu valor e dignidade não mais se baseava no que *eles faziam*; baseava-se em *quem eram* – filhos e filhas sobre quem o Deus vivo havia colocado seu amor e graça.

Infelizmente, muitos de nós permanecemos sob um capataz duro e controlador, um "faraó" que agora vive dentro do nosso coração, dizendo-nos que não podemos parar ou descansar. A cultura nos mantém presos em grilhões, dizendo-nos que o nosso único valor está no que conseguimos ou produzimos, que somos perdedores a menos que realizemos mais – mesmo que nós sejamos o preço. Estamos fazendo bem apenas se as coisas forem "maiores e melhores". Nós nos comparamos a outros líderes que parecem produzir mais tijolos mais rapidamente, e nós nos perguntamos: *Qual é o meu problema?*

[15] WINK, Walter. *Naming the Powers: The Language of Power in the New Testament* [Dando nome aos poderes: a linguagem de poder no Novo Testamento]. Minneapolis, MN; Fortress Press, 1984, p. 5.

Ao nos oferecer a dádiva do sábado, Deus nos convida a resistir aos principados e poderes e nos colocarmos ao seu lado. O autor e estudioso Walter Brueggemann escreveu: "O sábado torna-se uma forma decisiva, concreta e visível de optar por um alinhamento com o Deus do descanso".[16] E que agradável convite é! Deus nos convida à diversão, para dançar e contar como os antigos israelitas quando foram libertos da escravidão egípcia. Por meio dessa prática semanal, nós desafiamos toda influência que nos define, seja por nosso papel na liderança ou por nossa produtividade. Nós proclamamos publicamente ao mundo que não somos escravos, mas homens e mulheres livres comprados pelo sangue de Jesus.

Quando praticamos o sábado como líderes, não somente resistimos aos principados e poderes em favor de nossas próprias vidas, como também somos o exemplo de resistência aos que lideramos, à igreja em geral, ao mundo e até mesmo aos próprios poderes e principados.

Até hoje, o povo judeu considera a guarda do sábado um traço central de sua identidade como povo escolhido de Deus. E é notável ver como o sábado ainda funciona como forma de resistência. Eu gosto especialmente do exemplo da B&P Foto.

Localizada na 9ª Avenida na cidade de Nova York, a B&P Foto é a maior loja de foto e equipamento de vídeo dos Estados Unidos e a segunda maior do mundo – sendo superada apenas pela Yodobashi Camera no centro de Tóquio. Os proprietários, junto com muitos de seus empregados, são judeus hassídicos e se vestem exatamente como seus ancestrais do século 18 na Europa oriental. Num único dia, oito a nove mil pessoas passam pela porta da frente. Todavia, setenta por cento de seus negócios são online, atendidos por um armazém de 60.000 m2 localizado nas proximidades do Brooklyn.

Mesmo num mercado competitivo, a B&P não faz negócios no sábado, nem em cerca de meia dúzia de feriados judaicos durante o ano. Eles fecham as portas às 13 horas da sexta-feira e as mantêm fechadas o dia todo de sábado, o maior dia de compras da semana. Durante o sábado, os clientes podem examinar o website da B&P, mas não podem fazer pedidos online.

Recentemente, um cliente perguntou ao diretor de comunicações da B&P como eles podiam fechar não apenas a loja de varejo, mas também o website na Sexta-Feira Negra, um dia depois de Ação de Graças e o melhor dia de

[16] BRUEGGEMANN. *Sabbath as Resistance* [Sábado como resistência], *op. cit.*, p. 10.

negócios do ano. O diretor simplesmente respondeu: "Nós respondemos a uma autoridade superior".[17]

Elie Wiesel, autor e sobrevivente ao Holocausto, também confirma esse aspecto do sábado como resistência quando escreve que a observância do sábado persistiu até mesmo em meio aos horrores dos campos de concentração nazistas:

> Lembro-me de um pregador lituano, um *maggid,*[*] que perambulava entre nós toda sexta-feira à noite, abordando cada um de nós, com uma sugestão de sorriso: "Irmão judeu – não se esqueça, é sábado". Ele queria nos lembrar que o sábado ainda predominava com o passar do tempo apesar da fumaça e do cheiro fétido.[18]

Tanto aquele pregador lituano como os funcionários da B&P compreenderam um importante princípio bíblico: Deus é soberano sobre todo principado e poder do mundo. Deus é Rei dos reis e Senhor dos senhores.

Quando praticamos o deleite do sábado, proclamamos que Jesus Cristo derrotou na cruz todas as forças espirituais do mal (Cl 2.15). Nós afirmamos que os seres humanos têm infinito valor e dignidade além de sua produtividade, e que o amor de Deus é a realidade mais importante do universo.

Sábado como recreação

Numa recente visita à Terra Santa, minha amiga Christine estava sentada com amigos num café ao ar livre em Jerusalém numa tarde de sexta-feira quando um grupo de adolescentes passou cantando e falando alto. De início ela se preocupou, porque eles estavam fazendo uma algazarra muito grande. Quando ela perguntou ao garçom o que estava acontecendo, ele respondeu:

– Eles estão felizes porque logo será o sábado.

– Felizes pelo sábado? – perguntou ela, incrédula.

– Sim, eles estão acolhendo o sábado com seus cânticos e aclamações.

[17] STERNS, Gary. "How B&P Photo thrives in Amazon's jungle using both bricks and clicks – and without Black Friday," [Como a B&P Photo prospera numa sela amazônica usando métodos antigos e modernos – e sem a Sexta-feira Negra], *Business Journal,* 27 de novembro de 2012, acessado em www.bizjournal.com em 15 de novembro de 2014; Associated Press, "New York's B&P Camera Shop Mixes Yiddishkeit and Hi-Tech Savvy" [A loja de câmeras B&P mistura cultura iídiche com alta tecnologia], acessado em www.jpost.com em 15 de novembro de 2014.

[*] Pregador judeu itinerante.

[18] WIESEL, Elie. *All Rivers Run to the Sea: Memoirs* [Todos os rios deságuam no mar]. New York: Alfred A. Knopf, 1995, p. 87.

Ao me contar a história, Christine ligou o entusiasmo dos garotos à animação que os adolescentes nos Estados Unidos têm ao passar um dia na Disney World – um dia de diversão no Reino Mágico da recreação!

Uau! Você pode imaginar esperar ansiosamente pelo sábado com aquele tipo de alegria e deleite?

Foi o grande teólogo alemão Jürgen Moltmann que primeiro me apresentou à ideia do sábado como recreação. Em seu livro *Theology of Play* [Teologia da recreação], ele indaga: "Por que Deus criou o universo se é um ser livre e todo suficiente?" Sua resposta, baseada no livro de Provérbios, é que nós observamos Deus "se alegrando" ao fazer o mundo. A Sabedoria, que existiu desde a eternidade antes que o mundo tivesse começo (Pv 8,23, 25), alegrava-se na presença do Pai quando o mundo era criado: *Cada dia eu era o seu prazer, alegrando-me perante ele em todo o tempo, alegrando-me no seu mundo, tendo prazer nos filhos dos homens* (8.30, 31). Afirma ele: "[É] a boa vontade e o prazer de Deus em criar. Como consequência, a criação é a recreação de Deus, uma recreação de sua sabedoria infinita e inescrutável. É o reino no qual Deus mostra sua glória".[19]

Deus informa Jó que, quando ele criou o mundo, *as estrelas da manhã cantavam juntas, e todos os filhos de Deus gritavam de júbilo* (Jó 38.7), indicando que somos o fruto do amor e do deleite de Deus. Deus tem prazer em ser Deus.

Há uma extravagância lúdica construída na criação de Deus – é produzida uma superabundância de sementes que nunca germinarão, as folhas nas árvores se tornam cores brilhantes no outono sendo ou não vistas por alguém, espécies incríveis de peixes nadam escondidos da vista humana nas profundezas do oceano, e cada flor permanece linda mesmo quando ninguém está olhando. Tudo isso está lá para ser desfrutado.[20] Certo teólogo acrescenta que, se você não tiver certeza de que Deus é brincalhão, olhe apenas para algumas de suas criaturas, como o ornitorrinco, o avestruz e a girafa. A simples visão deles nos faz sorrir e gargalhar como crianças.[21]

O que Moltmann quer dizer é que, como criaturas feitas à imagem de Deus, devemos refletir Deus com nossa diversão. Moltmann imagina a recreação

[19] MOLTMANN, Jürgen. *Theology of Play* [Teologia do brincar]. New York: Harper and Row, 1972, p. 17.

[20] STEPHENS, R. Paul. *Seven Days of Faith: Every Day Alive with God* [Sete dias de fé: vivo com Deus todos os dias]. Colorado Springs: NavPress, 2001, p. 211.

[21] WITHERINGTON III, Ben. *The Rest of Life: Rest, Play, Eating, Studying, Sex from a Kingdom Perspective* [O restante da vida: descanso, folguedo, comida, estudo e sexo da perspectiva do Reino] (Grand Rapids, MI: Eerdmans, 2012, p. 49). V. também WITHERINGTON III, Ben. *Work: A Kingdom Perspective on Labor* [Trabalho: Uma perspectiva do Reino sobre o labor]. Grand Rapids, MI: Eerdmans, 2011.

como o envolvimento numa variedade de jogos que tangenciam a alegria de Deus. Ele escreve:

> Como a criação, as atividades do homem são uma expressão de liberdade... porque a recreação está relacionada com a alegria do criador com sua criação e o prazer do jogador com seu jogo. Como a criação, os jogos combinam sinceridade e regozijo, suspense e tranquilidade. O jogador está totalmente absorvido em seu jogo e o leva a sério, todavia ao mesmo tempo ele se transcende em seu jogo, porque é acima de tudo apenas um jogo.[22]

Esse tipo de jogo aponta para a alegria no fim da história, quando veremos Jesus face a face e todo pecado e morte serão apagados. Num sentido muito real, a recreação nos oferece um antegosto da eternidade. "Nós estamos cada vez mais nos divertindo com o futuro para podermos conhecê-lo", diz Moltmann.[23]

Muitos pastores e líderes, inclusive eu mesmo, não somos bons em diversão. Às vezes eu penso que somos mais sérios que o próprio Deus! Tem sido difícil eu aprender a me divertir. Minha família não se divertiu; nós trabalhamos. Todas as igrejas que frequentei na vida eram deficientes em diversão, sempre associando os prazeres alegres com tolices ou disparates. Havia simplesmente trabalho demais a fazer para Deus! Por isso aprender a se divertir no sábado tem sido uma parte significativa do meu discipulado para me tornar um seguidor de Cristo e um líder mais saudável.

A recreação é importante por indicar que nós realmente cremos que a vida é mais do que trabalhar. Ela equilibra nossa tendência para o exagero na seriedade e no foco em resultados. Quando nos divertimos, realizamos propósitos não pragmáticos.[24] Estamos mais relaxados, menos nervosos, mais confiantes na soberania de Deus e mais alertas para integrarmos a plenitude dos outros seis dias.

SABEDORIA DO SÁBADO POR UMA JOVEM DE 17 ANOS

Peter e Renee Hoffman fizeram parte da Igreja *New Life Fellowship* durante quase sete anos antes de se mudarem para Michigan. Duas coisas os fizeram incrivelmente únicos para a cidade de Nova York. Primeiro, eles moravam num apartamento alugado de três dormitórios com doze filhos. (Felizmente, nem todos eles viviam

[22] MOLTMANN. *Theology of Play* [Teologia do brincar], p. 18.
[23] MOLTMANN. *Theology of Play* [Teologia do brincar], p. 13.
[24] WITHERINGTON, *Rest of Life* [O restante da vida], p. 52, 53.

em casa ao mesmo tempo.) Praticavam o sábado juntos já havia dez anos quando chegaram a nossa igreja.

A seguir, um trecho de um jornal da faculdade escrito por Abbey, sua filha de dezessete anos:

> Todo sábado à noite, às seis e meia, toda a minha casa fica às escuras, exceto por uma pequena vela na mesa da cozinha. Ela projeta um brilho quente sobre os rostos dos que estão sentados em volta: meus pais, seis irmãos mais novos e normalmente um ou dois convidados. São retiradas as tampas de enormes pratos de comida e os aromas enchem o ar como uma brisa fresca numa noite de verão... É assim que minha família recebe o sábado, um ritual semanal que temos praticado há cerca de dez anos. Ele começa às seis horas da tarde no sábado e dura até às seis horas do domingo.
>
> Como é tão fácil ser pego nas mensagens contraditórias em torno de nós, precisamos de tempo para reduzir o ritmo em família e ter em mente o que nossa vida realmente é. O ritual da guarda do sábado é uma declaração radical de que nós *não* somos Deus, e que confiamos nele para sustentar o mundo, mesmo se pararmos um dia na semana. Desligamos todos os telefones e computadores e não assistimos à TV. Nós os substituímos por atividades que nos edifiquem espiritualmente e nos aproximem mais como família. Isto inclui qualquer coisa desde tocar violão e entoar cânticos de louvores a fazer caminhadas pelo parque e apreciar a beleza das folhas de outono, fazer brincadeiras e palhaçadas. Domingo de manhã nós acordamos cedo, chova ou faça sol, e lotamos nosso furgão de quinze passageiros para irmos à igreja às nove horas. Ir à igreja serve como um lembrete de que fazemos parte de um corpo maior de crentes que estão buscando um objetivo comum.
>
> O sábado é o meu dia favorito da semana. Se Deus algum dia escolher me dar uma família, vou continuar com este ritual. O sábado traz paz, amor e ordem à nossa casa e família, e os benefícios são incontáveis.

Uau, você compreendeu toda essa percepção e sabedoria? O sábado dos Hoffman descrito por Abbey captura todas as três facetas do sábado por nós descritas até agora – disciplina essencial da formação espiritual, resistência aos principados e poderes, diversão.

Sábado como lugar de revelação

Nós recebemos revelação de Deus por meio de várias formas, incluindo a Bíblia, oração, mentores sábios, criação e portas fechadas. E muitos cristãos reconhecerão que existem algumas revelações de Deus que vêm somente por meio de coisas como a prova severa do sofrimento e das tempestades da vida. Poucos, entretanto, se dão conta de que um princípio semelhante se aplica ao sábado. Existem algumas coisas que Deus pode depositar em nossas almas somente quando nos desligamos completamente do trabalho e descansamos.

No sábado, algo da santidade e da bondade de Deus é revelado, não simplesmente na forma como ele opera, mas na forma como ele descansa. Isto significa que, quando deixamos de receber a dádiva de Deus do sábado, perdemos algo de Deus – algo que não podemos obter de outra forma. Permita-me ilustrar isto com um simples exemplo bíblico.

Deus ordenou que os antigos israelitas deixassem a terra descansar durante um ano inteiro a cada sete anos, chamando-o de descanso sabático da terra. Por quê? Para que ela pudesse recuperar os nutrientes do solo exauridos. Trabalhar o solo ano após ano sem este descanso deixaria o solo infértil. O solo de nossa alma não é em nada diferente. O trabalho requer algo de nós; ele exaure nossas energias, nossa sabedoria, nossas reservas. Se não permitimos que o solo de nossa alma descanse, cometemos violência contra nós mesmos. Como seres humanos, nós fomos criados para um ritmo equilibrado de trabalho e descanso. Com o passar do tempo, a fadiga e o esforço tornam mais difícil para nós vivermos e nos conduzirmos a partir dos frutos do Espírito. Mas, no sábado, Deus usa o descanso, o deleite e a diversão para repor nutrientes espirituais exauridos como amor, alegria, paz, paciência e bondade. Nós recebemos seu amor e ele nos recompõe – como pessoas e como líderes – para produzirmos fruto.

Uma vez parados e descansados, descobrimos também que Deus está falando – muito. Existem coisas que ele quer nos revelar que jamais poderíamos ouvir, muito menos atender, a menos que estejamos num lugar de descanso. Por exemplo, metas que consideramos importantes repentinamente parecem menos importantes ou talvez até distrações do que Deus poderia estar nos chamando a fazer. Percebemos que a vida é mais ampla e mais rica do que nossas metas e preocupações de liderança. Quando praticamos a confiança em Deus com nosso trabalho (e todos os problemas e preocupações decorrentes) pelo período de 24 horas, começamos a descobrir ser mais fácil confiar a ele o resultado do nosso trabalho, bem como os outros dias da semana.

Geri e eu sempre nos surpreendemos com o modo com que Deus usa o sábado para aprofundar em nós verdades crucialmente importantes nas quais cremos. Eis dois exemplos recentes:

- **Deus não se precipita.** Ele com frequência se move mais vagarosamente do que o cronograma que eu tenho para minhas metas. De fato, eu sempre descubro que ele tem metas diferentes! Durante os outros seis dias, eu elaboro estratégias, recruto e transmito a outros a visão para expandir o reino de Deus. Minha mente está cheia de ideias animadas e planos. No sábado, eu interrompo meu trabalho e provo o gosto do contentamento de Deus em seu plano sem pressa, deliberado para salvar um mundo que eu penso que precisa desesperadamente dele *agora*!

- **O principal trabalho de Deus para mim como líder é confiar em Jesus (Jo 6.28-29).** Durante os outros seis dias, faço o melhor que posso para levar meus dons e talentos a produzirem a edificação da igreja de Deus no mundo. Procuro confiar nele enquanto faço isso. No sábado, confio somente em Jesus e recebo seu amor. Lembro-me de que Jesus é o cabeça da igreja e que ele administra o mundo melhor do que eu. Ele realmente está no comando. Eu não estou no controle das coisas. De fato, quando eu durmo, Deus está trabalhando; e quando eu acordo, uno-me a ele em seu trabalho (Sl 121, 127).

Muita revelação nos aguarda no sábado se apenas pararmos para recebê-la. Muitos de nós somos bons para falar. Não somos igualmente bons para ouvir. Quando praticamos o sábado, tornamo-nos melhores ouvintes, descobrindo que Deus está falando a nós e que nós temos estado ocupados demais para ouvir.

Ao ler sobre as quatro facetas do lindo diamante que é o sábado, você se viu desejando experimentar essas coisas e querendo não perdê-las? Você não tem de perdê-las! Nunca é tarde demais para aceitar a beleza e a alegria do descanso do sábado.

Crie um recipiente para o seu sábado

É preciso criatividade e perseverança, bem como tentativa e erro para fazer a transição de meramente ter um dia de folga a observar um "sábado ao Senhor nosso Deus". Qualquer um que tentou levar o sábado a sério logo se deu conta de que a guarda do sábado requer importante reflexão e planejamento antecipado. Requer também definir e manter limites no uso do tempo.

Meu amigo Todd Deatherage é cofundador de uma organização sem fins lucrativos dedicada à promoção da paz e compreensão entre os povos na Terra Santa. Como parte do seu trabalho, ele faz muitas viagens à Terra Santa todos os anos. Fiquei fascinado quando Todd descreveu sua experiência do sábado (*Shabbat*) em Jerusalém com uma família judaica:

Começando cerca de dez anos atrás, um amigo rabi me convidou várias vezes para ir à sua casa para uma experiência do *Shabbat* com sua família. O *Shabbat* sempre se inicia com uma bonita refeição compartilhada com a família e amigos. São recitadas orações e bênçãos, e segue-se uma tranquila noite de conversa – às vezes durante três a quatro horas. O cuidado e a intencionalidade dados à escolha do lugar, o preparo especial das comidas e a reunião de amigos e da família sempre me fizeram sentir a plena celebração de um feriado do que uma refeição semanal. Imagine celebrar o dia de ação de graças uma vez por semana, e você terá uma ideia do que é o *Shabbat*.

O rabi e sua família me ensinaram como a adesão deles a um rígido conjunto de orientações sobre o que eles podem ou não podem fazer no sábado serviu como um recipiente que lhes permitiu entrar no descanso do sábado. Para eles, o *Shabbat* é muito diferente dos outros seis dias da semana. Tudo o que distrai – e há muitas distrações em nossa era saturada de tecnologia e informação – é posto de lado em favor de coisas como oração, estudo, longas caminhadas, cochilos, passeios, refeições compartilhadas e conversas importantes. Não haveria tempo ou espaço para essas coisas sem a proteção ou limites firmes sobre o dia.

Pensar nos limites do sábado na forma com que Todd o descreve – um recipiente protetor – muda minha perspectiva: eu passo do legalismo (uma longa lista de obedientes "não farás") para a expectativa. Esse é um dia no qual eu deixo de lado minhas ocupações na expectativa de algo melhor. Eu não apenas olho com gratidão para o que Deus fez, mas também espero ansioso pelo que ele fará.

A guarda do sábado pode ser rica e bonita, mas temos de nos dispor a criar o recipiente protetor – as fronteiras – que o tornem possível. Para poder entrar nele, temos de nos submeter a orientações concretas que separem o sábado dos negócios normais dos outros seis dias da semana. Para alguns, isto pode incluir desligar todas as redes sociais, telefones e computadores. Para outros, pode ser tolerância zero para qualquer conversa sobre trabalho. Talvez o sábado possa começar e terminar com uma refeição, o acender de uma vela, uma oração. O importante é observar os quatro princípios do sábado – parar, descansar, deleitar e contemplar Deus – e construir seu recipiente protetor adequadamente. Aqui estão algumas orientações para considerar enquanto você se prepara e começa a criar seu próprio recipiente do sábado.

Ler a respeito do sábado. Existem muitos livros excelentes sobre o sábado tanto sob a perspectiva cristã como judaica. Obras excelentes para começar é *Sabbath: Finding Rest, Renewal and Delight in Our Busy Lives* [Sábado: Encontrando descanso, renovação e deleite em nossa vida ocupada], de Wayne Muller, e *The Sabbath: Its Meaning for Modern Man* [Sábado: Seu significado para o homem moderno], de Abraham Joshua Heschel. Leia-os vagarosamente e em atitude de oração.

Identificar um bloco de tempo de 24 horas. A maioria dos pastores tiram a segunda-feira como dia de folga. Se esse é o seu caso, você poderia começar com esse dia e transformá-lo num sábado. Entretanto, eu quase sempre recomendo que pastores e líderes eclesiásticos que trabalham aos domingos tentem reservar as horas do tradicional sábado judaico – das seis horas da tarde da sexta-feira até as seis horas da tarde do sábado. No entanto, se você rotineiramente realiza muitos casamentos ou tem outros compromissos intransferíveis no sábado, a segunda-feira pode ser um sábado (dia de descanso) melhor a longo prazo. O importante é se fixar num dia consistente de descanso (em vez de ficar pulando de um para outro dia). Um dia fixo de descanso é essencial para criar um ritmo significativo e equilibrado de trabalho e descanso em suas semanas. Embora eu ocasionalmente troque meu sábado para harmonizar uma conferência ou evento inesperado, tento fazer disso uma rara exceção.

Faça uma lista do que lhe dá prazer. Embora isto possa parecer simples, na realidade pode revelar-se uma tarefa difícil, especialmente se já faz algum tempo que você experimentou algo que lhe tenha dado prazer. Por isso reserve algum tempo para refletir sobre lugares, atividades e pessoas que o animam. Considere também coisas que você ainda não fez e que gostaria de fazer, como, por exemplo, esportes específicos, jogos com amigos, comer fora, filmes, atividades ao ar livre, dança de salão, leitura (para diversão, não trabalho), museus ou outras instituições culturais e eventos etc. A questão fundamental aqui é: *Que atividades são como brincadeiras prazerosas para mim?*

Preparo antecipado. A preparação requer reorganização nos seis dias da semana para que você possa de fato parar e desfrutar um sábado de 24 horas. Identifique o trabalho não remunerado que você normalmente faz em seu dia de folga e reserve tempo para cumpri-lo durante a semana. Se você deixar de preparar, sem dúvida irá fazê-lo durante o seu sábado. No dia em que o seu sábado começa (ou na noite anterior), comece sua transição para o sábado três ou quatro horas antes. Use o seu tempo de transição para cuidar das tarefas de última hora, por exemplo, compras na mercearia, pagamento de contas, aparar a grama ou dar um último telefonema para acertar algum trabalho relacionado à semana seguinte.

Defina seu "recipiente" protetor – e então experimente. Aqui é onde você identifica as regras e os limites do que fará ou não no sábado. Aqui você está procurando responder a perguntas como: *O que tornará o sábado diferente das ocupações normais nos outros seis dias da semana?* E: *O que eu preciso fazer (ou não) para proteger minha capacidade de descanso neste dia?* Vá em frente e comece uma lista. Por exemplo:

Farei no sábado...

- Marcar o início oficial do sábado acendendo uma vela e dando graças.
- Passar tempo ouvindo Deus na Escritura, em oração e em silêncio.
- Expor-me às maravilhosas obras da criação de Deus, ao ar livre na natureza ou através da arte (música, drama, arte visual etc.).
- *Não farei no sábado...*
- Abrir o Twitter ou o Facebook, ou ler qualquer email relacionado ao trabalho.
- Falar de trabalho ou me envolver em qualquer tarefa relacionada a trabalho (a menos que seja uma verdadeira emergência).
- Tentar me envolver em tarefas domésticas ou incumbências que foram adiadas.

Não existe uma lista definitiva que se aplique a todos. Seu recipiente de sábado pode parecer bem diferente do de seu supervisor, colegas ou amigos. Isso não é apenas certo, mas necessário, visto que todos nós estamos em fases diferentes da vida e temos preocupações únicas que afetam nossa habilidade de experimentarmos plenamente o sábado.

Uma vez criado o seu recipiente, pratique esses limites do sábado durante pelo menos quatro a seis semanas. Você pode contar que isso será perturbador e desafiador no início, por isso dê algum tempo a si mesmo, e eu prometo que se tornará mais fácil à medida que você avançar. Após várias semanas, realize alguns ajustes, acrescentando ou eliminando itens de suas listas "farei" e "não farei". Após cerca de seis meses, você deve ter uma boa ideia do tipo de sábado que funciona para você.

Encontre apoio. Se você conhece pessoas que guardam regularmente o sábado, converse com elas. O que elas fazem? O que elas aprenderam? Quais as armadilhas que elas recomendam você evitar? Se você não conhece ninguém que pratique o sábado, encontre um amigo ou colega e os convide para começar a observar o sábado com você para que possam aprender uns com os outros e processar suas experiências juntos. Se você é solteiro, encontrar apoio é particularmente importante. Muitos solteiros têm a intenção de se unirem a outros no sábado para refeições, organizar ou ir a eventos sociais, participar de um clube do livro, unir-se a atividades de uma igreja, convidar uns aos outros para refeições ou desenvolver um hobby como dança, caminhada ou cozinhar. Também, se tirar um sábado tem implicações importantes para o seu trabalho, não se esqueça de falar com alguém que seria impactado por sua decisão – seu supervisor, colegas ou os que se reportam a você. Guardar o sábado não deve se tornar fonte de discórdia com as pessoas com quem você trabalha, por isso as inclua em seu processo e em seu pensamento. Tanto quanto possível, você quer buscar a compreensão e o apoio delas.

Uma vez desenvolvido seu próprio ritmo e limites do sábado, então você pode começar a usufruir desse dia.

O que significa liderar a partir do sábado?

Como alguém que esteve na liderança durante quase três décadas, eu posso dizer que o sábado é, sem dúvida, o dia mais importante da semana para a minha liderança. É também o dia da semana em que creio – e vivo – numa verdade fundamental do evangelho. Como? *Eu não faço nada produtivo, todavia sou completamente amado.* Permita-me contar uma história que ilustra o que eu quero dizer.

Quando Geri esteve recentemente fora durante uma noite de sábado, aproveitei a oportunidade para dedicar nosso tempo regular de sábado para passar tempo com cada uma de nossas quatro filhas. Meu sábado à noite começou assistindo a um filme com Maria. Na manhã seguinte, viajei de Queens a Manhattan para um café da manhã com Christy, fizemos uma caminhada de um quilômetro e meio, e depois desfrutei um almoço e uma tarde com Eva. Voltei para casa e passei um tempo de conversa descontraída com Faith. Lembro-me de ter dito a mim mesmo no final daquele sábado: "Sou o mais abençoado dos homens!"

O sábado me ensinou o que é mais importante – Deus, amor, deleite, alegria, Geri, nossas filhas, amigos, família estendida. Como resultado, sou um tipo bem diferente de líder do que seria sem o sábado como fundamento do meu trabalho semanal. Sou mais capaz de me soltar. Estou mais atento à voz de Deus. E sou (na maioria das vezes) mais tranquilo.

Tendo-me mudado dessa forma, o sábado impactou positivamente as pessoas ao meu redor, não apenas minha família, mas também os meus liderados.

Por ter aos poucos descoberto que a ideia do sábado não é só descansar do trabalho, mas *trabalhar a partir do descanso*, descobri ser muito mais fácil dar descanso a quem eu lidero. Eis o princípio bíblico:

> *Guarda o dia de sábado, para o santificar... Nesse dia não farás trabalho algum, nem tu, nem teu filho, nem tua filha, nem teu servo, nem tua serva... para que teu servo e tua serva descansem como tu* (Dt 5.12, 14).

Embora os funcionários e voluntários com os quais trabalhamos certamente não sejam nossos servos, eles estão sob nossa autoridade e sujeitos à nossa influência. Isto significa que, no escopo legítimo de nossas responsabilidades, estão os limites que tornam o sábado possível para eles.

Enquanto você considera o que poderia significar para você liderar a partir do sábado, aqui estão algumas coisas para ter em mente:

Estimule pelo exemplo. Fale sobre suas experiências do sábado, tanto sucessos quanto fracassos. Praticar o deleite do sábado é um ato profético e uma poderosa ferramenta de ensino. As pessoas precisam de uma variedade de exemplos. E embora o seu possa ser apenas um, provavelmente será o primeiro e o mais influente para aqueles que você lidera.

Forneça respostas para questões e desafios. Na *New Life*, nós treinamos os membros do conselho, o pessoal administrativo e os principais líderes a respeito do sábado. O ensino do sábado é parte do nosso processo de membresia e do curso do núcleo de formação espiritual. Nós também fornecemos uma variedade de livros, sermões, artigos e mensagens para download, bem como outras ferramentas.[25]

Quando você começar a apresentar pela primeira vez o sábado como um valor, as pessoas terão muitas perguntas, especialmente quando começarem a praticar. Se você começar com sua equipe ou funcionários, arranje tempo para processar essas perguntas em reuniões semanais. Ao ensinar a guarda do sábado a uma congregação, esteja preparado para os muitos e únicos desafios que as pessoas terão de superar – desde cuidar de filhos pequenos ou pais idosos a emergências de trabalho que requerem constantes mudanças em suas agendas. Você não pode resolver todos os seus problemas, mas pode estar pronto a fornecer recursos e apoio e responder às perguntas mais frequentes.

Envolva sua equipe perguntando-lhe como experimenta o sábado. Parte do apoio ao valor do sábado é demonstrar interesse. Costumo

[25] Para recursos grátis e FAQs, v. www.emotionallyhealthy.org/sabbath.

perguntar à equipe, aos voluntários, aos colaboradores e aos amigos especificamente sobre seus ritmos de sábado e o andamento da vida. Isso transmite que eu me importo com eles como pessoas e não simplesmente com sua função no trabalho.

Na parte 2, vamos dar uma olhada mais de perto em como a prática do sábado tem implicações significativas para desenvolver uma cultura saudável e construir uma equipe saudável. No entanto, antes que você possa realmente liderar a partir do sábado e estender a dádiva do sábado a outras pessoas, deve praticá-lo você mesmo.

O QUE VOCÊ FARÁ COM O SÁBADO?

Um amigo meu, Sam Lam, sócio-diretor da Linkage, preside um programa singular de liderança chamado "Linkage 20 Conversations@Harvard". Seu objetivo é ajudar seus alunos, altos executivos em todo o mundo, a maximizar a produtividade e o rendimento pelo aprendizado direto com outros líderes dinâmicos. A maioria costuma ser ambiciosa, obstinada, empreendedora de primeira linha. Sam diz que, sejam seus alunos cristãos ou não, quase todos eles podem ser descritos como transgressores do sábado porque violam sistematicamente seus limites. (Ele confessa ser ele mesmo um transgressor do sábado em remissão.)

No entanto, para Sam a questão fundamental para esses líderes não é: *Quantas horas você trabalha por semana?* A verdadeira questão é: *O que você faz com o sábado?* Afirma ele:

> Se você não guarda o sábado, Deus o guarda para você. Durante muitos anos eu pensei que era a idolatria e outros pecados cometidos pelo povo de Israel que resultaram em seus setenta anos de cativeiro na Babilônia. Então, certo dia, eu me deparei com um texto da Bíblia que mudou minha visão sobre o sábado. O texto é: *Foi justamente esta a mensagem do Eterno por meio da pregação de Jeremias: a terra desolada teve o seu descanso sabático, um descanso de setenta anos, como compensação pelos sábados não respeitados* (2Cr 36.21, A Mensagem). Em outras palavras, deixar de guardar o sábado exigiu uma espécie de compensação – a perda tinha de ser contabilizada. Eu entendi que o mesmo princípio se aplica a nós hoje. Se nós não guardamos o sábado, estamos incorrendo em déficit e o próprio Deus nos interrompe, por meio de uma crise, um problema de saúde, uma emergência, ou alguma coisa que chama a nossa atenção.

Embora não tenha certeza se desejo construir toda uma teologia do sábado baseada na exegese de Sam, tenho repetidas vezes testemunhado a verdade de suas palavras. Deus sempre nos para quando sistematicamente violamos nossos limites e desconsideramos nossa necessidade de descanso. Se você recusa a dádiva do sábado, mais cedo ou mais tarde, de uma forma ou de outra, você ver-se-á de cama, doente – emocional, física e/ou espiritualmente. Talvez você esteja nesta condição neste momento. Neste lugar de vulnerabilidade, Deus começará a restaurá-lo, e lhe oferecerá a dádiva do sábado. Ele fez isso por mim mais de uma vez. Ele ama demais você e a mim.

Compreendendo sua avaliação do sábado

Se você fez a avaliação do sábado nas páginas 147 e 148, aqui estão algumas observações para ajudá-lo a refletir em suas respostas.

Se a sua pontuação se concentrou em um e dois, provavelmente você está trabalhando mais do que Deus pretende, talvez até mesmo sem um dia de folga. O seu corpo, mente e espírito foram feitos para um ritmo de trabalho e sábado, que é algo de que você precisa desesperadamente. Eu o encorajo a ponderar cuidadosamente sobre o texto bíblico citado neste capítulo a respeito do sábado e considerar em atitude de oração as implicações para sua liderança, sua vida pessoal e para sua equipe. Você pode querer começar com um sábado de 12 horas e expandir a partir daí.

Se a sua pontuação se concentrou mais em dois e três, provavelmente você já começou a jornada rumo a um ritmo saudável de equilíbrio entre trabalho e descanso. Você tem a capacidade de relaxar e estabelecer fronteiras em torno do trabalho, compreende que sua identidade não está construída em seu trabalho e desfruta as dádivas de Deus. Com esse fundamento, você tem tudo de que precisa para experimentar um rico e poderoso sábado que inspirará os outros seis dias da semana. Eu o encorajo a pensar – teológica e praticamente – na natureza do sábado. Você pode também querer falar com um amigo ou usar um registro diário para explorar as raízes de qualquer obstáculo ou resistência que sente para praticar o sábado.

Se a sua pontuação se concentrou mais em quatro e cinco, você está maravilhosamente posicionado para aprofundar sua experiência e desfrutar as riquezas que Deus oferece no sábado. Você está pronto para articular mais claramente a nuance subjacente e as nuances práticas em torno do sábado diante daqueles que trabalham com você – e talvez também de um grupo maior. Eu o encorajo a investir o tempo e a energia necessários para se equipar mais plenamente, abrindo novos caminhos com o fim de ajudar outros a praticarem o deleite do sábado como uma disciplina central da formação espiritual.

Parte 2

A vida exterior

Eu pensei em iniciar este livro com os quatro capítulos que se seguem na vida exterior de um líder. Por quê? Porque a maioria de nós na liderança procura material prático e novas ideias que possa implementar imediatamente. Descobri, entretanto, que quando começamos com práticas da vida exterior sem enfatizar nossa vida interior, as mudanças positivas que efetuamos são insustentáveis.

Na parte 1, apresentei a imagem de um arranha-céu de Manhattan onde colunas de concreto ou aço (chamadas de "estacas") são marteladas no chão para penetrarem até a rocha sólida. Essa imagem comunica efetivamente o ponto fundamental da primeira metade deste livro – para ser um líder emocionalmente saudável, devemos perfurar profundamente certas práticas em nossa vida interior se quisermos uma boa construção. Defini as questões da vida interior como: enfrente sua sombra, desfrute seu casamento ou vida a sós, reduza o ritmo em favor de uma amorosa união e pratique o deleite do sábado.

Ao nos movermos para a parte 2 sobre a vida exterior do líder, eu quero trocar de imagem de um arranha-céu pela antiga imagem de uma grande árvore frutífera. Isso captura mais claramente a inseparável conexão orgânica entre as raízes (nossa vida interior) e os ramos produzindo frutos (nossa vida exterior).

Uma árvore com um sistema de raízes raso pode até parecer bonita por fora, mas é incapaz de suprir a água e os nutrientes para o contínuo crescimento vertical da árvore toda. Isso se torna um problema significativo quando nossos ministérios e organizações crescem mais rápido do que a profundidade das raízes que as sustentam. Raízes profundas e amplas fixam a árvore com firmeza, permitindo que ela sugue abundante água e nutrientes de uma área maior e mais profunda do solo. Em muitos casos, os sistemas de raízes de nossa vida espiritual são inadequados para os desafios de formar e liderar uma igreja crescente, uma organização ou equipe (parte 1).

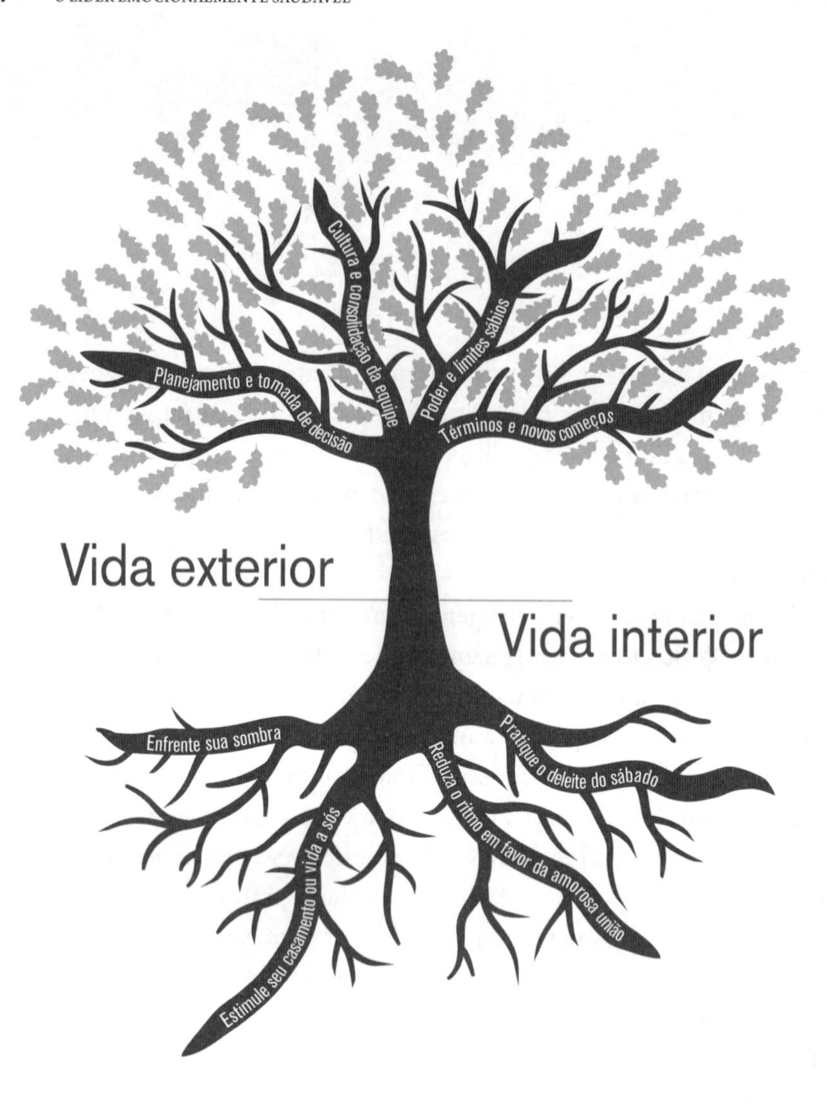

Ao mesmo tempo, parece lógico que uma vida interior mais profunda deva levar a boas práticas organizacionais. Infelizmente, entretanto, quase sempre isso não acontece. Existe uma desconexão quando deixamos de aplicar nossa espiritualidade com Jesus a tarefas de liderança como planejamento, organização da equipe, limites, términos e novos começos. Frequentemente, nós, ao contrário, confiamos em práticas gerenciais não modificadas para conduzir essas tarefas em determinado rumo, enxertando ramos seculares em nosso sistema de raízes espiritual. Isto tende a produzir o tipo errado de fruto. Embora sejamos chamados a resgatar o melhor do que pudermos aprender com o mercado, isso deve ser cuidadosamente podado para que "se encaixe" na vida inerentemente espiritual de nossas equipes e ministérios.

A vida a partir de nosso sistema de raízes com Jesus deve fluir para cima e para fora em cada aspecto de nossas tarefas exteriores de liderança, se desejamos dar fruto.

Nos capítulos seguintes, vamos examinar de que formas específicas os nutrientes e a água das raízes da árvore realmente abastecem as áreas críticas (ou os ramos) da liderança. Eu escolhi focar em quatro tarefas críticas da vida exterior de um líder:

- Planejamento e tomada de decisão
- Cultura e consolidação da equipe
- Poder e limites sábios
- Términos e novos começos

Essas quatro tarefas são fundamentais para a vida de todo líder, mas quase sempre negligenciadas. Integrar minha vida interior com essas quatro tarefas da vida exterior foi muito emocionante e vivificante – tanto para mim pessoalmente como para nossa igreja. Deus nos deu alegria, uma graça tão pacientemente esperada em relação à manifestação da sua vontade e tal clareza para ir em frente que foi libertador. Essa é minha oração e esperança para você à medida que ler estas páginas.

Assim, comecemos agora com a primeira tarefa exterior que enfrentamos cada dia como líderes – planejamento e tomada de decisão.

CAPÍTULO 6

PLANEJAMENTO E TOMADA DE DECISÃO

Dois anos depois de plantar a *New Life* em 1987, Geri e eu estávamos voando para uma conferência cristã. Eu tinha algumas notícias para compartilhar e havia esperado pelo momento oportuno. Aquele era o momento.

– Ah, Geri, a propósito, vamos começar um culto em espanhol à tarde em cinco meses. Tudo já está em andamento. Vai ser ótimo!

Silêncio.

Vasculhei a memória, repassando detalhes para me garantir a respeito da decisão.

Tudo o que havíamos feito até aquele momento – frequentar seminário, estudar em Costa Rica, trabalhar numa igreja de língua espanhola durante um ano e então começar a *New Life* numa comunidade onde a língua espanhola era amplamente falada – havia nos levado àquele lugar. E agora Deus havia trazido um casal, recentemente chegado da Colômbia, para unir-se à nossa equipe de liderança.

No que me dizia respeito, não havia dúvidas de que começar um culto em espanhol era a vontade de Deus. Poderíamos alcançar pessoas para Cristo e expandir nosso impacto na comunidade. *Como podia aquilo não ser a vontade de Deus?* Ter uma segunda congregação também abriria portas para que mais pessoas do nosso grupo central usassem seus dons no ministério. *Uma situação que só daria lucro! Claro que aquela era a decisão correta!*

– Sobre o quê você está falando? – Geri finalmente disse num tom claramente aborrecido. – Você nem estabeleceu plenamente a igreja em inglês e está pronto para expandir em outra língua? Nós nem sequer temos ainda uma base de liderança! Quem irá pregar lá? Você?

Mas eu estava preparado.

– Não – respondi, sem me alterar. – Há este casal que pastoreou na Colômbia. Eles estão chegando na próxima semana. São altamente recomendados. Eu não terei muito que fazer a não ser pregar uma ou duas vezes por mês.

– Você deve estar brincando comigo – Geri resmungou, virando-se para a janela e olhando as nuvens.

No fundo da minha mente eu estava pensando: *Provavelmente ela tem razão, mas, se não começarmos isto logo, vou perder o espanhol que dei duro para aprender, e todo o investimento de tempo, energia e dinheiro terá sido por nada.*

O espaço entre as nossas poltronas ficou maior num silêncio abissal.

Enquanto Geri continuava a olhar as nuvens que passavam, pedi a Deus que lhe desse fé e visão. Então rompi o silêncio.

– Não se preocupe, Geri – comecei, tentando parecer calmo e confiante. – Conversei com nosso conselho consultivo, e eles estão animados.

Geri deu um suspiro.

– Pete, você não está preparado. Você não pensou em tudo, mas eu acho que irá em frente de qualquer forma. E não há nada que eu possa fazer para impedir você.

Ela estava certa.

O ministério voltado à comunidade de língua espanhola cresceu rapidamente no primeiro ano. Mas o casal vindo da Colômbia não teve êxito, e rapidamente o substituímos por outro pastor. Três anos depois, esse pastor tirou duzentas pessoas da congregação e começou outra igreja. Essa igreja se dividiria ainda em mais três antes de fechar as portas, dez anos depois.

A congregação de língua espanhola que foi deixada na *New Life* depois da divisão acabou se estabilizando e tornou-se bem-sucedida ao lado da congregação de língua inglesa. Mas todo esse episódio caótico e doloroso se arrastaria por nove longos anos, com muito desentendimento e mágoa desnecessários.

Quando Geri e eu tivemos essa conversa no avião, eu ainda estava muito longe de compreender as quatro raízes cruciais (descritas nos capítulos 2–5) que firmam a vida interior do líder com Deus. Sem essa âncora, minha liderança era fraca e fragmentada, especialmente quanto ao planejamento e à tomada de decisão. Nossa estrutura de liderança – tudo acima da superfície – estava começando a revelar meu raso sistema de raízes. E as implicações eram evidentes na *New Life*. Havia relacionamentos tensos, voluntários exaustos e conflitos acontecendo. As pessoas começaram a cair fora, ministérios se debatiam e eu sentia uma pressão constante e crescente para cobrir tudo com um verniz de excelência ministerial, o que somente tornava as coisas piores e difíceis de administrar.

Eu sabia que tínhamos problemas, mas durante anos acreditei que se pudesse simplesmente identificar o processo correto de planejamento e de tomada de decisão, só tomaríamos boas decisões. Isso, descobriu-se, foi tanto ingênuo como equivocado. Só depois que desenvolvemos nosso sistema de raízes (isto é, nossas vidas interiores descritas nos capítulos 2–5) foi que começamos a fazer progresso em superar nosso pobre planejamento e tomada de decisão. Nossa vida com Jesus começou a fluir para cima e para fora de uma forma poderosa. Logo se tornou clara a dramática diferença do nosso antigo padrão para o nosso planejamento e tomada de decisão emocionalmente saudáveis.

SUA PRÁTICA DE PLANEJAMENTO E TOMADA DE DECISÃO É SAUDÁVEL?

Use a lista de declarações a seguir para fazer uma breve avaliação do seu planejamento e de sua tomada de decisão. Em seguida a cada declaração, anote o número que mais bem descreve sua resposta. Use a escala a seguir:

5 = Totalmente verdadeiro
4 = Bastante verdadeiro
3 = Parcialmente verdadeiro
2 = Raramente verdadeiro
1 = Falso

____ 1. Meu processo de planejamento e tomada de decisão demonstram consistentemente minha convicção de que o discernimento para fazer a vontade de Deus estão entre minhas mais importantes tarefas como líder.

____ 2. Estou consciente de quanto minha sombra poderia me tentar a dizer sim a mais oportunidades do que Deus pretende, ou dizer não a portas que Deus abriu (por medo do fracasso, por exemplo).

____ 3. Meu processo de planejamento e tomada de decisão reflete minha convicção de que o preparo interior (passar tempo suficiente com Deus) é ainda mais importante do que o preparo externo (reunir dados relevantes).

____ 4. Habitualmente, separo tempo suficiente para oração e reflexão antes e durante o processo de planejamento e tomada de decisão com minha equipe.

____ 5. Estou disposto a suportar a dor de curto prazo para a tomada de uma decisão impopular, a fim de garantir o bem do nosso ministério, organização ou equipe a longo prazo.

____ 6. Evito me envolver em importantes conversas de planejamento ou tomar decisões importantes quando estou emocionalmente abalado (perturbado, frustrado, com raiva etc.).

____ 7. Habitualmente reflito sobre o impacto de meus planos e decisões sobre meu casamento ou vida de solteiro, minha amorosa união com Cristo e meu ritmo sabático.

____ 8. Habitualmente reflito sobre o impacto de meus planos e decisões sobre o casamento ou vida de solteiro, a amorosa união com Cristo e o ritmo sabático dos que trabalham comigo.

____ 9. Resisto à tentação de tomar decisões importantes rapidamente. Reflito com prudência e atitude de oração nas implicações de longo prazo.

____ 10. Estou profundamente consciente da minha tendência humana em relação ao autoengano – confundir a minha vontade com a de Deus.

Reserve um momento para rever rapidamente suas respostas. O que mais se destaca para você? No final do capítulo (páginas 207 e 208) estão algumas observações gerais para ajudá-lo a compreender melhor o nível atual de saúde em seu planejamento e tomada de decisão.

Características-padrão de planejamento e tomada de decisão

Eu amo traçar estratégias, lançar novas visões e sonhar com soluções criativas. Entretanto, no processo, tenho presumido muita coisa errada. Veja se você se identifica com algumas delas.

Eu presumi que...

- Se iniciássemos e terminássemos nossas reuniões com oração, Deus guiaria todas as nossas decisões.
- Era sempre a vontade de Deus que a nossa igreja estivesse numa temporada de colheita de fruto (e raramente, se é que devia ter, uma temporada de poda).
- Se uma iniciativa fosse estratégica e impactante seria, consequentemente, a vontade de Deus.
- Sempre foi a vontade de Deus superarmos os limites por nós enfrentados.
- Cada membro da nossa equipe sempre dava atenção ao que estava acontecendo interiormente, bem como estava usando a Escritura e sábio conselho para discernir a vontade de Deus no planejamento e na tomada de decisão.
- Cada membro da nossa equipe sempre chegava às reuniões concentrado, tendo se ancorado em amorosa união e oração antes do tempo.

- O crescimento numérico e o aumento dos níveis de participação em servir por meio de nossos programas ministeriais era evidência de um autêntico crescimento em Cristo.
- Deus negligenciava quaisquer motivações confusas de nossa parte enquanto nossos planos e decisões estivessem indo na direção certa.
- Infelizmente, toda presunção está errada. Pior ainda, essas e outras presunções erradas permanecem no planejamento-padrão e na prática da tomada de decisão de muitos líderes cristãos e das equipes que eles lideram. Quando caímos em presunções como essas, sucumbimos a uma ou mais de três tentações comuns: nós definimos o sucesso de forma muito estreita; fazemos planos e tomamos decisões sem Deus; e ultrapassamos os limites de Deus.

Nós definimos o sucesso de maneira muito estreita

Nas igrejas, nossa tendência é definir sucesso por frequência, finanças (contribuição, atingir ou ultrapassar o orçamento etc.), decisões por Cristo, batismos, número de participantes em grupos pequenos ou outros programas ministeriais etc. Se trabalhamos numa organização sem fins lucrativos ou no mundo dos negócios, podemos medir o aumento na participação do mercado, o programa de expansão ou número de pessoas servidas. Quando os números são altos, somos bem-sucedidos; quando são baixos, não somos.

Os números podem ser válidos como medida de fecundidade para Deus, mas usar números para definir sucesso não deixa de ter seus perigos. Sei disso por experiência própria.

Nos primeiros dias da *New Life*, foi-nos oferecida uma subvenção de cinco mil dólares se participássemos de uma estratégia de divulgação da comunidade. A estratégia envolvia o endereçamento manual de dez mil convites criados profissionalmente para nosso culto de Páscoa. Essa estratégia havia funcionado de forma brilhante para várias igrejas, e foi-nos dito que ajudaria também a *New Life* a crescer. Lancei a ideia e o nosso pequeno grupo central trabalhou febrilmente, escrevendo nomes e endereços em cada envelope num período de duas semanas. Chegou a Páscoa. Houve um acréscimo de cinquenta pessoas junto com os nossos vinte e cinco. Muitos eram convidados de fora da cidade e amigos do nosso grupo central. Duas pessoas eram visitantes da comunidade. Nenhum deles retornou. O pequeno impulso que havíamos arquitetado teve vida curta.

O que aconteceu?

Ao analisar a situação, atribuí culpa à minha imaturidade e à falta de experiência de liderança. Dez mil cartas em inglês não atingem uma comunidade onde as pessoas falam muitas línguas e onde setenta mil pessoas viviam num quarteirão de apartamentos em grandes prédios! E palavra deve ser dita que tivemos também outros problemas, como carros arrombados enquanto as pessoas assistiam aos cultos. Mas talvez o maior motivo para o fracasso dos nossos esforços tenha sido algo mais insidioso – uma visão estreita do sucesso.

Os modelos de sucesso aos quais eu havia me exposto em livros, na mídia e em várias conferências cristãs sobre liderança estavam baseados principalmente em igrejas grandes, de rápido crescimento em contextos suburbanos de classe média para alta ou de megaigrejas da Coreia do Sul, América do Sul e África. Eu fui também fortemente influenciado pelo que li sobre a história do Grande Avivamento nos Estados Unidos e reavivamentos liderados por pessoas como João Wesley (1703-1791) na Inglaterra, Charles Finney (1791-1875) em Nova York e William J. Seymour (1870-1922) na Rua Azuza, em Los Angeles.

Aprendi muito com todas essas fontes, mas meus esforços em aplicar o que aprendi estavam focados principalmente em objetivos exteriores – expansão do ministério, mobilização de pessoas para servir com seus dons, estratégias para acrescentar mais pessoas à igreja, multiplicação de grupos pequenos e excelência na adoração e na pregação para que as pessoas continuassem a vir. Essas medidas externas eram importantes. O problema era que parte do nosso tempo e energia dedicados a elas excediam o tempo e a energia dedicados a medidas internas de transformação, como a profundidade do relacionamento pessoal com Deus, a qualidade de casamentos e de vidas a sós, o nível de maturidade emocional e a integridade de nossos relacionamentos como comunidade. No nível da liderança, nós também minimizamos a importância da transformação sob-a-superfície em nossa própria vida como a fonte de poder da qual alcançaríamos o mundo. Não que nós não acreditássemos nisso. Eu preguei sobre isso, do púlpito, como qualquer bom pastor faria. Mas, na agitação da atividade ministerial, não tínhamos tempo ou energia para torná-lo possível. Estávamos preocupados demais com nossas atividades e agendas lotadas.

Se eu tivesse tido uma definição mais ampla de sucesso, teria reduzido o ritmo para discernir melhor em oração aquela oferta de cinco mil dólares e a promessa de crescimento numérico. Na época, eu não sabia como discernir a definição de sucesso de Deus ou de sua vontade para nós em nosso contexto particular, por isso apenas aceitei o modelo padrão baseado amplamente no que é externo. E não aprendi com aqueles erros durante muitos anos. Por quê? Porque a questão era mais profunda do que a minha falta de experiência – eu estava fechado e cego por uma estreita definição de sucesso.

Nós fazemos planos e agimos sem Deus

Parece que os líderes de Deus vêm fazendo planos sem ele desde os primórdios da história humana. Analise...

Abraão e Sara esperaram onze anos para Deus dar o filho prometido. Quando Deus não cumpriu o cronograma, eles ficaram impacientes e decidiram que Abraão devia dormir com Hagar, a serva egípcia da família. Nasceu Ismael, e todos nós sabemos que isso só gerou problemas e sofrimento (Gn 16.1-4).

Moisés, impulsivamente, matou um egípcio num equivocado esforço para garantir justiça ao seu povo. Sua decisão precipitada custou-lhe quarenta anos no deserto, os relacionamentos com sua família adotiva e quase sua vida (Êx 2.11-23).

Os antigos israelitas queriam ser como outras nações que eram governadas por reis. Em vez de um Deus invisível como seu líder, eles exigiram um rei humano para protegê-los de seus inimigos. *Queremos um rei sobre nós, para que sejamos como todas as demais nações* (1Sm 8.19, 20). O profeta Samuel tentou dissuadi-los, mas o povo recusou.

Tensões, conflitos e idolatrias se seguiram, resultando, no final das contas, num reino dividido (1Rs 12).

Salomão planejou, desenvolveu parcerias estratégicas e negociou tratados para construir um reino maior e melhor para Deus na terra. Para o cidadão comum, suas realizações foram, sem dúvida, um óbvio sucesso e evidência da aprovação e da bênção de Deus. Mas Deus considerou inúteis os esforços de autoengrandecimento de Salomão, que estava fazendo seus planos sem Deus.[1]

A lista continua – da decisão do rei Saul de continuar no trono e matar Davi, ao profeta Jonas fugindo da ordem de Deus de ir para Nínive, à decisão de Judas Iscariotes de entregar Jesus às autoridades religiosas, à recusa do apóstolo Pedro de comer com os gentios na Galácia. Fazer planos para Deus sem ouvi-lo tem sido prática padrão há milhares de anos.

O autor britânico e comentarista de televisão Malcolm Muggeridge disse certa vez que, se Jesus vivesse hoje, o Diabo não teria dúvida em acrescentar

[1]Deuteronômio 17.14-17; 1Reis 10.23–11.6.

um quarto item na lista de tentações no deserto. Ele especulou que a quarta tentação poderia ser:

> Certo dia um magnata romano chamado Lucius Gradus ouve Jesus pregar na Galileia e fica impressionado. "Este Jesus tem potencial de astro. Ele poderia ser um superstar!"
>
> Ele instrui seus representantes para "encher a bola" de Jesus e depois o levarem a Roma. Sugere que levem João Batista com ele, junto com alguns mestres em apresentação de programas da escola filosófica ateniense.
>
> Lucius Gradus continua: "Eu vou colocá-lo no mapa e lançá-lo numa tremenda carreira como evangelista mundial. Vou espalhar seu ensino em todo o mundo civilizado e além. Ele seria louco se recusasse! Em vez de uma ralé desorganizada seguindo-o na Galileia, todos o conhecerão".
>
> "Na verdade, não haverá anúncios comerciais, apenas um respeitado patrocinador de relações públicas – Lúcifer, Inc. Não mais que: 'Este programa é oferecido por cortesia de Lúcifer, Inc.' no início e no final do programa".[2]

Muggeridge escreveu estas palavras na década de 1960. O quanto isso soa verdadeiro hoje, saturados que estamos pela mídia social e pelas tecnologias digitais? E quem entre nós desafiaria sua lógica ou aconselharia Jesus a dizer não a uma oferta dessas? Eu poderia ter trabalhado duro para tirar os créditos de Lúcifer, mas duvido que tivesse declinado por completo de uma oferta obviamente ordenada por Deus em nome de Jesus, especialmente nos primeiros anos do meu ministério. Por quê? Porque minha equipe e eu definimos como sucesso o alcance de pessoas para Cristo; qualquer coisa que atingisse esse patamar de qualificação era automaticamente considerada vontade de Deus. E a oportunidade ficcional de Muggeridge passa nesse teste com total sucesso, tornando fácil fazer planos sem Deus.

É bíblico e maravilhoso planejar a expansão do reino de Deus. As perguntas que devemos continuamente fazer, entretanto, são essas: *Onde essa oportunidade ou plano se encaixa no plano maior do que Deus está fazendo no mundo? Como sentimos que Deus está convidando-nos para fazer esta obra?* Nossa perspectiva é limitada. Seus pensamentos e caminhos são de longe mais altos e diferentes dos nossos (Is 55.8, 9). A única forma de sabermos seus planos é ouvirmos cuidadosamente sua voz.

[2] MUGGERIDGE, Malcolm. "The Fourth Temptation of Christ" [A quarta tentação de Cristo] em *Christ and the Media* [Cristo e a mídia]. Grand Rapids, MI: Eerdmans, 1977.

Nós ultrapassamos os limites de Deus

Como líderes cristãos, temos toda uma tropa de limites – limites humanos, limites pessoais, limites de equipe e limites organizacionais ou de ministério. Somos limitados no tempo, na energia e nos dons. Temos limites relacionados aos nossos recursos e habilidades. Nossas responsabilidades com nossas famílias colocam limite no tempo que podemos dedicar a outras coisas. Como seres humanos, somos criaturas que devem enfrentar rotineiramente todos os tipos de limites, alguns moderados e outros extremos.

Foi com isto em mente que o teólogo Reinhold Niebuhr descreveu a própria natureza do pecado como "o desejo de superar nossas limitações e finitude devido à ansiedade sobre a nossa existência de criatura".[3] E os líderes cristãos hoje continuam fazendo isto – o tempo todo. Por alguma razão, achamos extremamente difícil esperar, ouvir e honrar nossos limites. É talvez uma das formas maiores e todavia mais sutis de nos rebelarmos contra Deus. Eu mesmo me coloquei nessa situação várias vezes. Deixe-me compartilhar um dos exemplos mais "espetaculares".

Devido à nossa proximidade com Manhattan, a *New Life* atraiu muitos atores e atrizes cristãos de talento ao longo dos anos. Quando alguns deles se ofereceram para usar seus dons em favor da igreja, pareceu uma boa ideia que a igreja incorporasse uma produção teatral para comunicar Cristo à comunidade no Natal. Presumimos que, desde que Deus havia claramente nos dado uma oportunidade de alcançar pessoas dessa forma, então certamente era a vontade dele. Pelo menos, isso era claramente o que eu pensei – até apresentarmos *Godspell*.[*]

Isso foi em 1993, exatos seis anos depois do início da igreja. Devido a todo o rumor a respeito da produção, nós atraímos multidões cinco ou seis vezes a nossa congregação durante quatro noites. As apresentações foram brilhantes. Pessoas vieram a Cristo. Nós éramos o assunto preferido da comunidade. Por todas as aparências, *Godspell* e nossa campanha de Natal foram um grande sucesso.

Mas "sucesso" não foi exatamente a palavra que todos os envolvidos na produção em si teriam usado para descrevê-la. Palavras como "caos" e "confusão"

[3] Resumido por Brown, Jeannine K., Dahl, Carla M. e Reuschling, Wyndy Corbin. *Becoming Whole and Holy: An Integrative Conversation about Christian Formation* [Tornando-se inteiro e piedoso: Uma conversa integrativa sobre formação cristã]. Grand Rapids, MI: Baker Academic, 2011, p. 188.

[*] *Godspell* é um espetáculo musical que possui como base as parábolas do Evangelho de São Mateus; ele leva ao espectador mensagens bíblicas (filosóficas) por meio de um jogo teatral que envolve comédia e poesia. http://www.godspellomusical.com.br/site/, acessado em 24 de novembro de 2015.

teriam sido usadas em companhias educadas. Fazendo uma retrospectiva agora, eu diria que houve um completo desastre nos bastidores. Não tínhamos suficiente liderança idônea para administrar a complexa dinâmica relacional em uma produção tão elaborada. Numerosos choques de personalidade e conflitos exigiram inúmeras reuniões e telefonemas para esclarecimento. Os ensaios com o objetivo de atingir a excelência (ou seria talvez a perfeição?) exauriram os atores, a equipe técnica e a equipe de apoio, praticamente quase todos voluntários. Cônjuges se queixaram, famílias ficaram estressadas, feriados de Natal com a família estendida foram cancelados.

Nós também não dispúnhamos de infraestrutura suficiente para o escopo do alcance que havíamos planejado – e alcance era o propósito de toda a produção! Então, embora cuidadosamente coletássemos informação de contato de visitantes aos quatro dias da apresentação, as listas com os nomes simplesmente viraram pó depois dos feriados. Ninguém teve a energia para dar continuidade ao processo.

Estaria Deus contra o nosso desejo de usar nossos cultos de Natal para estender a mensagem do seu amor à humanidade? Não, acho que não. Mas é difícil imaginar como poderíamos estar dentro de sua vontade quando descaradamente desafiamos nossas limitações daquela forma.

Ir além dos nossos limites é um dos mais significativos desafios que enfrentamos como líderes.[4] É preciso maturidade para declinar de uma grande oportunidade de crescimento e abraçar um plano modesto. Se somos cem pessoas, por que não nos tornarmos cem? Se somos trezentos, por que não nos tornarmos quinhentos? É fácil tecer fantasias que nossa vida real não pode suportar. Mas tentar fazer mais do que Deus pretende é uma fórmula para o fracasso.

Os limites tocam o centro do nosso relacionamento com Deus. Sem explicação, Deus colocou um claro limite para Adão e Eva – a ordem que receberam foi: *não comerás da árvore do conhecimento do bem e do mal; porque no dia em que dela comeres, com certeza morrerás* (Gn 2.17). Eles deviam confiar na bondade de Deus e em seus caminhos difíceis de entender. O teólogo Robert Barron descreve a rebelião do coração de Adão e Eva como a recusa de parar e aceitar o ritmo de Deus.[5] Não é de todo diferente da minha recusa em me

[4] Para ler mais sobre a teologia por trás da questão dos limites, v. capítulo 8 em Scazzero, Peter. *Emotionally Healthy Church.*

[5] Barron, Robert. *And Now I See: A Theology of Transformation* [Agora eu vejo: uma teologia da transformação]. New York: Bantam, 1999, p. 37.

render aos limites que Deus tem para mim e para os que eu lidero. Tem sido sempre minha maior tentação e luta na liderança. E eu não estou sozinho.

Muitos de nós caímos no pecado da presunção. A presunção é deixar de observar os limites do que é permitido ou apropriado. Ela transmite também um sopro de arrogância. É um pecado ao qual o salmista era particularmente sensível e ansioso por evitar: *Guarda também o teu servo da arrogância, para que não me domine; então serei íntegro e ficarei limpo de grande transgressão* (Sl 19.13). Por causa disto, eu vejo limites como um corrimão, protegendo-me de me desviar da vontade de Deus e me preservar em sua vereda que se revelará lentamente depois.

Vamos fazer uma pausa por um momento. Enquanto você reflete sobre as três características que acabamos de cobrir – definir sucesso tão estreitamente, fazer planos sem Deus e ir além dos limites de Deus – qual representa a maior tentação para você? Por que você pensa que isso poderia ser verdade? E se essas características representam o padrão de planejamento e tomada de decisão entre os líderes cristãos hoje, como seria engajar-se num planejamento e tomada de decisão emocionalmente saudáveis?

Que bom que você perguntou.

Características do planejamento e tomada de decisão emocionalmente saudáveis

Planejamento e tomada de decisão emocionalmente saudáveis começam com pressuposição (embora não errada, como as que apresentamos aqui). A pressuposição é a seguinte: como seres humanos caídos, temos a tendência a desenvolver corações endurecidos. No século 12, o abade Bernardo de Clairvaux escreveu essa advertência a um de seus monges-discípulos, Eugênio III, que havia recentemente se tornado papa:

> Temo que você se desespere devido às muitas demandas e se torne calejado... Seria muito mais sábio retirar-se dessas exigências ainda que por um instante do que permitir-se se distrair por elas e ser levado, pouco a pouco, aonde você certamente não quer ir. Aonde? A um coração endurecido. Não pergunte o que é isso; se você não se aterroriza com essa possibilidade, o seu já está.[6]

[6] CLAIRVAUX, Bernardo de. *Five Books on Consideration: Advice to a Pope* [Cinco livros das considerações: conselho a um papa]. Kalamazoo, MI: Cistercian, 1976, p. 27, 28.

Em outras palavras, Bernardo afirma que, se você não está preocupado com o endurecimento de seu coração, ele já está. Um coração endurecido é um grande problema para um líder em qualquer contexto, mas irá inviabilizar completamente qualquer esperança de ouvir claramente e fazer a vontade de Deus. Não podemos nos engajar em planos e decisões que não honrem Deus até prepararmos o nosso coração e estarmos dispostos em mantê-lo brando e sensível à sua liderança.

Com o passar dos anos, passei a confiar em quatro características do planejamento e tomada de decisão emocionalmente saudáveis que, segundo creio, devem se tornar ainda mais profundamente enraizadas no solo do nosso coração. Essas quatro características emergiram do nosso trabalho de liderança na *New Life* e do nosso trabalho com igrejas e líderes em todo o mundo.

Vamos começar com o fundamento do qual todos os outros derivam – definir sucesso como fazer radicalmente a vontade de Deus.

Planejamento e tomada de decisão emocionalmente saudáveis

1. **Definimos sucesso como fazer radicalmente a vontade de Deus.**
2. Criamos um espaço para a preparação do coração.
3. Oramos por prudência.
4. Buscamos Deus em nossos limites.

Definimos sucesso como fazer radicalmente a vontade de Deus

Desde o tempo da minha conversão, acreditei intelectualmente que prestar atenção à vontade de Deus era muito importante. Essa convicção se aprofundou quando Geri e eu começamos nossa jornada na espiritualidade emocionalmente saudável em 1996 e eu me dei conta do quanto da vontade de Deus eu havia perdido ou ignorado por completo até aquele momento. Mas só depois de quatro meses sabáticos de contemplação, em 2003-2004, minha abordagem do planejamento e da tomada de decisão foi profundamente transformada. Foi quando as quatro questões da vida interior descritas na parte 1 começaram a criar raízes no solo da minha alma. Como resultado, minha definição de sucesso se ampliou e se aprofundou tanto que minha abordagem para discernir a vontade de Deus passou por uma extrema reforma.

O que aconteceu? Eu reduzi o ritmo da minha vida para que pudesse passar mais tempo *estando* com Deus, em momentos regulares de solidão e silêncio, observando o sábado semanal, orando o Ofício Divino e criando uma Regra de Vida. Ouvir Deus e render-me à sua vontade tornou-se o foco da minha vida – tanto pessoalmente como na liderança. Eu me dei conta de que a *New Life* tinha um objetivo: tornar-se o que Deus havia nos chamado para nos tornarmos, e fazer o que Deus havia nos chamado a fazer – independentemente de para onde qualquer dessas coisas pudesse nos levar. Esse seria o único indicador do nosso sucesso. Isso significou que todos os indicadores anteriores – aumento de frequência, programas maiores e melhores, servir mais – precisaram ficar em segundo plano. Eu não estava mais tão disposto a "ter sucesso", mas a ouvir e dar atenção à vontade de Deus.

Já lhe ocorreu que seu ministério, organização ou equipe de trabalho podem estar crescendo e na verdade fracassando?

Antes de responder a esta pergunta, pense comigo por um momento em alguns líderes fiéis a Deus e, consequentemente, muito bem-sucedidos. Jesus disse a respeito de João Batista: *entre os nascidos de mulher, não há outro maior que João* (Lc 7.28). Mas, se fôssemos criar um gráfico de barras sobre o tamanho do ministério de João ao longo do tempo, ele demonstraria um pico seguido de um declínio constante e vertiginoso (para não mencionar um ponto morto após sua decapitação). O profeta Jeremias serviu a Deus com paixão e obediência, mas foi eliminado ou ridicularizado por um remanescente indiferente – definitivamente não foi o que alguém considerasse sucesso. Com relação ao profeta Amós, sucesso foi deixar seu lar espiritualmente mais frutífero no reino do sul de Judá para pregar ao reino do norte de Israel a pessoas que nunca responderam à sua mensagem. Jesus deixou um reavivamento em Cafarnaum onde grande número de pessoas estava respondendo para começar tudo de novo em outras cidades (Mc 1.39, 40).

É difícil ver como os nomes nessa lista seriam considerados bem-sucedidos na maioria dos círculos de liderança hoje. Todavia, a Bíblia deixa claro que Deus aprovou seus ministérios. As implicações são que nós podemos bem estar desenvolvendo nossos ministérios, mas mesmo assim fracassando. Por quê? Porque o padrão divino de sucesso não está limitado ao crescimento. Sucesso é, em primeiro lugar e antes de tudo, fazer o que Deus nos pediu para fazermos, do jeito dele e no tempo dele.

Anos atrás, quando eu lutava pela primeira vez para redefinir sucesso, imaginei que poderia ser chegar perante o trono de Deus no final da minha vida terrena e dizer: "Aqui, Deus, está o que eu fiz pelo Senhor. A *New Life* tem agora dez mil membros". Então ele responderia: "Pete, eu amo você, mas não foi isso que eu lhe dei para fazer. Essa tarefa foi para um pastor do outro lado da cidade".

Pense na ampla gama e diversidade de responsabilidades que Deus confia aos líderes cristãos hoje. Você pode ser o presidente de uma empresa cotada entre as Quinhentas Mais, membro da equipe de uma organização paraeclesiástica trabalhando com adolescentes sem lar, pastor num ambiente urbano hostil, líder empresarial na Europa central, presbítero de uma igreja em rápido crescimento na África ou pastor de tempo parcial numa área rural escassamente povoada. Como é possível uma definição simplista de sucesso em circunstâncias tão diversas? Todavia, esse é o padrão que quase sempre aplicamos quando usamos *apenas* indicadores externos para definir e medir sucesso.

Sua situação singular, e a vontade de Deus nela, definirão o que Deus considera sucesso – tanto para você pessoalmente como para a igreja, ministério ou equipe que você lidera. O desafio que cada líder e equipe deve enfrentar é aceitar o lento e meticuloso trabalho de discernimento para identificar precisamente o que cabe a você em dado momento no tempo.

Aceitar a definição de Deus para o sucesso para a *New Life* ao longo dos anos foi inicialmente difícil para mim. Isso me fez reduzir o ritmo, e de repente senti que minha imagem não estava tão boa quanto a dos líderes de outros ministérios maiores com os quais eu me comparei. Mas, com o passar do tempo e a nossa compreensão da vontade de Deus para nosso contexto na *New Life*, houve três indicadores de sucesso que sentimos Deus ter claramente nos dado. Eis como definimos sucesso:

Sucesso é quando as pessoas são transformadas sob a superfície de suas vidas. Na *New Life*, nosso compromisso em fazer a vontade de Deus de forma radical nos levará a priorizar a espiritualidade emocionalmente saudável como a chave pela qual podemos alcançar o mundo para Cristo. Isto significa encontrar meios de medir o sucesso não simplesmente pelo crescimento numérico, mas em termos de transformação espiritual. Aqui estão vários exemplos das medidas que estabelecemos:

- Cada líder na *New Life* desenvolverá seu relacionamento com Deus passando dez a trinta minutos em oração e leitura bíblica pela manhã, e mais alguns minutos de oração e reflexão à tarde/noite.
- Nossa equipe, conselho e líderes-chave reduzirão o ritmo de suas vidas praticando o sábado de 24 horas por semana.
- Nossa equipe, conselho e líderes-chave orarão o Exame pelo menos uma vez por dia para discernir e seguir a vontade de Deus.[7]

[7] Como discutido no capítulo 4, o Ofício, ou Ofício Divino, é uma prática desenvolvida por Inácio de Loiola (1491–1556) para ajudar os cristãos a refletirem sobre os acontecimentos do dia, detectando a presença de Deus e discernindo sua direção.

- Cada membro da nossa equipe pastoral e administrativa integrará consistentemente habilidades emocionalmente saudáveis em seus ministérios e relacionamentos.
- Cada membro da *New Life* desenvolverá uma Regra de Vida pessoal que os capacite a receber e dar o amor de Deus. Eles compartilharão isto em suas entrevistas de membresia.
- Oitenta e cinco por cento de nossos membros se ligarão a grupos pequenos e/ou ministério (i.é., uma comunidade menor) como parte de sua formação espiritual.
- Cada criança ou adolescente participará de um grupo pequeno de discipulado com um líder designado.
- Cinquenta por cento dos casais passarão por treinamento para verem seus relacionamentos como sinal vivo do apaixonado amor de Deus pelo mundo.

Alguns destes são relativamente fáceis de medir, mas outros provaram ser difíceis. Mas, mesmo quando a medida é bastante simples, é extremamente importante reconhecer humildemente nossos limites em "medir" a transformação de uma pessoa à imagem de Jesus. Pense nisso desta forma. Assim como as condições exigidas para o crescimento variam entre as oitocentas mil plantas do mundo, cada cristão é único e precisa de uma abordagem adaptada e pessoal para o crescimento espiritual. Cada planta precisa de uma combinação diferente de recursos – luz, temperatura, fertilizante, pH etc. Leguminosas, como a soja e o trevo, têm bactéria em suas raízes e fazem seu próprio nitrogênio. Eles precisam de um tipo especial de fertilizante sem nitrogênio. Algumas plantas, como as gramíneas, precisam de muito sol. Outras, como a *impatiens*, precisam de muita sombra. Dominar o conhecimento prático de uma combinação única para todas as oitocentas mil plantas é o trabalho de uma vida. E conhecer os muitos caminhos singulares que Deus usa para ajudar seu povo a chegar à maturidade é também um trabalho para a vida toda. Um tamanho não serve para todos.[8]

Geri e eu participamos recentemente de um processo para definir as medidas de crescimento com nossa equipe de liderança do ministério de casamento. Nós atacamos, desbastamos e burilamos nossa definição de formação

[8] Sou grato a Russ Nitchman por despender pacientemente tempo comigo para explicar a este nova-iorquino urbano, lento em aprender, as complexidades da vida da planta.

espiritual no casamento até todos na sala sentirem-se confortáveis e concordarem com cada palavra. Permanecemos o tempo necessário, porque se trata de uma peça crítica da direção e planejamento do nosso ministério.

Ao mesmo tempo, nós reconhecemos nossos limites em medir a transformação de uma pessoa em Cristo. Estamos lidando com pessoas, não com objetos. Então é importante tratarmos cada trabalho com humildade e brandura. Todos nós compartilhamos alguns elementos comuns em nossa formação em Cristo, como a Bíblia, oração e comunidade (exatamente como praticamente todas as plantas necessitam de sol e água), e nós de fato definimos nossos indicadores em relação a sucesso. Todavia, os detalhes serão diferentes de pessoa para pessoa. Por isso procuramos cultivar cautelosa humildade sempre que ensinarmos e aplicarmos várias medidas de crescimento e maturidade espiritual.

Sucesso é eliminar barreiras raciais, culturais, econômicas e de gênero. Desde o início, a *New Life* foi chamada para ser uma igreja multirracial e internacional, reunindo um grande grupo de "setores" – raciais, culturais, econômicos e de gênero – como testemunha profética do poder do evangelho. Nosso compromisso é espelhar isso em todos os níveis e em cada ministério da nossa igreja, moldando nossa contratação, nossa programação, nossa adoração, nossos pequenos grupos, nossa divulgação, nossas finanças, nossa pregação, e nossa definição do que constitui a excelência no ministério.

Na prática, como ficamos?

Cada nível de liderança – presbíteros, pessoal administrativo, líderes de ministério etc. – reflete nossa diversidade. Isso significa que existem profundas diferenças culturais e raciais que poderiam nos dividir. Numa tentativa de união, nós regularmente reservamos tempo para ouvirmos as histórias uns dos outros como um aspecto importante da convivência. Esse fazer radical da vontade de Deus nos tem levado a conversas e situações que têm sido dolorosas e demoradas. Não é fácil conter todas as tensões, por exemplo, ouvir um membro da igreja sino-americana falar sobre suas experiências e atitudes para com latinos e afro-americanos. Mas isso faz parte do processo de união, e assim o fazemos. Nós falamos franca e regularmente sobre os pontos de tensão de reconciliação na *New Life* – nas reuniões com o pessoal, nos sermões, nos grupos pequenos e nos eventos de treinamento. Esta definição de sucesso tem afetado a forma de adoração, os lugares onde vivemos, a forma como criamos nossos filhos, nossas amizades do dia a dia e a forma de discutirmos questões políticas.

Sucesso é servir nossa comunidade e o mundo. Somos chamados para sermos uma igreja *dos* pobres e marginalizados. Por isso oferecemos, por exemplo, chuveiros limpos para os sem-teto da nossa vizinhança. Esse compromisso resulta em um grande desgaste de nossas dependências. Como estamos localizados perto de uma movimentada esquina do Queens, encontrar um espaço para estacionar aos domingos pode levar de trinta a quarenta minutos. Um grande hotel a um quarteirão da *New Life* foi transformado recentemente em abrigo para moradores de rua com mais de duzentas famílias, no total, quase setecentas pessoas. Isto acrescentou enorme estresse às escolas e agências de serviço social na vizinhança. Como resultado, nós expandimos ministérios existentes, como nossa despensa de alimentos, e demos início a vários outros ministérios, como programa de tutoria e serviços extraescolares. Servir nossa comunidade como medida de sucesso significa também que um forte compromisso nosso é mobilizar os membros abençoados com maiores recursos, educação ou habilidades para que possam se envolver em tais ministérios práticos, como alcançar os sem teto, jovens em risco ou os que não têm seguro de saúde.

Antes de abordar os três restantes indicadores de sucesso, eu o encorajo a fazer uma pausa e refletir durante um momento. O que poderia mudar em seu contexto se você tivesse de definir sucesso não pelo número, mas por fazer radicalmente a vontade de Deus? Quais são os indicadores de sucesso aos quais Deus está chamando você e sua equipe? Ao pensar nisso, de quais temores ou ansiedades você está consciente? Acredite em mim, eu compreendo como essas questões podem ser desorientadoras. Mas sei também quão gratificante e libertador é viver e liderar a partir do centro da definição de Deus quanto ao sucesso. Se você está disposto a assumir alguns riscos e a viver com as tensões, eu prometo que não se arrependerá.

PLANEJAMENTO E TOMADA DE DECISÃO EMOCIONALMENTE SAUDÁVEIS

1. Definimos sucesso como fazer radicalmente a vontade de Deus.
2. **Criamos um espaço para a preparação do coração.**
3. Oramos por prudência.
4. Procuramos Deus em nossos limites.

Nós criamos um espaço para preparação do coração

No planejamento e tomada de decisão emocionalmente saudáveis, não simplesmente começamos reuniões com oração e depois entramos de cabeça em nossa agenda. Nós começamos criando um espaço para preparação do coração. Nós nos afastamos das distrações e pressões que nos cercam para discernir e seguir a vontade de Deus. Essa preparação acontece em dois níveis – preparação pessoal do coração e preparação do coração da equipe.

Preparação pessoal do coração

Antes de entrarmos numa sala de reunião, nossa primeira prioridade como líderes é preparar o nosso coração com Deus. Quanto tempo é necessário para isto? Depende do nível de decisão ou dos planos sendo feitos e da quantidade de ruídos que podem estar atravancando sua vida interior no momento. O princípio simples que seguimos na *New Life* é: quanto mais pesada a decisão, mais tempo é requerido para preparação. Jesus é o exemplo desse tipo de preparação do coração para nós. Antes de escolher os Doze, ele ficou acordado a noite toda:

> **Naqueles dias, Jesus se retirou para um monte a fim de orar**; e passou a noite toda orando a Deus. Depois do amanhecer, chamou seus discípulos e escolheu doze dentre eles, aos quais também chamou de apóstolos (Lc 6.12, 13, ênfase do autor).

Para discernir as prioridades do Pai em meio às vozes clamando para que ele ficasse em Cafarnaum, Jesus levantou-se cedo de manhã para um momento de solidão:

> **Ao romper do dia, Jesus foi a um lugar deserto**; e as multidões foram atrás dele e, encontrando-o, queriam impedir que se afastasse delas. Ele, porém, lhes disse: É necessário que eu anuncie o evangelho do reino de Deus também às outras cidades; pois foi para isso que fui enviado (Lc 4.42, 43, ênfase do autor).

O hábito de Jesus era envolver-se e depois afastar-se das multidões e das exigências do ministério para orar sozinho:

> A sua fama, porém, se espalhava cada vez mais, e grandes multidões se ajuntavam para ouvi-lo e serem curadas de suas doenças. **Mas ele se retirava para lugares desertos, e ali orava** (Lc 5.15, 16, ênfase do autor).

O episódio mais instrutivo talvez seja a luta de Jesus para submeter-se à vontade do Pai no Getsêmane. Este é um dos mais significativos textos sobre planejamento e tomada de decisão de toda a Escritura. Três vezes Jesus ora a mesma coisa:

> Meu Pai, se possível, afasta de mim este cálice; todavia, não seja como eu quero, mas como tu queres (Mt 26.39).

Jesus, o líder, não passou a obedecer de repente. Ele aprendeu a obediência – e nós também devemos aprender:

> Nos dias de sua vida, com grande clamor e lágrimas, Jesus ofereceu orações e súplicas àquele que podia livrá-lo da morte e, tendo sido ouvido por causa do seu temor a Deus, embora sendo Filho, aprendeu a obediência por meio das coisas que sofreu (Hb 5.7, 8).

Toda verdadeira obediência é aprendida, luta-se por ela e ora-se por obediência. Se foi preciso cair com o rosto em terra e grande luta para o Filho de Deus submeter-se à vontade do Pai, como podemos esperar qualquer coisa menos de nós?

Meu objetivo em preparar o meu coração para planejar e tomar decisão é permanecer num estado ao qual Inácio de Loiola se referiu como *indiferença*. Por indiferença, ele não quer dizer apatia ou desinteresse, mas sim que devemos nos tornar indiferentes a tudo que não seja a vontade de Deus. Inácio ensinou que o grau em que estamos abertos a qualquer resultado ou resposta de Deus é o grau ao qual estamos prontos a ouvir o que Deus tem a dizer. Se estamos agarrados ou excessivamente ligados a um resultado *versus* outro, não vamos ouvir Deus claramente. Nossos ouvidos espirituais ficarão ensurdecidos pelo barulho de nossos desordenados amores, medos e amizades. Em tal estado, é fácil concluir que vamos confundir a nossa vontade com a de Deus.

Inácio identificou esse estado de *indiferença* como liberdade espiritual. Se formos verdadeiramente livres, ele argumentou, não nos preocuparemos se estivermos saudáveis ou doentes, se formos ricos ou pobres. Nem sequer importará se tivermos uma vida longa ou curta.[9] Colocamos nossa vida nas mãos de Deus e confiamos nele quanto ao resultado. É claro que ninguém *quer* estar doente ou morrer jovem, mas o seu argumento é que só Deus define o que fazemos, para onde vamos, quem encontramos, não nossas circunstâncias externas. O mais importante de todas estas coisas é escolher amar e obedecer a Deus pelo amor que ele oferece a nós e ao mundo.

[9] LOIOLA, Inácio. *Spiritual Exercises* [Exercícios espirituais], p. 12.

Chegar a este lugar de indiferença interior e confiar que a vontade de Deus é boa – independentemente do resultado – não é tarefa pequena. Estamos ligados a todo tipo de aspectos secundários – títulos, posições, honras, lugares, pessoas, segurança e as opiniões dos outros. Quando esses apegos são excessivos, tornam-se apegos desordenados, ou amores desordenados, que tiram Deus do centro de nossa vida e se tornam centrais em nossa identidade.[10]

Isso significa para mim que eu oro *por* indiferença para que eu possa fazer a oração *da* indiferença. Todos os dias, eu oro por graça para dizer honestamente: *Pai, eu sou indiferente a todo resultado que não seja a tua vontade. Não quero mais nem menos do que o teu desejo pelo que eu faço.* E eu oro por ambos diariamente. Se eu deixar de me envolver nesta necessária preparação do coração – fazer a oração *por* indiferença e a oração *da* indiferença – corro o risco de deixar escapar a voz de Deus.

Eu também preparo o meu coração com a prática monástica beneditina chamada *statio*, especialmente quando tenho um dia com muitas reuniões. A pratica da *statio* reconhece a importância da transição, ou "entre momentos". O autor Joan Chittister nos fornece uma boa definição: "A prática da *statio* serve para nos centrar e nos manter conscientes do que estamos prestes a fazer e nos tornar presentes a Deus que é presente a nós. *Statio* é o desejo de fazer o que devo conscientemente em vez de mecanicamente. *Statio* é a virtude da presença".[11]

Tal como muitos líderes, quando eu passo um dia indo de uma reunião diretamente para outra, posso facilmente me ver apegando a questões e problemas de uma reunião para a reunião seguinte. Para estar plenamente presente para a reunião seguinte, eu preciso encerrar a anterior. Se eu deixo de fazer isso, não vou poder ouvir a orientação de Deus acima do meu ruído interior. E assim eu pratico *statio.* Eu reservo alguns minutos a sós para silêncio entre as reuniões. Sabendo que Deus pode me falar através do meu corpo, eu começo tentando perceber se sinto meu corpo tenso ou ansioso. Se for impossível ficar a sós durante alguns minutos, posso começar a reunião com dois ou três minutos de silêncio, ler uma parte de um salmo ou acender uma vela para lembrar a nós na sala que Jesus é a luz que buscamos. Estou fazendo

[10] O'Brien, Kevin, SJ. *The Ignatian Adventure: Experiencing the Spiritual Exercises of Saint Ignatius in Daily Life* [A aventura inaciana: experimentando os exercícios espirituais de Santo Inácio de Loiola na vida diária]. Chicago: Loyola Press, 2011, p. 57, 58.

[11] Chittister, Joan. *Wisdom Distilled from the Daily: Living the Rule of St. Benedict Today* [Sabedoria destilada da vida diária: vivendo hoje a Regra de São Benedito], ed. Reimpressa. New York: HarperCollins, 2013.

essas coisas para me centrar em Jesus, mas felizmente a equipe é também ajudada no processo!

Preparação do coração da equipe

Para tomarmos boas decisões, começamos nossas reuniões – seja uma reunião semanal com a equipe ou uma reunião de planejamento o dia todo – criando o espaço necessário para a equipe colocar o coração perante Deus.

Se eu estiver dirigindo a reunião, começo com dois a três minutos de silêncio, ou uma oração conjunta do Ofício Divino. Posso fazer uma devocional para nos concentrarmos em Cristo. O propósito desses momentos iniciais é criar um ambiente livre de disputas ou resultados manipulados para que possamos buscar a Deus juntos. Permanecemos em silêncio ou em oração para ficarmos tranquilos diante do Senhor e esperar pacientemente por ele (Sl 37.7).

Quando nossa equipe de funcionários sai para um de nossos retiros de planejamento do ano (normalmente setembro, janeiro e junho), dedicamos uma parte do nosso tempo para que os membros da equipe tenham um encontro pessoal com Deus antes de nos reunirmos para fazer planos. Podemos dar um texto bíblico para meditação ou oferecer um tempo orientado de silêncio com perguntas para reflexão. Nós gostamos de começar todo retiro importante de planejamento com uma experiência de "estar com", antes de atacar o componente "fazer" dessas reuniões mais longas. Por exemplo, começamos um recente retiro da equipe lendo sobre os ritmos de Jesus (solidão e ministério), e logo após discutimos um poema de Judy Brown. Lemos o poema em voz alta, pedindo às pessoas para sublinhar e anotar o que as tocou de modo especial.

Fogo

O que faz o fogo queimar
É o espaço entre os troncos,
Um espaço para respirar.
Muito de uma coisa boa,
Muitos troncos juntos
Apertados demais
Podem apagar as chamas
Tão certo como um balde de água.
Por isso, acender fogo

Requer atenção aos espaços
Tanto quanto à madeira.
Quando podemos abrir espaços
Da mesma forma que aprendemos a empilhar os troncos,
Então podemos ver como é o combustível,
E a ausência do combustível,
Que torna o fogo possível.
Nós precisamos colocar um tronco
Suavemente de tempos em tempos.
O fogo
Aumenta
Simplesmente devido ao espaço que existe,
Com aberturas na qual a chama
Que sabe exatamente o que quer para queimar
Pode achar seu caminho.[12]

Judy Brown

Depois usamos cerca de dez minutos para discussão. Perguntamos ao grupo: *Quais palavras ou frases desse poema chamam sua atenção?*

Então, cada um ganhou cerca de 25 minutos para refletir sobre essas perguntas:

- Quando em seu ministério ou sua vida no passado você empilhou tantos troncos?
- Quando *muito de uma coisa boa* não foi uma coisa boa?
- O que é para você criar espaços suficientes nesta época de sua vida?
- Que fogo de Deus pode surgir se você permitir mais espaço entre os troncos?
- A equipe então se reuniu para mais 25 minutos em grupos de três:
- Como você experimentou Deus em seu tempo pessoal?
- À luz do que você experimentou, o que você precisa de Deus agora (por exemplo: disciplina, coragem, fé, força, prudência)?
- Termine orando um pelo outro.

[12] BROWN, Judy. "Fire" [Fogo], em *The Art and Spirit of Leadership* [A arte e o espírito da liderança]. Bloomington, IN: Trafford, 2012, p. 147, 48. Usado com permissão.

Dar à equipe este espaço de tempo de duas horas para conectar com Deus nos preparou para entrarmos mais efetivamente na parte do planejamento do retiro. Isso nos uniu em torno de um anseio comum – nossa necessidade por ritmos, *estar* com Jesus como a fonte a partir da qual nós *fazemos* por ele. Compartilhar nossas impressões também estabeleceu um senso de equipe. Tudo isso nos capacitou a tomar decisões melhores. Por exemplo, naquele retiro ficou óbvio que a agenda da igreja para a próxima temporada estava cheia demais. Conseguimos dar um passo atrás e fazer alguns ajustes menores, porém significativos. Se não tivéssemos investido primeiro no exercício de *estar*, poderíamos facilmente apenas ter avançado sem nos dar conta de que estávamos "empilhando muitos troncos" em nossa fogueira.

Nós oramos por prudência

Prudência é uma das mais importantes qualidades ou virtudes de caráter para o líder eficiente. Sem ela, é impossível fazer bons planos e tomar boas decisões. A palavra *prudência* é usada para caracterizar pessoas que têm a qualidade de levar tudo em conta. A pessoa prudente pensa à frente, considerando cuidadosamente as implicações de longo prazo de suas decisões. É como eles exercem bom julgamento, que é um dos grandes temas de Provérbios.

> **PLANEJAMENTO E TOMADA DE DECISÃO EMOCIONALMENTE SAUDÁVEIS**
>
> 1. Definimos sucesso como fazer radicalmente a vontade de Deus.
> 2. Criamos um espaço para a preparação do coração.
> 3. **Oramos por prudência.**
> 4. Procuramos Deus em nossos limites.

> A sabedoria do **prudente** está em entender o seu caminho (Pv 14.8a, ênfase do autor).

> O homem simples acredita em tudo, mas o **prudente** presta atenção em seus passos (Pv 14.15, ênfase do autor).

> Não é bom ter zelo sem conhecimento, nem ser precipitado e perder o caminho (Pv 19.2, NVI).

> Os planos do **diligente** conduzem à fartura, mas muita precipitação leva à pobreza (Pv 21.5, ênfase do autor).

> O **prudente** vê o perigo e esconde-se, mas o ingênuo segue adiante e sofre por isso (Pv 22.3, ênfase do autor).

Cuida dos teus negócios lá fora, prepara bem tua lavoura e depois forma tua família (Pv 24.27).

A prudência tem sido chamada de "virtude executiva": ela nos capacita a pensar com clareza e não sermos varridos por nossos impulsos ou emoções. A prudência lembra experiências passadas, as nossas e as dos outros, e tira lições e princípios aplicáveis. Ela se associa com a humildade e de bom grado busca conselho dos outros com mais experiência. A prudência é cautelosa e cuidadosa em prover para o futuro. A prudência pergunta: "Sentimentos de lado, o que é o melhor no longo prazo?"[13] Ela considera cuidadosamente todos os fatores relevantes, possibilidades, dificuldades e resultados. Talvez mais importante é que a prudência se recusa a correr – está disposta a esperar em Deus quanto for necessário e dar o tempo que for preciso ao processo de tomada de decisão.[14]

A Bíblia contrasta com frequência o prudente com o *simples*, ou *insensato*. Tais indivíduos são ingênuos e facilmente influenciáveis. Rejeitam o duro trabalho da reflexão e das perguntas difíceis. Suas decisões são sempre apressadas, impulsivas e focadas em soluções de curto prazo, de rápido conserto.

Podem me chamar de insensato, porque todas essas coisas caracterizaram minhas decisões nos primeiros anos de ministério. De fato, eu costumava brincar dizendo que era PhD (Doutor) em erros. Quantas vezes indiquei voluntários e funcionários rápido demais, sem fazer perguntas difíceis? Com que frequência eu acrescentei um novo ministério sem pensar no apoio que ele necessitaria? Quantas vezes eu disse sim a um compromisso sem consultar minha agenda? Eu sempre disse sim a movimentos de expansão para a nossa igreja, sem levar em conta o impacto de minha decisão nas famílias de nossa equipe, nos ritmos e nos sábados. Mal consertávamos as velhas burradas, começávamos algo novo que criaria mais um rol de problemas. Pedir prudência a Deus não estava sequer em minha lista de oração. Mas há muito tempo eu aprendi minha lição, e pedir prudência a Deus tornou-se um refrão constante enquanto busco a vontade de Deus.

Orar por prudência e procurar praticá-la com o melhor de nossa capacidade tem nos servido bem em nosso contínuo processo de discernimento.

[13] Para um melhor exemplo disto, v. a parábola de Jesus sobre o administrador esperto em Lucas 16.1-12.

[14] Para uma rica descrição das partes da prudência, ler Tomás de Aquino, *Summa Theologica*, II-I, q. 23, a.1, ad.2; PIEPER, Joseph, *The Four Cardinal Virtues* [As quatro virtudes cardeais]. Notre Dame, IN: University of Notre Dame, 1966, p. 3-40.

A contribuição para nossa alegria como líderes tem sido imensurável, especialmente quando acrescentamos à prudência um radical compromisso com a vontade de Deus. A história a seguir é um exemplo recente.

Estávamos no ano final de uma importante transição de liderança de quatro anos e meio. Eu havia sido mentor e copastor com Rich durante quatorze meses, por isso pude deixar o cargo e Rich pôde assumir o papel com força. (Vamos falar mais sobre este processo de sucessão no capítulo 9.) Ele estava indo bem e encontrando sua própria voz. A transição estava transcorrendo suavemente. Como sua primeira iniciativa de liderança, ele reacendeu nossa visão de longo prazo de nos tornarmos uma congregação multiponto.[*] Nas semanas seguintes, mais e mais espaço foi alocado para isto em nossas conversas entre nós. As pessoas do mundo todo haviam-nos encorajado a partir para a igreja multiponto durante anos, e dois pastores de outras cidades estavam interessados em servir como pastores nessas igrejas. Meu pensamento inicial foi que tratava-se de uma ideia fantástica.

Quando a ideia foi apresentada ao conselho e à equipe de funcionários, criou-se um notório senso de expectativa e desejo de ação. A *New Life* estava crescendo rapidamente e o pessoal estava animado com as possibilidades de um crescimento e impacto ainda maior. Certo dia, entretanto, Redd, um membro do nosso conselho, abordou o restante da equipe de liderança com uma recomendação.

– Esta é uma decisão importante – ponderou. – Realmente precisamos discernir isso com cuidado. Acho que precisamos de duas ou três horas para um processo de discernimento em grupo.

Todos nós concordamos e marcamos uma reunião para duas semanas depois.

Nossa preparação incluiu a leitura de um livro sobre discernimento comunitário, *Pursuing God's Will Together: A Discernment Practice for Leadership Groups* [Buscando a vontade de Deus juntos: Uma prática de discernimento para grupos de liderança], de Ruth Haley Barton.[15] Redd simplificou alguns dos princípios para o nosso contexto, e então

[*] Uma igreja multiponto é uma igreja que se reúne em vários locais, modelo que começou a ser usado em meados dos anos 1980. A abordagem de hoje varia de transmitir um sermão por satélite para vários locais, à criação de uma série de oportunidades de adoração dentro da mesma congregação em vários momentos e locais. Fonte: Wikipedia (https://en.wikipedia.org/wiki/Multi-site_church) (NT).

[15] BARTON, Ruth Haley. *Pursuing God's Will Together: A Discernment Practice for Leadership Groups* [Buscando juntos a vontade de Deus: uma prática de discernimento para grupos de liderança]. Downers Grove, IL: InterVarsity Press, 2012, p. 187-200.

começamos. Primeiro, oramos por indiferença – que cada um de nós estivesse disposto a desapegar-se de quaisquer impedimentos. Depois, ouvimos os presentes para avaliar o grau de abertura de cada um ao que Deus podia dizer. Redd perguntou:

– Quantos nesta sala estão agora indiferentes a respeito do resultado?

Era uma pergunta simples do tipo sim ou não, mas nas reuniões subsequentes usamos uma escala de um a dez em que um era firmeza e compromisso com o resultado estabelecido por nós, e dez, abertura total para o que Deus pudesse querer.

Ao final do nosso processo de três horas, ficou claro a todos que o prazo de seis meses era apertado demais para lançar novos locais, e que havia inúmeras coisas que precisávamos cuidar antes do lançamento. Talvez mais importante, precisávamos terminar o processo de sucessão. E havia duas importantes contratações que precisavam ser feitas. Precisávamos também fortalecer nossa estratégia de liderança em todos os níveis.

A prudência de uma redução do ritmo no processo de tomada de decisão deu também a Rich tempo para se conscientizar do papel que sua sombra podia estar desempenhando naquela decisão. Embora estivesse completamente consciente dela na época, depois do nosso processo de discernimento e mais reflexão, ele conseguiu descrevê-la claramente:

> No começo foi difícil admitir, mas tudo ficou cada vez mais claro para mim ao longo de nossas reuniões de discernimento. Em parte, eu queria provar a mim mesmo e às pessoas ao meu redor que podia fazer avançar a *New Life*. Não pude deixar de perceber que tantos outros pastores da minha idade estão planejando agressivamente campi multiponto e novas congregações, com grande sucesso no acréscimo de seus números. Com as limitações de nossas dependências atuais, eu concluí que não estávamos à altura dos demais. Sim, sei que isso é feio, mas é verdade. Sou muito grato por Redd ter organizado esse processo. Não tenho certeza de onde eu estaria sem ele.

A Bíblia ensina que *A sensatez do homem o torna paciente* (Pv 19.11). As pessoas prudentes são pacientes. Rich demonstrou autoconsciência e prudência para resistir às pressões internas e externas que o teriam feito lançar outros locais muito rapidamente. Isso o poupou a si e à sua família de muita angústia, bem como à igreja.

Nós aprendemos prudência com os erros de outras pessoas.[16] Aprendemos com nossas próprias falhas.[17] Aprendemos com conselhos sábios.[18] Mas a forma mais importante de crescermos nesta virtude indispensável é pedirmos continuamente a Deus esse dom.

Resta uma característica final de planejamento e tomada de decisão saudáveis sobre a qual devemos falar – encontrar Deus *em* nossos limites.

Nós procuramos Deus em nossos limites

Nossos limites podem bem ser o último lugar onde procuramos Deus. Queremos conquistar limites, planejar em torno de limites, negar limites, lutar por limites e romper limites.

Planejamento e tomada de decisão emocionalmente saudáveis

1. Definimos sucesso como fazer radicalmente a vontade de Deus.
2. Criamos um espaço para a preparação do coração.
3. Oramos por prudência.
4. **Procuramos Deus em nossos limites.**

Na prática padrão de liderança, podemos até considerar um indicador de coragem ou um passo de fé rebelar-se contra os limites. Mas, quando deixamos de olhar para Deus *em* nossos limites, nós o ignoramos.

Numa conferência sobre liderança emocionalmente saudável para pastores e líderes há alguns anos, deixamos de limitar o número de participantes. Nossa equipe administrativa havia recomendado que encerrássemos as inscrições com 325 pessoas. Eu não concordei, pensando em todos os benefícios que uma casa totalmente cheia podia trazer – mais impacto, acréscimo de receita, a animação de uma casa superlotada. No final, encerramos as inscrições, mas só depois de já haver mais pessoas do que o nosso pessoal, nossos voluntários, nossos sistemas e instalações podiam absorver. Como resultado, todos trabalharam em excesso longos dias e noites nas semanas que antecederam a conferência. Aumentei minha dose de cafeína de duas para seis xícaras de café por dia. E na própria conferência, a equipe e os professores deram muito mais do tempo e energia do que tínhamos de Deus para dar. Quando a conferência terminou, nossa equipe estava mais do que exausta. A adrenalina me manteve durante a conferência, mas tive de ficar deitado durante dez dias depois. Eu não tinha gripe nem resfriado, mas não podia trabalhar nem

[16] "Fere o zombador, e o simples aprenderá a prudência" (Pv 19.25).

[17] "Os aconites que ferem purificam do mal, e as feridas penetram o mais íntimo do ser" (Pv 20.30).

[18] "Onde não há conselho, os projetos se frustram, mas com muitos conselheiros eles se estabelecem" (Pv 15.22).

sequer me mexer sem sentir dor. Eu finalmente fui ao meu médico e perguntei o que havia de errado. Ele rapidamente diagnosticou o problema:

– Pete, você está exausto. Seu corpo quer descansar. Vá para casa e durma.

O que aconteceu? Eu violei o dom de Deus sobre limites, ignorando os muitos sinais que o meu corpo havia transmitido o tempo todo em que eu estava fora do meu centro em Deus. Eu me rebelei *contra* Deus exatamente no meio de minha obra *para* Deus. E eu havia até escrito um livro sobre como não fazer isso![19]

Por que eu havia ultrapassado todos os nossos limites? Porque vi uma grande oportunidade para aumentar o impacto. O que eu não vi? Que Deus podia estar presente – e causar impacto – no fraco e no pequeno.

A *New Life*, como toda igreja, é forçada a observar limites. Nosso edifício, nossa vizinhança de baixa renda, nosso povo humilde – são apenas alguns. Mas se procuro Deus nessas limitações em vez de tentar contorná-las, começo a ver algo diferente. Nossas próprias limitações tornam-se nossos melhores meios de apresentar outros a Jesus. Lembra-se das palavras do apóstolo Paulo? O poder de Deus se aperfeiçoa em nossa *fraqueza*, não em nossas forças (2Co 12.9).

Deus se revela a nós, e ao mundo, através de limites, de formas únicas e poderosas – se tivermos olhos para ver. Pense nos exemplos da Escritura:

- Moisés era limitado pelo fato de ser "pesado de boca e pesado de língua". Ele diz isso a Deus, que então lhe responde: *Quem faz a boca do homem? ... Não sou eu, o Senhor? Então vai agora, e estarei com a tua boca e te ensinarei o que deves falar* (Êx 4.10-12). Deus deixa claro que está presente em e através das limitações de Moisés. Moisés então lidera três milhões de pessoas durante os quarenta anos seguintes no poder de Deus.
- Jeremias era limitado por uma disposição à depressão. Ele amaldiçoou o dia em que nasceu e quis morrer. Todavia Deus estava presente em e através dos limites do seu temperamento, dando-lhe percepção a respeito do coração de Deus e ainda tocou milhões do povo de Deus em seus dias.
- João Batista era limitado por sua vida simples e semimonástica no deserto. Mas Deus estava presente naquela limitação, dando a João a

[19] V. capítulo 8, "Receba a dádiva de limites", em SCAZZERO, Peter. *Emotionally Healthy Church.*

capacidade de ver algo que ninguém mais de seu tempo pôde ver claramente – a extraordinária revelação de Jesus como Cordeiro de Deus.

- Abraão foi limitado por ter apenas um filho com Sara. Ele sofreu sob essa limitação, todavia encontrou Deus de maneira extraordinária em sua jornada de fé. Ele se tornou o pai de todos nós (Rm 4.17), e sua história nos fornece revelação de quem Deus é – tudo o que saiu de seus limites.
- Gideão foi limitado pelo tamanho do seu exército – apenas trezentos israelitas subindo contra 135 mil midianitas. Mas Deus estava com ele naquele limite, e o exército de Gideão venceu uma batalha que não teria vencido com seus próprios recursos. Assim, sua história testemunhou durante milhares de anos o poder de Deus e a importância da obediência humilde.
- Os doze discípulos estavam limitados quanto à alimentação de cinco mil homens (15 a 20 mil pessoas) com somente cinco pães de cevada e dois peixes. Jesus alimentou as multidões por meio deles e se revelou como o Pão da Vida.

Se você precisa de mais exemplos contemporâneos, há a história de Craig Groeschel, fundador e pastor titular da *LifeChurch.tv*, uma igreja multiponto com 23 locais em sete estados. Ele diz que nunca teriam começado a LifeChurch.tv se não tivessem se inclinado para seus limites – que, na época, eram a falta de recursos que os impedia de construir dependências maiores.

Limites são quase sempre dádivas de Deus disfarçadas. Isso os torna uma das mais difíceis verdades contraintuitivas da Escritura a serem aceitas. Os limites brigam com nossa tendência natural de brincar de Deus e governar o mundo. Mas permanece uma verdade estável, que eu tenho sistematicamente experimentado de pelo menos duas formas em minha liderança.

Meus limites de tempo são uma dádiva. Graças a Geri, nós lideramos um forte grupo pequeno no porão de nossa casa quase todos os anos durante os 26 anos em que fui pastor titular. Mas eu não participava sempre cem por cento. Eu sempre pensava: *Quantos pastores titulares estão gastando todo esse tempo com um grupo de quinze pessoas durante o ano, sem sequer a participação ativa de algumas delas?* Com tantas coisas aparentemente "maiores" em minha lista de tarefas, teria sido fácil não receber nem participar de um grupo. Aquilo limitava o tempo e energia que eu tinha para investir em esforços de maior impacto para aumentar nossa igreja – pelo menos, assim parecia. Contudo, Deus usou

Geri para me manter fundamentado no pequeno e importante durante todo o nosso ministério. Daquele investimento tranquilo, porém consistente, com o passar dos anos veio um fluxo constante de líderes que serviram à igreja e expandiram seu alcance além do que eu poderia ter imaginado. E virtualmente todos os recursos e livros do grupo pequeno que nós publicamos foram moldados e refinados no cadinho do nosso porão ao longo daqueles anos.

Nossos limites de local são uma dádiva. Eu quase sempre me queixava quando comparava nosso local ao de outras igrejas. Por exemplo, é difícil contratar pessoal de fora da nossa igreja porque muitos não querem se mudar para Queens, em Nova York. Em meus primeiros dias, eu ficava de fato com inveja de outros líderes e igrejas cujas congregações estavam cheias de CEOs e pessoas com experiência em gerência, negócios e recursos. Não obstante, dos limites de Queens, Deus levantou uma equipe dotada para servir uma impressionante gama de pessoas que haviam emigrado de todas as partes do mundo para viver em nosso pequeno recanto de Nova York. Muitos na *New Life* têm uma fé profunda, fome e sede do reino de Deus e dons únicos para servir, e eu não imagino lugar mais abençoado para estar. O que é talvez ainda mais impressionante é que muitos líderes cristãos do mundo todo viajam para Queens para *conhecê-los*!

Nós vemos apenas uma pequena parte do plano de Deus em dado momento do tempo. Seus caminhos não são os nossos caminhos. Mas o que ele faz em e através de nossas limitações é mais do que podemos sequer realizar por nossa própria força.

Já percorremos um longo trecho sobre planejamento e tomada de decisão emocionalmente saudáveis. Reserve alguns minutos para refletir sobre as quatro características: definir sucesso como fazer radicalmente a vontade de Deus, criar um espaço para a preparação do coração, orar por prudência e procurar Deus *em* nossos limites. Quando você considera os desafios que enfrenta em sua liderança, qual deles mais fala a você? Que medos ou preocupações você tem quando imagina realizar isto em sua liderança? Quais os custos de curto prazo de parar, desviar-se e fazer algo diferente? Quais poderiam ser as implicações de longo prazo se você não os realizar? Se você está disposto a assumir o risco e viver com alguma desorientação temporária, posso prometer a você que Deus o está esperando lá.

Planejamento e tomada de decisão emocionalmente saudáveis

1. Definimos sucesso como fazer radicalmente a vontade de Deus.
2. Criamos um espaço para a preparação do coração.
3. Oramos por prudência.
4. Procuramos Deus em nossos limites.

FAÇA AS QUATRO PERGUNTAS

Eu comecei este capítulo com uma história sobre o anúncio de uma má decisão num avião. Sabendo o que você agora sabe sobre tomada de decisão emocionalmente saudável, considere o que estava errado com meu processo quando informei Geri que íamos começar uma nova congregação de língua espanhola:

- Eu não tinha consciência de minha própria sombra. Minha decisão de me apressar fluiu de minha própria necessidade inconsciente de sentir-me significante e validado como líder. Eu não tinha consciência de quanto isso distorcia minha capacidade de ouvir a voz de Deus. Eu estava também egoisticamente motivado por um medo injustificado de perder minhas habilidades com a língua espanhola.
- Eu não estava levando em conta meu casamento, nem estava pensando em como meu relacionamento com Geri ou a nossa família seriam impactados pela abertura da congregação nova. Eu, de forma insensata, tomei uma grande decisão com importantes implicações sem primeiro conversar muito com Geri.
- Eu presumi que, por ser a vontade de Deus, as demandas de uma nova congregação não afetariam minha amorosa união com Jesus. Eu estava errado. Isso contribuiu para uma pressão tal em minha semana que transbordou para além do limite do meu tempo com Deus.
- No momento da conversa, eu não estava praticando o sábado. Segunda-feira era o meu dia de folga. Embora eu continuasse a tirar as segundas-feiras de folga, eu estava cada vez mais distraído e preocupado naquele dia com muitos problemas adicionais e responsabilidades ligadas ao acréscimo do ministério de língua espanhola.

Ao encerrarmos este capítulo, eu o convido a evitar meus erros usando as quatro raízes da vida interior da parte 1 para refletir em suas próprias experiências e começar uma transição para (ou aprofundar) o planejamento e tomada de decisão emocionalmente saudáveis.

- **Enfrente sua sombra.** Como poderia minha sombra, ou a de outros em minha equipe, estar afetando minhas decisões e planos? Quais são meus maiores medos? Nas decisões, estou reservando tempo suficiente para preparação pessoal do coração para minimizar qualquer influência que minha sombra possa ter sobre minhas decisões e planos? De quanto tempo para preparação do coração os membros da minha equipe precisam? De qual sábio conselho eu preciso para minimizar a influência da minha sombra sobre minhas decisões?

- **Estimule seu casamento ou vida a sós.** Como esta decisão ou plano afetará mina capacidade de estimular meu casamento ou vida a sós? O que poderíamos mudar como equipe em prol de nossa necessidade de casamento ou vida a sós saudável e vibrante? Estamos abraçando os limites dados por Deus de nosso casamento ou vida a sós?
- **Reduza o ritmo em favor da amorosa união.** Como poderia essa decisão ou plano impactar minha capacidade de permanecer em amorosa união com Jesus? Numa escala de um a dez, qual o nível de ansiedade da nossa equipe quando consideramos essa decisão? Temos orado por prudência e reunidos todos os fatos importantes? Temos nós feito o trabalho lento, diligente e necessário para ouvir os sussurros de Deus sobre nossa definição de sucesso? Que tentações precisamos tomar cuidado para evitar?
- **Pratique o deleite do sábado.** Como essa decisão afetará nossos ritmos de trabalho e descanso? Nós pensamos nos detalhes de como esses planos afetam nosso trabalho para que isso não transborde para o nosso deleite do sábado? Eu e a equipe estamos fazendo planos e tomando decisões a partir de um lugar de descanso? Que diferença esta decisão fará daqui a dez, cinquenta ou cem anos? Que diferença fará esta decisão após havermos entrado no descanso eterno e vermos Jesus face a face?[20]

Envolver-se piedosamente nessas quatro questões o ajudarão a ser mais vigilante e prudente em sua tomada de decisão, protegendo-o de confundir sua vontade com a vontade de Deus. Eu gosto de dizer que trabalhar com todas elas é como "observar os canários".

Observe os canários

Há muito tempo, antes que as minas de carvão e ouro tivessem equipamentos de alta tecnologia para medir os níveis de dióxido de carbono do ar, gases perigosos se acumulavam nas minas e causavam explosões devastadoras. Assim, os mineiros aprenderam a usar uma solução de pouca tecnologia – eles

[20] V. http://bobbbieh.com/quick-wisdom2/questions-to-ask/decide-to-make-any-major-decision/.

levaram canários (que são altamente sensíveis a gases venenosos) como barômetros da qualidade do ar nas minas. Os canários chilreavam e cantavam o dia todo. Mas, quando os níveis de monóxido de carbono subiam demais, os canários paravam de cantar. Se permanecessem nas minas, começavam a ter problema para respirar, desmaiavam e acabavam morrendo. Quando o canto parava, era um sinal de que os níveis de gás estavam altos demais e os mineiros deviam sair rapidamente da mina para evitar serem pegos numa explosão.

Quem ou o que são seus canários tomadores de decisão – as pequenas indicações de algo errado? Como você identifica dentro de si mesmo as decisões e os planos que não são de Deus? E quem são as pessoas que Deus colocou em sua vida que o amam o suficiente para detectar o nível de perigo e avisar você do risco de uma explosão nas suas decisões? Se você não tem nenhum neste momento, peça a Deus por um ou dois "canários". E prepare-se para experimentar uma alegria recém-descoberta e um profundo contentamento ao acrescentar "emocionalmente saudável" ao seu processo de planejamento e tomada de decisão.

A seguir, no capítulo 7, vamos explorar o impacto dessas mudanças na cultura da nossa organização e na formação de equipes.

Compreendendo a avaliação do seu planejamento e tomada de decisão

Se você fez a avaliação nas páginas 179 e 180, aqui estão algumas observações para ajudá-lo a compreender melhor agora mesmo a condição do seu processo de planejamento e tomada de decisão.

Se a sua pontuação se concentrou em um e dois, as chances são boas de que seu relacionamento com Cristo não se mistura ao seu processo de planejamento e tomada de decisão. Você está nos primeiros estágios de aprendizado na busca piedosa da vontade de Deus em oração e na busca prudente de informação para decisões sábias. Você pode prosseguir aprofundando as raízes que sustentam sua vida interior com Deus (parte 1) e aos poucos construir um saudável sistema de apoio para influenciar sua liderança. Depois, mantendo essa base, integre ao processo um ou dois princípios deste capítulo.

Se a sua pontuação se concentrou em dois e três, provavelmente você está operando com compreensão e prática parciais do planejamento e tomada de decisão emocionalmente saudáveis. Isto significa que você deve estar colhendo um misto de caos e bom fruto na sua liderança. Receba esta avaliação como um convite de Deus para integrar mais plenamente a suas boas práticas organizacionais uma espiritualidade saudável. Peça a Deus sabedoria para discernir quais princípios deste capítulo precisariam ser implementados agora.

Se a sua pontuação se concentrou em quatro e cinco, muito provavelmente você está integrando bem a oração e a prudência ao seu processo de planejamento e tomada de decisão. Você pode experimentar mais crescimento e maior liberdade no discernimento da vontade de Deus. Espere surpresas de Deus enquanto ele leva você e sua equipe a uma viagem emocionante. Espere momentos transformadores vindos dele ao longo do caminho. E permita que ideias descritas neste capítulo o estimulem a criar novas formas de liderar sua equipe num processo mais saudável e dinâmico de planejamento e tomada de decisão.

CAPÍTULO 7

Cultura e construção da equipe

Permita-me compartilhar com você uma história sobre uma ovelha e um tigre.

Era uma vez, na Floresta Amigável, uma ovelha que vivia pastando e se divertindo. Certo dia chegou um tigre à floresta e pediu aos animais:

– Eu gostaria de viver entre vocês.

Eles ficaram encantados. Um pouco diferente das outras florestas, naquelas matas não havia tigres. A ovelha, entretanto, tinha algumas apreensões, as quais, sendo uma ovelha, timidamente expressou às amigas. Mas elas disseram:

– Não se preocupe, vamos falar com o tigre e explicar que uma das condições para viver nesta floresta é que se deve também deixar outros animais viver na aqui.

Assim a ovelha tocou a vida como de costume. Mas não demorou para o tigre começar a rugir, fazer gestos ameaçadores e movimentos de dar medo. Cada vez a ovelha, assustada, ia às amigas e confidenciava:

– Está muito desconfortável para mim aqui na floresta.

Mas suas amigas a tranquilizavam:

– Não se preocupe; é apenas o jeito como os tigres se comportam...

Elas argumentaram que nenhum dano havia de fato lhe acontecido e que ela era apenas sensível demais.

Por isso a ovelha tentou novamente tirar o tigre do seu pensamento... Mas de vez em quando, normalmente quando ela estava menos preparada, o tigre recomeçava.

Finalmente a ovelha não pôde mais aguentar. Ela decidiu que, embora amasse a floresta e seus amigos... o custo era grande demais. Por isso, foi até os outros animais da floresta e se despediu.

Seus amigos não a ouviram. [...]

– Certamente podemos dar um fim ao conflito. [...] Provavelmente é apenas um mal-entendido que pode ser facilmente resolvido se todos nós nos sentarmos e comunicarmos. [...]

Porém, alguns ouviram a observação [...] de um dos menos astutos animais da floresta: "Nunca ouvi uma coisa tão ridícula. Se você quer uma ovelha e um tigre vivendo na mesma floresta, não tente fazer com que eles se comuniquem. Prenda o tigre numa jaula".[1]

É uma ótima história, não é? Na verdade, não é tanto uma história sobre uma ovelha e um tigre, e sim sobre os amigos da ovelha, os líderes da Floresta Amigável. Tigre é tigre – e os tigres não se transformam em ovelhas ou em qualquer outro tipo de criaturas benignas da floresta. Mais reuniões e "comunicação" não resolveriam o problema. Acima de tudo, a Floresta Amigável precisava de uma liderança diferenciada – líderes que conhecem seus valores e não são seduzidos por discórdias e pressão dos outros.[2] Os líderes precisavam de coragem para "enjaular o tigre" por amor à sua comunidade. Nenhuma negociação mudaria a natureza do tigre. Eles precisavam permanecer firmes na decisão de proteger sua comunidade e estar dispostos a tolerar o desconforto da crítica (que certamente viria do tigre e de outros) bem como as inevitáveis acusações. *O que aconteceu com você? Você se tornou uma pessoa sem amor e controladora desde que se tornou líder. Quem o fez juiz e júri?*

Os líderes da Floresta Amigável também precisavam definir os valores de sua cultura, limitando o poder do tigre para que ele não emergisse como líder não oficial da comunidade. Ao minimizar a gravidade da ameaça ("provavelmente apenas um mal-entendido") e recusando-se a tratar o problema diretamente (sob o disfarce de ser razoáveis), eles não apenas deixaram sua comunidade aberta a terríveis danos, mas também perderam uma oportunidade de definir claramente os limites de comportamentos aceitáveis e inaceitáveis. E, presumindo ser uma comunidade cristã (a floresta era "amigável", afinal), eles também fracassaram em discernir que aquele intenso conflito

[1] FRIEDMAN, Edwin H. *Friedman's Fables* [Fábulas de Friedman]. New York: Guilford Press, 1990, p. 25-28. Reimpresso com permissão de Guilford Press.

[2] Desenvolvido por Murray Bowen, o fundador da teoria da família moderna, *diferenciação* refere-se à capacidade de, nas palavras de Bowen, "definir objetivos e valores independentemente das pressões ao redor". O que ajuda a determinar seu nível de diferenciação é a capacidade de afirmar seus distintos valores e objetivos (separatividade) ao mesmo tempo em que permanece perto de pessoas que para você são importantes (proximidade). As pessoas com um alto nível de diferenciação têm suas próprias convicções, direções, objetivos e valores independentemente das pressões ao seu redor. Elas podem escolher, perante Deus, como querem ser, sem ser controladas pela aprovação ou desaprovação dos outros. Intensidade de sentimentos, alto estresse ou ansiedade ao redor não oprimem sua capacidade de pensar de forma inteligente.

podia conter uma dádiva de Deus que os possibilitaria crescer e amadurecer juntos na semelhança de Cristo.

O QUE É CULTURA E CONSTRUÇÃO DA EQUIPE?

Criar uma cultura emocionalmente saudável e construir uma equipe saudável estão entre as tarefas fundamentais de cada líder, seja ele um pastor titular, chefe de ministério paraeclesiástico, um executivo de uma organização sem fins lucrativos, um executivo de empresa, membro do conselho ou líder de um grupo pequeno. E a tarefa de líderes *cristãos* é ainda mais exigente devido à diferença radical de tipo de cultura entre as equipes que criamos e as do mundo.

Então, o que são exatamente *construção de equipe* e *cultura,* que devemos desenvolver e administrar bem?

Construção de equipe é razoavelmente fácil de definir; envolve mobilizar um grupo de pessoas com diversas habilidades, comprometidas com uma visão compartilhada e objetivos comuns. *Cultura,* entretanto, é um pouco mais difícil de descrever. Por quê? Porque consiste fundamentalmente de regras não expressas sobre "a forma como fazemos as coisas aqui".

Cultura é essa coisa imprecisa, a presença invisível ou personalidade de um lugar que pode ser difícil de descrever sem realmente vivenciá-la. É quase sempre mais prontamente sentida do que articulada. Creio que as definições mais simples e melhores com que me deparei descrevem a cultura como "o total da soma dos padrões de pensamento e comportamento aprendidos" de determinado grupo;[3] e "cultura é o que os seres humanos fazem do mundo".[4]

Companhias multinacionais como Google, Apple e IBM têm culturas muito distintas. Comunidades étnicas, grupos políticos e países têm culturas. Denominações e organizações paraeclesiásticas têm culturas. Cada igreja, ministério, força-tarefa e equipe tem um certo estilo que constitui o espírito ou ethos daquela comunidade em especial.

Cultura inclui visão, valores e estratégia (fazer discípulos, multiponto, propósitos, etc.), práticas e estilos comuns (nós temos coro e eles usam roupão, nós nos sentamos em silêncio antes do culto, nós nos vestimos informalmente etc.) e até nossa linguagem e uso do espaço. Como exercemos autoridade, conduzimos relacionamentos, lidamos com conflitos, nos posicionamos na

[3] SUNQUIST, Scott W. *Understanding Christian Mission: Participation in Suffering and Glory* [Compreendendo a missão cristã: participação no sofrimento e na glória]. Grand Rapids, MI: Baker, 2013, p. 244.

[4] Esta é a definição do jornalista Ken Myers de cultura como resumido por Andy Crouch em *Playing God: Redeeming the Gift of Power.* Carol Stream, IL: InterVarsity Press, 2013, p. 17.

comunidade (ou no mercado) e definimos o crescimento pessoal e/ou espiritual, tudo isso expressa a cultura na qual lideramos. E como líderes cristãos devemos compreender que precisamos tomar em mãos o caos que as pessoas trazem para a organização (de seus ambientes e famílias de origem bem diferentes) e moldá-las numa nova cultura que busque operar como a família de Jesus.

Sua prática de cultura e construção da equipe é saudável?

Use a lista de declarações a seguir para avaliar resumidamente sua prática de liderança quando se trata de cultura e construção da equipe. Em seguida a cada declaração, anote o número que mais bem descreve sua resposta. Use a escala a seguir:

5 = Totalmente verdadeiro
4 = Bastante verdadeiro
3 = Parcialmente verdadeiro
2 = Raramente verdadeiro
1 = Falso

____ 1. Eu invisto em pessoas-chave de minha equipe, tanto em sua transformação em Cristo como em sua habilidade ou desenvolvimento profissional.

____ 2. Eu detecto direta e prontamente "elefantes na sala" (tensões, atrasos, linguagem corporal hostil, sarcasmo, observações rudes, silêncio etc.).

____ 3. Eu considero ritmos saudáveis e a amorosa união com Jesus de membro da equipe como fundamento indispensável para a construção de uma cultura e de uma equipe saudáveis. Nosso planejamento e agenda refletem esses valores.

____ 4. Eu exploro e faço perguntas quando as pessoas estão muito sensíveis ou "armadas" emocionalmente, em vez de ignorá-las.

____ 5. Eu negocio diferenças e esclareço expectativas quando existe frustração e conflito.

____ 6. Eu me comunico de forma clara, honesta, respeitosa e oportuna.

____ 7. Eu sou obstinado em separar tempo e espaço nas reuniões da equipe para instilar valores particulares (p. ex., Bíblia, expressar simpatia, compartilhar novos conhecimentos a respeito da liderança).

____ 8. Eu dedico tempo necessário para explorar as causas profundas do comportamento inadequado, vendo-o como uma oportunidade de formação espiritual.

____ 9. As pessoas sentem que estou disposto a usar tempo para "me sintonizar" com elas.

____ 10. Eu faço perguntas específicas sobre a qualidade do casamento das pessoas ou do seu estado de solteiro porque isso é um fator-chave para construir uma cultura e equipes saudáveis.

Reserve um momento para rever rapidamente suas respostas. O que mais se destaca para você? No final do capítulo (páginas 236 e 237) estão algumas observações gerais para ajudá-lo a compreender melhor o nível atual de saúde em sua liderança da cultura e na construção da equipe.

Características da cultura e da construção da equipe emocionalmente saudáveis

Em relação à cultura e à construção da equipe, eu passei anos demais agindo como os líderes da Floresta Amigável. Eles estavam inconscientes de sua responsabilidade para construir uma cultura e uma equipe saudáveis. Eu também estava. Eles eram avessos ao conflito. Eu também. Eles eram míopes, não pensando sobre as implicações de suas decisões a longo prazo. Eu também fiz isso – muito.

Eu não pensei muito no tipo de cultura que queria criar, nem investi a energia necessária para ajudá-la a tornar-se uma realidade viva. Não conversamos a respeito de cultura em nossa equipe – não que não quiséssemos, mas porque não sabíamos o que era isso. Claro, tomamos uma ação apropriada quando o comportamento de alguém foi claramente inapropriado (cometendo imoralidade, gritando com alguém durante uma reunião, fazendo observação racista etc.), mas, caso contrário, nosso foco estava em atingir nossas metas. A química da equipe foi importante mas somente como meio para maximizar nossa eficiência.

Todavia, criar uma cultura e equipe emocionalmente saudáveis é uma das oportunidades mais poderosas para impactar a vida das pessoas e a nossa missão de longo prazo. Isto se aplica igualmente a pastores, professores, líderes de ministério, membros do conselho, executivos e obreiros de missão.

Com o passar dos anos, eu identifiquei quatro características fundamentais em relação à cultura e construção da equipe emocionalmente saudáveis. Quando uma cultura organizacional e uma equipe são saudáveis, estas coisas são verdadeiras:

- O desempenho do trabalho e a formação espiritual pessoal são inseparáveis.
- Os elefantes na sala são reconhecidos e enfrentados.
- Tempo e energia são investidos no desenvolvimento pessoal e espiritual da equipe.

- A qualidade dos casamentos e da vida a sós das pessoas é vista como fundamental.

Cada uma das quatro características nasceu de muitos erros dolorosos de provação e enganos na *New Life*. Cada uma exigiu que eu me movesse da indiferença para a intencionalidade e reflexão. No processo, eu me senti compelido a pedir regularmente coragem a Deus para remodelar nossa cultura de forma específica e ter conversas difíceis que eu preferia evitar.

Vamos dar uma olhada mais de perto nessas características, começando com o fundamento do qual outras derivam – a necessidade de tornar inseparáveis o desempenho e a formação espiritual.

O desempenho e a formação espiritual pessoal são inseparáveis

Como os membros da nossa equipe realizam o trabalho é importante. Nós os convidamos a servir – como voluntários ou pessoas contratadas – para realizar uma tarefa, e precisamos que a cumpram bem. Em culturas e equipes emocionalmente saudáveis, tais expectativas de função são claramente faladas e acordadas. Nós nos avaliamos de modo claro, respeitoso e honesto. Mas isso não é suficiente.

O cuidado com a vida interior também é importante. A pergunta é: "Importante até que ponto?" Numa cultura ou equipe emocionalmente saudáveis, a resposta é: "Muito importante". De fato, a saúde e o crescimento interiores são inseparáveis do desempenho. Infelizmente, embora muitos de nós sejamos claros a respeito de certos limites que não podem ser ultrapassados (imoralidade, furto, mentira, comportamento litigioso etc.), nossas expectativas sobre a maturidade espiritual das pessoas permanecem superficiais e obscuras. Considere como os líderes seguintes descrevem sua abordagem de alguns membros da equipe problemáticos:

Cultura e construção de equipe emocionalmente saudáveis

1. **Trabalho e formação pessoal são inseparáveis.**
2. Elefantes na sala são reconhecidos e confrontados.
3. São investidos tempo e energia.
4. A qualidade dos casamentos e da vida de solteiro das pessoas é fundamental.

- *Jacó? Bem, eu só tenho de tomar cuidado com o que digo perto dele. Ele é muito sensível a crítica. Se eu levanto qualquer questão sobre a forma como ele supervisiona o ministério de crianças, tenho receio de que ele renuncie. Então vou ter um problema ainda maior porque não vou poder encontrar mais ninguém que deseja atuar como voluntário.*

- *Mia é jovem, imatura e às vezes imprudente. Eu costumava chamar a atenção dela para isso quando ela dizia algo inadequado, mas agora procuro deixar passar. Sim, a tendência dela é perder voluntários porque (conforme ela alega) eles não têm compromisso. Mas tenho certeza de que ela acabará se tornando mais paciente e menos áspera. Independentemente disso, eu simplesmente não tenho tempo de tratar tudo com ela. Além disso, ela faz um trabalho maravilhoso com nosso site e comunicação social, então eu acho que de alguma forma tudo se equilibra.*
- *Owen é um grande sujeito e líder fiel de um grupo pequeno, mas não entra em conflito. Tenho de ter certeza de observar sua linguagem corporal e tom para dicas sobre se alguma coisa o está incomodando ou não. Ele não me dirá mesmo que eu lhe pergunte à queima-roupa, por isso eu tenho de ler entre as linhas com ele. Tenho sido muito bom nisso, assim as coisas estão bem a maior parte do tempo.*
- *O carro de Claire parece que foi varrido por um tornado. Sacos de lanches usados, recibos, produtos de higiene pessoal, pastas de arquivos e partituras estão espalhados por todos os assentos dianteiros e traseiros – e o seu escritório não parece muito diferente. Além de ser o tipo de pessoa de última hora, ela está um pouco sobrecarregada agora, mas sempre consegue, de alguma forma, ter o trabalho feito no final das contas. Ela é uma ótima líder do louvor, por isso estou disposto a tolerar o caos que vem com ela.*

Então, você tem algum Jacó, Mia, Owen ou Claire em sua equipe? Alguém cujo arremate de trabalho é quase sempre complicado ou causa problemas que você tem ou de tolerar ou gastar tempo excessivo consertando depois?

Eu certamente tive. E como a maioria dos pastores e líderes, eu não tinha tempo para ajudar estas queridas pessoas a lidar com inumeráveis dinâmicas de família de origem não resolvidas ou falta de autoconsciência, itens que impactavam nossa equipe – especialmente uma vez que, nos primeiros anos do meu ministério, eu mesmo não havia percorrido a trilha. O melhor que eu podia fazer era oferecer algumas sugestões:

"Tente ser menos sensível".

"Há um ótimo livro sobre solução de conflitos que você poderia querer ler".

"Eu o encorajo a se afirmar. Você tem ótimas coisas a dizer".

Você pode imaginar como foram úteis essas sugestões ao tratar dos problemas. Nada do que eu tinha a oferecer naquele momento podia ajudar aqueles membros problemáticos da equipe a romper suas camadas de imaturidade emocional e falta de consciência. E isso era um grande problema.

Líderes minimamente transformados resultarão sempre em equipes com um ministério minimamente transformador. Isto é verdade mesmo que os números sejam grandes e a programação excelente. Como poderíamos esperar que fosse diferente? Como poderíamos esperar mudar o mundo para Cristo se nós mesmos não estamos sendo mudados por ele? Para termos qualquer esperança de lidar com membros da equipe imaturos, temos de focar primeiro em nossa própria transformação espiritual.

Desenvolvimento espiritual pessoal

Na *New Life*, eu sempre recomendo que a primeira categoria listada para toda descrição de tarefa da liderança é: "Desenvolvimento da formação espiritual pessoal".

Nós começamos conosco por quê? Porque a forma mais importante de comunicarmos a ligação inseparável entre desempenho e formação espiritual pessoal é dar o exemplo. Quando fazemos da nossa transformação em Cristo a primeira prioridade de nossa liderança, instilamos esse valor em nossa cultura e em nossas equipes.

Geri e eu somos muito firmes sobre o exemplo disto. Nós nos reunimos com conselheiros e instrutores; vamos a seminários de treinamento, workshops e conferências, lemos vorazmente, olhamos para fora do nosso contexto (da cultura norte-americana) e da nossa subcultura evangélica por novas perspectivas e práticas que nos ajudarão a crescer pessoalmente e profissionalmente. Nos 29 anos do nosso ministério, tiramos três períodos sabáticos para focarmos no aprendizado e no crescimento, para que Deus transformasse áreas rompidas em nossa vida e ministérios. Nós compartilhamos abertamente o que Deus está nos ensinando – em sermões, reuniões do conselho, conversas particulares e com membros do nosso grupo pequeno. Em tudo isso, nós comunicamos o valor fundamental que nós estimulamos ou quem somos. Assim, disciplinar-nos a investir tempo, energia e dinheiro em desenvolvimento pessoal não é uma indulgência egoísta, mas uma das coisas mais amorosas que oferecemos àqueles a quem servimos.

Desenvolvimento espiritual do membro da equipe

Uma vez que investimos e damos o exemplo de desempenho de trabalho e formação espiritual pessoal, podemos decididamente e em oração nos dedicar a tratar as lacunas evidentes nos membros de nossa equipe. Isto não é um "extra" quando se trata de ser um líder cristão ou algo que encaixamos entre as rachaduras para termos o nosso "real" trabalho feito. Ele é fundamental para o que significa ser um líder servo de Cristo. Permita-me ilustrar isto com uma história sobre Phil, um dos membros da nossa equipe da *New Life*.

Nos seis meses em que ele se uniu à nossa equipe, ficou evidente que Phil era avesso a conflito. Como parte do treinamento de Phil sobre essa questão, Geri e eu lhe oferecemos a oportunidade de servir como estudo de caso em relação a uma próxima conferência sobre Liderança emocionalmente saudável. Ele aceitou com prazer.

Phil identificou um evento ocorrido durante nosso recente culto de batismo no domingo de Páscoa no qual ele evitara um conflito com Myrna, sua assistente executiva. No sábado antes da Páscoa, Phil recebeu uma mensagem de texto de seu supervisor de que uma adolescente chamada Emily estava animada para ser batizada. Ela havia convidado sua família, que não fazia parte da igreja, para compartilhar em seu grande dia. O problema era que o seu nome, por algum motivo, não havia sido incluído na lista de candidatos. Isso significava não estar programado para o culto. Quando o supervisor de Phil lhe pediu para providenciar sua inclusão, Phil respondeu:

– Claro, sem problema.

Mas havia um problema. Além de estar no meio do seu dia de descanso (sábado), Phil e sua esposa estavam celebrando seu primeiro aniversário de casamento. Mesmo assim, ele passou as cinco horas seguintes resolvendo o problema, arruinando tanto seu dia de descanso como seu aniversário. Phil providenciou todos os detalhes ele mesmo, não telefonou nem uma vez para Myrna, sua assistente executiva, que era responsável por programar os candidatos e havia evidentemente falhado em incluir Emily na lista em primeiro lugar.

No domingo de Páscoa, Myrna aproximou-se de Phil e pediu desculpas por seu erro com a programação. Phil sorriu e respondeu:

– Está tudo bem. Não foi nada demais.

Quando Geri e eu soubemos do que havia acontecido, trabalhamos com Phil uma abordagem diferente. Nós o convidamos a usar uma ferramenta desenvolvida por nós, chamada "A escada da integridade".[5]

[5] Quero agradecer a Fundação Paris pelo desenvolvimento da ferramenta chamada o "Guia do Diálogo", que serviu como protótipo para nós desenvolvermos a Escada da integridade; v. http://emotionallyhealthy.org/theladderofintegrity.

SUBA A ESCADA DA INTEGRIDADE

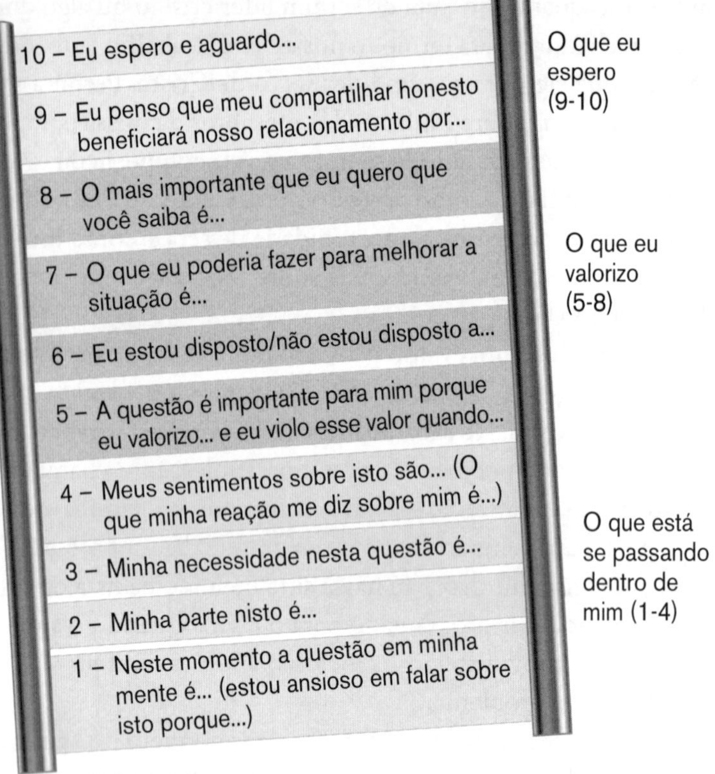

Certifique-se de se ater a um problema

O propósito da Escada da integridade é ajudar a pessoa a descobrir o que está se passando dentro dela – para discernir seus valores e declará-los – de forma respeitosa, sem acusação. Nós a chamamos de Escada da integridade porque ela fornece uma abordagem sistemática que ajuda as pessoas a ser honestas e transparentes enquanto se preparam para tratar de problemas e conflitos com outra pessoa.

Nas seis semanas seguintes, Phil passou grande parte do tempo refletindo sobre e depois anotando suas respostas às sentenças iniciadas em cada degrau da escada. Ele então praticou suas respostas em várias reuniões com Geri e eu. Aos poucos, ele desenvolveu confiança em sua habilidade para se afirmar clara e honestamente com Myrna. Em nossa conferência, na frente de trezentos pastores e líderes, nós convidamos Myrna para se juntar a nós na plataforma. Phil então resumiu para ela suas declarações da escada em cinco minutos. Eis o que ele disse:

Myrna, muito obrigado por se dispor a me permitir compartilhar algo significativo para mim. Tem a ver com aquele conflito na programação do batismo de Emily na Páscoa. Eu gostei de você ter pedido desculpa por seu erro. E lhe disse que estava "tudo bem e que não era nada demais". Eu menti. Foi muita coisa porque o que eu pensei que levaria apenas cinco minutos acabou levando cinco horas e eu basicamente estraguei o descanso de Debbie e o fim de semana do nosso primeiro aniversário.

Meu objetivo em dizer a você tudo isso agora é porque o que realmente me perturbou foi o fato de não ter sido honesto com você. Eu apaguei o fato como se não fosse nada, mas isso está longe de ser verdade. No fim o que me entristeceu – e me assustou – foi o fato de ter mentido com tanta facilidade a você. Ao refletir em tudo isto, me dei conta de que, em minha cultura [a família de Phil é da Índia], é uma regra não falada que uma pessoa mais jovem nunca levanta uma questão com outra mais velha ou mais experimentada da equipe – mesmo que essa pessoa esteja mal informada ou tenha cometido um erro. Devemos guardar conosco. Acabamos mentindo, e isso prejudica relacionamentos nas igrejas e nas famílias.

Sou uma pessoa que gosta de agradar as outras e quero que você goste de mim. Tive receio de você ficar ofendida se eu lhe dissesse como aquilo me afetou, e então distanciar você de mim. Eu valorizo a veracidade e integridade comigo mesmo. Quando não sou honesto comigo mesmo e com os outros, transgrido minha própria integridade. Quero ser um líder autêntico e, portanto, muito obrigado por me permitir falar com verdade.

A coisa mais importante que eu quero que você saiba é que eu a respeito e valorizo o seu trabalho como uma fantástica assistente executiva. E eu quero que você saiba quanto é difícil eu falar francamente por causa da minha formação – gerações de pessoas da minha família e cultura não fazem isto. Eu creio que lhe dizer isto irá beneficiar o nosso relacionamento porque você saberá que eu posso ser honesto com você. Eu espero ansiosamente que mais oportunidades em nosso relacionamento futuro de trabalho sejam um sinal do reino para a nossa comunidade. Espero que você se sinta à vontade para também vir a mim.

Myrna sorriu, abraçou-o e disse:

– Obrigada.

Foi isso.

Você deve estar se perguntando se isso valeu todo o nosso tempo e esforço. Mas permita-me pedir que você considere também algumas outras questões. Onde Phil estará como líder – daqui a um, três, dez anos – se continuar evitando conflito e tratando com indiferença suas frustrações e mágoas? Que tipo de grupos pequenos e ministérios serão formados na *New Life* se ele não puder enfrentar sua própria imaturidade? O que acontecerá com seu relacionamento com Myrna, seus colaboradores e seus supervisores se ele continuar a se esconder atrás da fachada de felicidade, ser um bom sujeito pelo fato de não poder lidar com conflito? E como poderia tudo isto impactar a saúde da igreja no geral?

Cada membro de sua equipe terá arestas diferentes e áreas que precisa desenvolver – assim como você. Pode ser na área de enfrentar a sombra e cultivar maior autoconsciência. Você pode encorajá-los a escrever sobre os sentimentos deles num diário, ver um conselheiro ou terapeuta, ler um livro específico. Outro membro da equipe pode ser tão dedicado ao trabalho e consciencioso que precisará ser desafiado a trabalhar menos horas e dedicar tempo para estar com Deus. Um de seus líderes solteiros pode ter desafios relacionados a criar deleite em sua vida e fixar melhores limites em torno do ministério. Você pode querer um momento para discussão de ideias com eles a respeito disto. Semana passada, eu passei quase duas horas conversando com Ruth, nossa diretora executiva da EES, exatamente sobre isso.

O fator fundamental aqui é que você seja cuidadoso e dedicado a respeito de cada membro de sua equipe. Assim como nós, eles lideram a partir de sua personalidade única, pelo que eles *são.* Assim como não podemos dar o que não possuímos – independentemente de dons e experiência –, nem eles podem.

Elefantes na sala são reconhecidos e confrontados

O "elefante na sala" é uma referência a um comportamento obviamente inapropriado ou imaturo que permanece não reconhecido e/ou não tratado. Esses elefantes normalmente vagueiam de forma selvagem e livremente entre muitas equipes. Por exemplo:

- Jacqueline é uma excelente líder do louvor. Seus dons são uma bênção para a nossa igreja. Mas nas reuniões de planejamento semanal de serviço ela é indiferente, temperamental e taciturna, o que parece indicar que seria melhor que ela não estivesse lá. Os cinco outros membros da equipe não podem deixar de notar isso, mas ninguém lhe faz perguntas a respeito.

Cultura e construção de equipe emocionalmente saudáveis

1. Trabalho e formação pessoal são inseparáveis.
2. **Elefantes na sala são reconhecidos e confrontados.**
3. São investidos tempo e energia.
4. A qualidade dos casamentos e da vida de solteiro das pessoas é fundamental.

- Michael, um membro do conselho da igreja, manda um e-mail aos seis membros da equipe de pessoal, criticando a decisão deles de cancelar as reuniões de oração antes e depois do Natal. Seu tom é aborrecido, beirando a irritação. O pastor principal tem uma conversa superficial de cinco minutos com Michael numa tentativa de rapidamente resolver suas preocupações. O problema é rapidamente apaziguado, mas a tensão permanece.
- Rob é um comunicador de talento. As pessoas gostam dele. O problema é que ele tem o hábito de falsear a verdade. Por exemplo, ele concorda sistematicamente em fazer coisas e depois jamais ir até o fim. Ele também exagera e enfeita os fatos. As pessoas mais próximas a ele aprenderam a tolerar isso como parte do pacote do "comunicador visionário".
- O ministério de Nora está florescendo. Contudo, ela aparece atrasada para as reuniões do pessoal e para as reuniões individuais – e muito. Ela se desculpa e apresenta desculpas razoavelmente boas, mas as chegadas em atraso persistem. Outros se queixam de seus atrasos, mas ninguém a responsabiliza por isso.
- Patrick, o assistente administrativo, está na equipe há dez anos, mas não está fazendo seu trabalho para os ministérios aos quais ele serve. Ele critica muitos os outros, especialmente o novo pessoal que não tem a história que ele tem com a igreja. A igreja está mudando e crescendo, mas Patrick não. Seu supervisor não sabe como falar com Patrick sobre isso ou o que fazer sobre todas as queixas vindas das pessoas que Patrick deveria estar apoiando. O elefante está na sala ano após ano.

Negligenciar o comportamento inaceitável em situações como essas é tão comum em equipes que, quando eu sugiro que parte da liderança deve expor e explorar esses elefantes, os líderes quase sempre olham para mim descrentes: "Pete, você deve estar brincando. Você sabe o que aconteceria se eu começasse a confrontar cada elefante na sala? Eu poderia perder metade da minha equipe. E não teria tempo para mais nada!"

Dependendo da sua situação, você pode precisar priorizar o rumo a tomar em oração. Eu tenho certeza de que fiz essa transição na cultura da *New Life*. Lembre-se, elefantes na sala raramente desaparecem por si. De fato, eles quase sempre se alimentam do silêncio e ficam maiores, elefantes cheios de crise com o passar do tempo. Eu sei porque eu mesmo ignorei tantos – e paguei um alto preço como resultado.

Durante muitos anos, eu não me via como o guardião dos valores de cultura da *New Life*. Eu nem sequer sabia que tínhamos uma cultura. Eu não me sentia preparado e esperava que outra pessoa fizesse isso. Eu erroneamente esperava que minha equipe bem como nosso pessoal, o conselho da igreja e voluntários automaticamente "fizessem tudo". Eu ficava surpreso e quase sempre perturbado quando eles repetidamente apresentavam suas maneiras não saudáveis de se relacionar entre si na cultura da *New Life*. *Mas o que eu estava pensando?* Claro, eles estavam trazendo seus comportamentos imaturos e arestas com eles! O que mais podiam eles fazer? Isso era tudo o que eles sabiam.

Quanto mais alto estamos na liderança, maior o nível de maturidade é requerido. Quando as pessoas entram em esferas progressivamente mais amplas de influência e responsabilidade, questões não resolvidas em sua vida interior inevitavelmente serão expostas. A imaturidade enraizada em problemas não resolvidos de sua família de origem, trauma, problemas com autoridade e pensamentos defeituosos, por exemplo, revelar-se-ão mais cedo ou mais tarde. Embora todos nós desejemos que os líderes cheguem à nossa porta idoneamente formados, executantes de ponta, isso é o que raramente acontece.

Devido ao nosso compromisso em livrar a *New Life* de elefantes indesejados e criar uma nova cultura, Geri e eu desenvolvemos habilidades práticas para a nossa liderança e igreja num período de dezesseis anos. A fórmula foi simples: Novas habilidades + nova linguagem + acompanhamento = comunidade transformada.

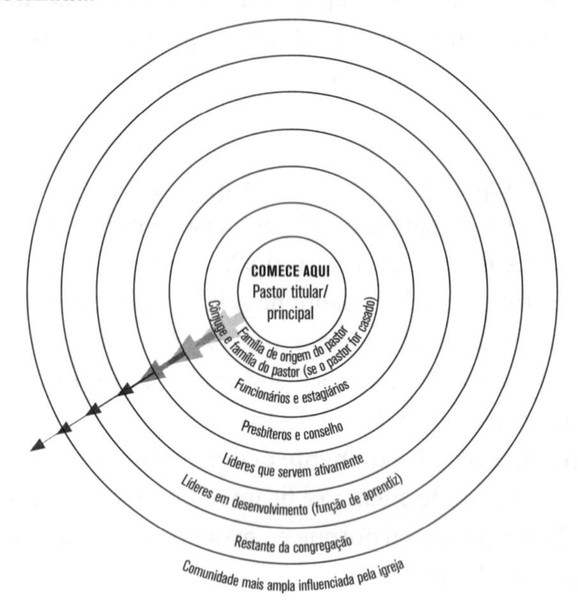

Nosso objetivo foi dar ferramentas às pessoas para amar bem na nova família de Jesus – começando com nossa equipe de liderança. Nós chamamos essas oito ferramentas de "habilidades emocionalmente saudáveis".[6] Embora possam parecer enganosamente simples, cada uma delas é construída num rico fundamento teológico e contém vários níveis de profundidade para compreender e viver. São eles:

1. Ler a temperatura da comunidade
2. Parar a leitura da mente
3. Esclarecer expectativas
4. Fazer o genograma de sua família
5. Explorar o iceberg
6. Ouvir a encarnação
7. Subir a escada da integridade
8. Lutar limpo

Colocar essas habilidades em prática forneceu a todos nós uma estrutura comum para confrontar os elefantes na sala e lutar com os difíceis problemas que eles representam. Usar essas habilidades também nos ajudou a desenvolver um novo vocabulário. Por exemplo, quando somos tentados a fazer um julgamento prematuro, podemos nos entender e dar forma a uma conversa afetuosa. Dois conceitos simples, porém fundamentais, que integramos à nossa cultura da *New Life* são o *autoquestionamento* e o que chamamos de *queixas com recomendações* (estas envolvem o uso das expressões *Eu noto... e eu prefiro* ao fazer uma queixa). Permita-me ilustrar como funcionam.

O autoquestionamento nos possibilita evitar premissas e interpretações negativas. Por exemplo, em vez de dizer: "Por que você deixou essa bagunça na cozinha do escritório?", podemos dizer: "Estou me perguntando por que você não limpou a cozinha". Em vez de dizer: "Você devia ter respondido meu e-mail logo", dizemos: "Estou me perguntando por que você não respondeu meu e-mail logo". Fazer declarações de autoquestionamento nos força a reconhecer que não sabemos por quê. Isso nos ajuda a fazer uma pausa e segurar o coração antes que ele pule para o julgamento.

Nós também ensinamos nossa equipe e os membros da igreja a fazer queixas saudáveis em nossa cultura como a nova família de Jesus. Para desaprender

[6] SCAZZERO, Peter e SCAZZERO, Geri. *Emotionally Healthy Skills 2.0.*

padrões negativos de sua família de origem, nós encorajamos as pessoas a usar a frase *Eu noto... e eu prefiro* como a fórmula da queixa. Por exemplo, quando um supervisor manda uma apresentação em Power Point ao técnico voluntário no último minuto, em vez de mostrar frustração e aborrecimento, ele pode dizer: "*Eu notei* que você mandou seu Power Point duas horas antes de sua apresentação, e eu *preferia* que você pudesse tê-lo mandado um dia antes para que eu tivesse tempo de colocar no sistema". Em vez de dizer: "Você se atrasou para a nossa reunião. Se não aparecer em tempo, não posso trabalhar com você no futuro", podemos dizer: "*Eu noto* que você chegou vinte minutos atrasado para a reunião da nossa equipe, e *eu prefiro* que você telefone quando estiver atrasado para que eu possa ajustar minha agenda".

É uma frase simples, mas dizer *Eu noto... e eu prefiro* efetivamente oferece auxílio para as pessoas se relacionarem de forma diferente, com consciência e responsabilidade pelas pequenas irritações e aborrecimentos que surgem cada dia.[7]

O que é então reconhecer e enfrentar o elefante na sala de forma que sirva à maturidade das pessoas em Cristo? Aqui estão dois exemplos simples mais reais.

Steve. Geri e eu estávamos nos reunindo com Steve, um dos líderes de nossos grupos pequenos, em nossa casa. Ele contou que, depois de ter feito uma ótima apresentação no trabalho, seu chefe mandou um e-mail agradecendo a todos, menos a ele.

– Eu sabia que ele queria me prejudicar – comentou ele com raiva. – Ele nunca gostou de mim.

Geri e eu olhamos um para o outro, sabendo que aquele era um momento propício para aconselhar Steve.

– Você tem certeza? – Geri perguntou. – Ele lhe disse isso? Ou pode haver outras formas de interpretar o que aconteceu?

Com base na habilidade que chamamos "Parar a leitura da mente", encenamos a possível má interpretação por parte do Steve. Eu atuei como se fosse Steve entrando na sala do chefe, e Steve representou o papel do chefe.

– Sr. Simmons – comecei – estou realmente confuso sobre por que o senhor mandou um e-mail agradecendo a todos da nossa equipe, menos a

[7] Note que esta ferramenta é usada para pequenos aborrecimentos, não para grandes conflitos. Essas duas frases são mais completamente explicadas como parte de uma ferramenta maior que ensinamos na *New Life Fellowship* chamada "Leitura da temperatura da comunidade", que é a primeira habilidade encontrada no currículo do curso chamado *Emorionally Healthy Skills 2.0.*

mim, especialmente pelo fato de parecer que o senhor ficou muito contente com minha apresentação na reunião. Eu esqueci alguma coisa?

Andy. Um amigo pastor me contou recentemente sobre sua interação com Andy, um músico da equipe de louvor da igreja. Andy havia se queixado ao meu amigo pastor que o ensaio da equipe de louvor excedeu o tempo em trinta minutos, tudo por causa de uma brincadeira que o diretor de música havia permitido. Alguns dias depois, o diretor de música, percebendo o aborrecimento de Andy, perguntou:

– Ei, Andy, naquele dia você ficou chateado durante o ensaio? Você saiu tão apressado.

Andy respondeu:

– Não, esses dias eu dei um jeito nas costas, estava doendo e eu queria ir logo para casa.

Mas Andy não tinha dado um jeito nas costas. Um dia antes, ele havia jogado basquete com o time da igreja!

Meu amigo decidiu abordar Andy alguns dias depois, tomando cuidado para não envergonhá-lo ou julgá-lo.

– Ei, Andy, estou curioso. Eu ouvi você dizer ao diretor de música que suas costas estavam doendo e que por isso foi embora apressado depois do ensaio. Por que você disse aquilo?

A conversa que se seguiu foi muito eficaz. Andy falou sobre sua tendência em mentir para evitar conflitos, assim como sempre havia ocorrido na família dele. Eles identificaram algumas de suas falsas premissas sobre "gentileza" na cultura da igreja. Eles até pensaram em como ele podia voltar e conversar novamente com o diretor de música.

Aqueles foram momentos importantes tanto para Steve como para Andy crescerem e amadurecerem. Foram oportunidades para desaprender padrões doentios de suas famílias de origem e a aprender como agirmos na família de Jesus. Os que enfrentaram seus comportamentos estavam também construindo uma cultura mais saudável. À medida que Steve e Andy mudam a forma como se relacionam e amam, a comunidade maior da qual eles fazem parte também será transformada. Repetidas vezes nós descobrimos que momentos de aconselhamento individual como esses têm um sustentado efeito cascata em toda a cultura, que vai muito além de sua aparente importância.

Encontra-se ótima sabedoria no antigo axioma "Todos os caminhos levam a Roma". Assim como os raios de uma roda conduzem para o eixo, o excelente sistema de estradas do Império Romano levava os viajantes diretamente a Roma. Da mesma forma, todos os problemas superficiais em nossa vida acabarão levando para os mesmos problemas doentios arraigados na forma como nos relacionamos com os outros. Quando trabalhamos com alguém para fazê-lo se abrir – como o pequeno incidente entre Andy e o diretor de música – podemos esperar chegar às raízes profundas que mostram outros comportamentos similares. Trate isso por completo e luz será lançada também sobre o restante.

Se somos líderes na igreja ou no setor sem fins lucrativos, podemos não ter como pagar salários de mercado. De fato, a maioria das equipes que lideramos pode bem ser composta por voluntários. Mas podemos oferecer algo muito mais valioso – desenvolvimento espiritual pessoal para ajudar os que lideramos a se tornarem mais parecidos com Jesus. Isso é realmente um presente.

Tempo e energia são investidos no desenvolvimento espiritual pessoal da equipe

Líderes emocionalmente saudáveis se dedicam ao desenvolvimento espiritual pessoal de sua equipe, e não apenas de suas habilidades profissionais ou do seu ministério. Eles sabem que isto produzirá ricos frutos e irá repercutir no ministério de forma poderosa.

Jesus ensinou e liderou as massas, mas se envolveu numa equipe central de doze pessoas que, por sua vez, moldou a cultura da igreja emergente. Com a aproximação de sua crucificação, Jesus dedicou cada vez mais energia para treiná-los. Da mesma forma, como líderes cristãos nós devemos separar uma parte de nossa energia voltada aos programas do ministério maior para o desenvolvimento de nossa equipe central. Como Jesus, nós precisamos de um foco em dois níveis – a liderança em geral das massas e a maturidade da nossa equipe. Se formos o líder principal de uma igreja, ministério ou outra grande organização, precisamos identificar em nossa equipe a "base dos trinta".*

CULTURA E CONSTRUÇÃO DE EQUIPE EMOCIONALMENTE SAUDÁVEIS

1. Trabalho e formação pessoal são inseparáveis.
2. Elefantes na sala são reconhecidos e confrontados.
3. **São investidos tempo e energia.**
4. A qualidade dos casamentos e da vida de solteiro das pessoas é fundamental.

*As 30 competências centrais é uma formação teológica espiritual baseada em torno de 10 crenças centrais, 10 práticas centrais e 10 virtudes centrais. Focar nessas crenças, práticas e virtudes nos ajuda a cumprir o mandato bíblico de amar a Deus e ao próximo. Fonte:http://www.pantego.org/#!core-competencies/c2f3

Se lideramos uma equipe menor numa organização ou ministério, devemos identificar as pessoas-chave em nossa equipe e investir nelas.

A Natural Church Development (NCD) é a importante organização que pesquisa o crescimento saudável da igreja no mundo. Começando nos anos 1990, a NCD realizou 93 mil pesquisas com mais de 70 mil igrejas em 71 países. Para avaliar o coração e a saúde da igreja, eles pesquisam *somente trinta pessoas centrais* da congregação – independentemente do tamanho da igreja.[8] Os que estão no grupo central devem atender a três critérios: (1) ser membros de um grupo dentro da igreja (coro ou grupo de louvor, grupo de homens, grupo pequeno etc.); (2) estar ativamente envolvidos no ministério (não apenas se reunindo socialmente); e (3) estar comprometidos com o crescimento da congregação. Quando os líderes de congregações maiores perguntam se eles podem pesquisar mais de trinta pessoas, a resposta da NCD é:

> É possível, mas não aconselhável porque não mais é necessário para produzir um resultado estatisticamente correto. Nós recomendamos que os líderes aproveitem o tempo para reduzir sua lista às trinta pessoas ajustando os critérios cuja opinião eles mais valorizam ou as que eles consideram ter a maior influência na vida da igreja. Você está efetivamente fazendo uma biópsia do coração do organismo.[9]

Se eles querem avaliar se a cultura da igreja mudou ou não mudou depois de um ano ou dois, a igreja deve realizar uma nova pesquisa NCD com outra amostra de trinta pessoas do núcleo central dos que atendem ao critério. Por quê? Porque eles sabem que esses são os que permeiam toda a cultura com seus valores, ethos, comportamentos, práticas e espiritualidade.

Embora não tenhamos feito o processo NCD na *New Life*, nós intencionalmente focamos em nossos trinta ou quarenta auxiliares, presbíteros, ministérios e líderes-chave de grupos pequenos para integrar os princípios que você está lendo neste livro. Dessa forma, a cultura que procuramos criar se espalha por toda a igreja.[10]

[8] Se uma igreja tem mais de 800 membros que reúnem os três critérios, eles expandem de trinta para um número maior. É possível ter 10.000 participantes em cinco cultos, mas ainda tem somente 800 que reúnem os critérios. A NCD recomenda que sejam feitas avaliações separadas para campi diferentes num contexto múltiplo ou com muitos tipos diferentes de cultos de louvor (p.ex., línguas diferentes, tradicional vs contemporâneo, jovens vs idosos, etc.).

[9] Isto foi baseado em conversas com líderes canadenses e profissionais da Natural Church Development. V. "How to Take the NCD survey" [Como fazer a pesquisa NCD] em http://ncd-canada.com ou no website global da VCD, http://.ncd-international.org/.

[10] V. SCAZZERO, Peter. *Emotionally Healthy Church*, p. 34, 35.

A seguir, alguns exemplos do que significa esse tipo de investimento no desenvolvimento espiritual pessoal da equipe. Em nossas últimas reuniões semanais da equipe, nós dedicamos tempo para falar sobre a prática do sábado, ouvir Deus por meio do Ofício, discernir nossas vocações específicas como líderes e pesquisar as recentes descobertas da neurociência sobre como as pessoas mudam. Fazemos também juntos a oração do meio-dia do Ofício Divino todas as semanas. Depois passamos para os itens administrativos da agenda, como os próximos eventos, mudanças na política, problemas etc.

Há momentos, entretanto, em que esse investimento em equipe demanda mais tempo e energia do que o previsto. A seguinte situação aconteceu duas semanas antes de eu passar oficialmente o comando para Rich como novo pastor titular da *New Life*. Rich estivera formalmente liderando o pessoal nos dezoito meses anteriores, o que significou que o meu contato com Mike, o jovem membro do quadro de funcionários dessa história, tinha sido mínimo até aquele momento.

Era domingo, e Geri estava proferindo uma mensagem para os nossos três cultos intitulada "Duras lições aprendidas em 26 anos na *New Life*". Antes do terceiro culto, eu pedi a Mike, nossa pessoa contratada, responsável por gravar os vídeos, para gravar a mensagem final dela na *New Life*.

– Não – respondeu ele, – Eu somente gravo o segundo culto.

– Eu sei, mas este é um domingo especial – argumentei –. Eu quero registrar a melhor mensagem dela em vídeo, por isso, por favor, grave este.

Mike foi irredutível.

– Quero sentar no auditório e participar deste culto. Por isso, não.

Eu me vi confuso e com uma raiva cada vez maior. *Este camarada tem vinte anos e é funcionário há um ano. Eu sou pastor titular da New Life mais tempo do que ele de vida. Por que ele não está fazendo o que lhe estou pedindo?*

Eu então percorri a estrada da falta de autoconfiança (minha sombra). *Talvez eu esteja sendo perfeccionista. Por que estou tão nervoso? Geri não se importaria de qualquer forma.*

Eu mencionei outro funcionário que havia gravado cultos antes e sugeri que Mike pedisse a essa pessoa que registrasse a mensagem por ele.

– Ele não sabe fazer isso – Mike replicou secamente enquanto se afastava.

Eu estava atordoado demais para responder.

Geri pregou uma mensagem incrível no terceiro culto. E eu estava furioso por não ter sido gravada.

Parte de mim queria demitir Mike na hora. Mas, depois de me despedir das pessoas depois do último culto, me dei conta de que não estava pronto para falar com ninguém sobre aquilo, por isso fui embora.

Demorei a noite de domingo e todo o dia da segunda-feira para me acalmar o suficiente, pensar claramente sobre o que havia acontecido e identificar a melhor forma de ir em frente. Eu tinha outros planos para a segunda-feira, mas sabia que aquele era um importante momento para a formação cultural e espiritual de Mike, da equipe executiva e minha.

Eu tinha que lutar com uma questão: *Esta é a forma como serei tratado quando me demitir em duas semanas e desempenhar uma nova função?* Essa foi precisamente a razão por que alguns pastores seniores, meus amigos, me aconselharam a não fazer a sucessão de liderança em primeiro lugar. *Eles estavam certos?* A resposta era claramente não. Todos os meus relacionamentos com o conselho da igreja, com Rich, com o pessoal e os membros da congregação eram respeitosos e amáveis.

Percebi também que esse poderia ser um ótimo momento para todos – potencialmente, pelo menos. Por isso digitei duas páginas de notas para organizar minhas ideias atrapalhadas para uma reunião na terça-feira pela manhã com Rich e o supervisor de Mike.

Abri a reunião relatando o que havia acontecido com Mike no domingo. Falei sobre a limitada experiência de Mike no local de trabalho, sua família de origem, seu nível de maturidade pessoal, bem como seu grande talento. Seus dons o haviam colocado numa posição de influência além do seu nível de desenvolvimento de caráter. E essa rápida ascensão a uma posição de autoridade na igreja estava tendo consequências não intencionais. Mike havia chegado à equipe em tempo parcial, mas logo foi promovido para uma função em tempo integral com muito mais responsabilidades. Ele estava realizando seu trabalho bem num nível, mas ninguém estava investindo nele pessoalmente. Em seus doze meses na equipe, havia tido dois chefes diferentes e pouca supervisão. Eu também sabia que dois outros funcionários antigos estavam preocupados com o seu comportamento em outros contextos também. O comportamento e a atitude de Mike estavam totalmente fora do escopo daquilo que eu poderia escusar como um erro típico de um jovem de 25 anos. Algo estava gravemente errado em sua compreensão do que significava estar numa equipe da *New Life* e nos representar – independentemente do seu talento.

Mike não permaneceria muito tempo na *New Life* a menos que um supervisor focasse em seu desenvolvimento pessoal. A questão era: como ampará-lo naquela crise para que ele pudesse ser acompanhado e ensinado? Como poderíamos ajudar sem magoá-lo? *Não* tratar daquilo seria claramente uma falha grave da nossa parte. Nós lhe prometemos um longo futuro em nossa equipe, uma promessa que não poderíamos cumprir se o seu comportamento continuasse sem controle.

Antes da reunião com Mike, eu pensei: *Este jovem tem muito talento. Vamos dar-lhe um presente doloroso que eu oro para que ele receba. Mas nós precisamos oferecer-lhe isso, até porque pouquísimos locais de trabalho o farão por ele no futuro.*

Minha recomendação foi que chamássemos Mike à sala para informá-lo de que o seu comportamento fora inaceitável. Nós dissemos o seguinte:

– Mike, se algum superior seu lhe pedir para fazer algo num dia em que você estiver trabalhando, faça-o. Se você fizer algo parecido com isto novamente a qualquer pessoa em autoridade na *New Life*, você será demitido. Em outro local de trabalho, você já estaria demitido.

A preparação para a reunião me exigiu quase dois dias. E foi preciso que três de nossa equipe gastassem uma hora para prepará-la. A conversa em si levou menos de dez minutos.

Pela graça de Deus, a história tem um final feliz. Mike pediu sinceras desculpas.

Mike ainda está em processo com relação ao seu futuro na *New Life*. Sei que o nosso compromisso com ele e com equipes e culturas saudáveis provavelmente irá requerer mais conversas como esta o tempo todo. Mas eu creio que, assim que a *New Life* dedicar o tempo necessário à formação do seu pessoal, ele será uma grande dádiva a muitos pelo resto de sua vida – independentemente de onde ou como ele sirva a Cristo nos anos futuros.

Como líderes, nós fazemos escolhas todos os dias sobre como administrar energia e recursos – nossos e da organização ou equipe que liderarmos. Essas estão entre as decisões mais importantes que tomamos.[11] Não existe programa ou fórmula rápida para transformar nossa cultura ou construir nossas equipes. Momentos propícios ao ensino quase sempre nos vêm quando menos esperamos. Além disso, quase sempre cruzam dolorosamente com nossa vida e questões internas. Mas esses momentos de transformação são tão poderosos – tanto para nossa equipe como para nossa cultura – que valem o tempo e a energia demandados para administrá-los bem.

[11] V. LOHER, Jim e SCHWARTZ, Tony. *The Power of Full Engagement*. New York: Free Press, 2003, p. 4, 5, 41.

Um assunto muito crucial mas quase sempre negligenciado, entretanto, deve ser cuidadosamente considerado em nossa cultura e formação da equipe – a qualidade do casamento e da vida a sós em nossa equipe de base.

A qualidade do casamento e da vida de solteiro das pessoas é fundamental

> **CULTURA E CONSTRUÇÃO DE EQUIPE EMOCIONALMENTE SAUDÁVEIS**
>
> 1. Trabalho e formação pessoal são inseparáveis.
> 2. Elefantes na sala são reconhecidos e confrontados.
> 3. São investidos tempo e energia.
> 4. **A qualidade dos casamentos e da vida de solteiro das pessoas é fundamental.**

Se você trabalha numa área como educação, governo municipal, comércio ou saúde, sua condição de casado ou solteiro não é da conta de ninguém. Em alguns lugares, é ilegal até mesmo indagar sobre esses assuntos. Mas os padrões são mais elevados para os que trabalham na igreja e organizações cristãs. Esperamos certo nível de conduta moral e estabilidade. Comportamentos como casos extraconjugais, uso de pornografia e adultério são inaceitáveis.

Todos nós diríamos que cremos em casamentos e na vida a sós saudáveis. E alguns de nós poderíamos até perguntar aos integrantes da nossa equipe: "Está tudo bem em casa? Em sua vida pessoal?" Mas também acho que a maioria de nós tem secretamente a esperança de termos em resposta um rápido "sim" porque nós temos outros trabalhos importantes a fazer no ministério.

Entretanto, se realmente crermos que o casamento e o celibato cristão devem ser sinais vivos e maravilhas do amor de Deus pelo mundo, e que esse aspecto de nossas vidas é a mais alta mensagem do evangelho que pregamos, precisamos engajar nossos liderados nessa questão.[12] Na *New Life*, uma das primeiras perguntas que nós encorajamos que os líderes façam aos integrantes de sua equipe em reuniões de supervisão individuais é a respeito do seu casamento ou celibato. Isso oferece um raio-X da saúde e da qualidade de suas vidas e liderança. Nós descobrimos isto ser verdade em todo contexto ministerial concebível durante os últimos vinte anos.

Durante anos, nossa comissão de pessoal da *New Life* havia procurado um diretor para liderar nossa Corporação de Desenvolvimento Comunitário, nosso ministério dedicado ao pobre e marginalizado de nossa comunidade. Precisávamos de um líder com uma forte experiência em negócios e que se

[12] Para explicação mais completa da teologia de uma liderança para casados e solteiros, v. capítulo 3: "Lead Out Your Marriage or Singleness" [Estimule seu casamento ou sua vida de solteiro].

comprometesse em viver em nossa comunidade. Ao mesmo tempo, precisávamos que essa pessoa personificasse nossos valores na *New Life*. Achamos que Redd, um membro da *New Life*, era um candidato ideal. Assim, começamos a conversa com ele perguntando-lhe se ele consideraria deixar seu emprego como gerente de projeto de construção, reduzir seu ganho em um terço e juntar-se à nossa equipe.

Durante o processo, chegou a hora de eu falar com Redd e sua esposa, Aya. Fui até o apartamento deles numa terça-feira à noite e subi as escadas até o apartamento no quarto andar. Uma das coisas que eu estava ansioso para ouvir eram as ideias e os sentimentos de Aya a respeito da redução de salário e o que significaria para ela se Redd trocasse o trabalho de construção para o trabalho na igreja. Para o fim da noite, ficou cada vez mais claro que Redd aceitaria o trabalho.

Nesse ponto, eu perguntei-lhe se ele sabia a respeito da exigência "o-cônjuge-deve-sentir-se-amado" para os líderes casados.

– Não, não sei – respondeu ele.

– Redd, não é fácil ser demitido da *New Life* – expliquei –, mas existe uma razão certa por trás das nossas demissões: se você estiver trabalhando demais e Aya não se sentir amada por você, nós o demitiremos.

Aya sorriu.

Redd olhou para mim, incrédulo.

– Não estou brincando – continuei. – Nós o demitiremos. As exigências que virão em seu caminho serão esmagadoras. Nós queremos que a nossa equipe conduza seus casamentos para que transbordem o amor de Cristo. Vamos estar rotineiramente perguntando a você, e a Aya, se trabalhar no ministério da liderança está apoiando ou prejudicando seu casamento.

Redd riu. Então ele respondeu com um sorriso no rosto:

– Isso é bem diferente dos negócios no mundo.

Mais tarde Redd me contou que recebeu nossa conversa como um lembrete de Deus para ele: *Redd, você deve amar sua esposa e depois o seu trabalho – nessa ordem.*

Redd e Aya gostaram muito da preocupação que demonstramos pelo relacionamento deles, e Redd aceitou o cargo.

Toda essa conversa está alicerçada em uma convicção: organizações emocionalmente saudáveis são inseparáveis do nível de saúde experimentada por líderes em seus casamentos ou vidas de solteiro. O apóstolo Paulo sabia que era impossível aos lideres criarem uma igreja saudável se sua própria vida no lar não estivesse em ordem (1Tm 3.8). Por esse motivo, ele o tornou um dos pré-requisitos para servir como presbítero. Eu perguntei aos nossos líderes solteiros se eles estão reservando tempo para estar em íntima comunhão com algumas pessoas com a mesma convicção e seriedade com que pergunto a uma pessoa casada: "Você está reservando tempo para o seu cônjuge?" Eu gosto de conhecer os passatempos deles, seus prazeres e interesses fora do trabalho, da mesma forma que tenho interesse nas atividades de uma pessoa casada. Eu protejo o descanso deles e seus ritmos de trabalho com a mesma intensidade que protejo o descanso e os ritmos de trabalho daqueles com famílias.

Quando Geri e eu permitimos que Deus fizesse uma reforma total no nosso casamento em 1996, não pretendíamos modificar a Igreja *New Life*. Nós simplesmente demos o melhor de nós para aprendermos novas formas para negociar diferenças, afirmar preferências, administrar nossa reatividade, fazer diferença com empatia, vínculo e falar fiel e respeitosamente – para citar alguns pontos. Deus nos levou a romper vários legados negativos de nossas famílias de origem. Tornamo-nos pessoas diferentes conosco, um com o outro e com Deus. Em poucos anos, essa poderosa mudança em nosso casamento começou a transbordar para toda a nossa igreja. Como não poderia? Deus mudou não apenas o nosso relacionamento e comportamento um com o outro, mas nossa vida interior também. Foi inevitável que essa transformação então se espalhasse para o resto de nossos relacionamentos e para a cultura mais ampla da igreja.

Quando eu ensino esse material aos líderes, quase sempre recebo comentários como este: "Pete, sei que preciso fazer perguntas sobre as tarefas do ministério e o progresso dos líderes. Mas como é que eu vou perguntar sobre o seu desenvolvimento pessoal e espiritual?" Minha resposta é: "Como você pode *não* perguntar? Não existe melhor forma de você servir ao propósito de Deus de transformação do seu povo. Como pode a sua equipe levar a outros uma vida com Jesus que eles não possuem? Jesus mesmo sabia que não podia pular este lento trabalho de discipulado com os Doze".

Faça as quatro perguntas

Use as perguntas seguintes (com base nos quatro fundamentos da vida interior da parte 1) para refletir em suas experiências e no estado de sua liderança quando se trata de cultura e preparação da equipe emocionalmente saudáveis. Você pode também adaptar ou desenvolver essas perguntas como local de partida para começar a discutir cultura e preparação da equipe com o seu pessoal.

- **Enfrente sua sombra.** Como estou crescendo em minha percepção da minha sombra de modo que isso não afete adversamente a cultura que estou procurando construir com minha equipe? Quando uma recente situação com minha equipe disparou uma antiga reação automática, o que pode ter me aquietado para reagir de forma mais madura e previdente? Quais são as pessoas com quem eu me relaciono e que podem servir como espelhos para esses pontos cegos e vulnerabilidades?
- **Conduza seu casamento ou vida a sós.** Estou levando em conta e nutrindo meu casamento ou a minha vida a sós de forma correta como modelo para formação de uma equipe e cultura saudáveis? O que, especificamente, estou fazendo para estabelecer uma fronteira entre as exigências de desenvolvimento de uma cultura saudável e do meu casamento/vida de solteiro? Se casado: o que meu cônjuge diria que é o maior desafio ao meu casamento? Se solteiro: o que meus amigos mais chegados diriam que é o maior desafio à minha vida de solteiro? O que eu diria?
- **Reduza o ritmo em favor de uma amorosa união.** Em que grau o meu "estar com Jesus" sustentam meu "fazer por Jesus" nesse trabalho desafiador de cultura e formação da equipe? Um pouco, muito, nada? Quais são as práticas espirituais mais úteis para mim agora mesmo para me ajudar a desacelerar? Que recursos para crescer em meu relacionamento pessoal com Jesus eu poderia também trazer para a minha equipe? Que ajustes pode Deus estar me convidando a fazer para que eu possa reduzir o ritmo, e ajudar a minha equipe a desacelerar, em favor de uma amorosa união com ele?
- **Pratique o deleite do sábado.** Como estou praticando o meu ritmo de trabalho-descanso de forma a ser o exemplo do que estamos procurando construir com outra pessoa? O que eu acho mais reconfortante e prazeroso durante o sábado, e como isso pode acrescentar valor à nossa equipe? Qual é o maior desafio que eu tenho de superar para entrar no verdadeiro gozo do sábado, e como isso é semelhante a outras lutas na experiência da minha equipe? Como posso arquitetar mais recreação em minha vida para equilibrar meu trabalho, e como posso ajudar cada membro da minha equipe a fazer o mesmo?

Eu confio que este capítulo deu a você uma rápida visão do poder da intencionalidade criando uma cultura e uma equipe emocionalmente saudáveis.

Não se engane a respeito disso. Quando entramos nesse tipo de liderança, somos bem parecidos com Abraão, deixando "nosso país, nosso povo e a casa dos nossos pais e vamos para uma terra" desconhecida (v. Gn 12.1). Em outras palavras, é novo território que será desconfortável, pelo menos inicialmente. Mas uma coisa é certa: você encontrará Deus de forma inesperada e começará um novo princípio que abençoará você, sua equipe, seu ministério e o mundo que você busca servir para Cristo.

ENTENDENDO SUA CULTURA E AVALIAÇÃO DO PREPARO DE SUA EQUIPE

Se você fez a avaliação da cultura e do preparação da equipe na página 214, aqui estão algumas observações para ajudá-lo a refletir sobre suas respostas.

Se a sua pontuação se concentrou em um e dois, provavelmente você não prestou muita atenção ou talvez não tenha recebido muito treinamento na construção de culturas e equipes saudáveis. Uma importante competência para a liderança é a consciência do quanto as pessoas ao redor são afetadas por aquilo que você faz – e deixa de fazer. Você pode dar um primeiro passo listando os desejos e valores que tem para a sua equipe. Pense em convidar um conselheiro confiável ou integrante da equipe para o seu processo. Leia cuidadosamente as quatro características da cultura e da preparação da equipe saudáveis, escolhendo uma na qual concentrar-se e aplicar em seu próprio ambiente.

Se a sua pontuação se concentrou em dois ou três, você está de certa forma engajado numa cultura e na preparação de uma equipe saudáveis. Eu o encorajo a algumas horas de autoquestionamento em oração – só ou acompanhado – sobre sua equipe e cultura. Faça uma lista das características que atualmente descrevem sua cultura e equipe. Então faça uma segunda lista, anotando os valores, desejos e sonhos que Deus deu a você relacionados à sua equipe. Identifique de três a cinco passos específicos que você possa dar nos próximos três a nove meses para preencher a lacuna entre sua cultura atual e a equipe, e a cultura e a equipe que você tem em mente.

Se a sua pontuação se concentrou em quatro e cinco, parabéns! Você está construindo uma cultura e uma equipe saudáveis. Reflita sobre exemplos específicos e ideias deste capítulo que podem aumentar sua eficácia – ou talvez agitar novas ideias suas mesmo. Considere claramente escrever seus valores e visão para compartilhar com sua equipe. E conduza a discussão sobre como melhor realizar sua visão e valores para a próxima temporada do seu trabalho juntos. Você está também bem posicionado para se multiplicar ao monitorar outros em como liderar e desenvolver suas próprias equipes.

CAPÍTULO 8

AUTORIDADE E LIMITES SÁBIOS

As lições mais dolorosas que aprendi em 35 anos de liderança cristã envolveram o exercício de autoridade e limites sábios. Conduzir a questão de autoridade é um verdadeiro teste tanto de caráter como de liderança. Nós estamos mais do que dispostos a falar sobre o abuso de autoridade quando há notícias sobre um escândalo na vida de outra pessoa, mas os campos minados que cercam o uso do poder raramente são reconhecidos, muito menos discutidos abertamente nos círculos cristãos. Esse silêncio tem consequências e danos significativos, com potencial não apenas de destruir uma vida toda de bom trabalho, como de minar nossos ministérios nos anos futuros. A boa notícia é que, não importa onde estejamos em nossa jornada de liderança, podemos *aprender* a administrar o poder e estabelecer limites sábios.

QUEM DISSE QUE VOCÊ É MEU CHEFE?

Quando começamos a *New Life*, éramos principalmente famílias jovens na casa dos 20 ou 30 anos, com uma visão de comunidade baseada no modelo de Atos 2 da igreja primitiva. Muitos de nós nos mudamos para viver no mesmo bairro. Nossos filhos brincavam juntos. Compartilhávamos nossas vidas, nossos lares, e, às vezes, nossas finanças. Eu era o pastor titular da igreja, mas não me via necessariamente dessa forma. Eu achava que todos nós éramos simplesmente amigos e colaboradores do reino de Cristo, reunidos com Deus numa animada aventura.

Nada disto foi um problema durante os primeiros anos, mas então começaram a surgir algumas rachaduras. Entre elas estava uma divergência que eu tinha com Felipe, um importante líder na nossa equipe: começamos a discordar sobre a direção futura e a estratégia ministerial da igreja. Felipe acreditava no desenvolvimento de pequenas igrejas nos lares cujos membros dariam testemunho profético de Cristo por meio da vida em comum. Eu ficava hipnotizado sempre que ele falava sobre isso. No entanto, eu também estava desenvolvendo minha própria visão para a igreja. Eu queria construir sobre grupos pequenos, mas o meu foco estava em fazer de nossas celebrações aos domingos o ponto central da nossa estratégia, oferecendo um lugar seguro tanto para os que buscam como para os crentes. Felipe e eu compartilhávamos o mesmo objetivo – expandir o reino – mas tínhamos duas visões e estratégias diferentes de como atingi-lo.

– Quem lhe deu o direito de decidir os rumos da *New Life*? – Felipe perguntou certa vez numa reunião semanal da equipe. – Todos nós demos nossa vida por isto.

Eu fui pego de surpresa e não sabia o que dizer.

– Todos nós somos partes diferentes do corpo, iguais em valor e contribuição – ele continuou. – Somos uma família nisto. Quem deu a você o direito de tomar unilateralmente esta decisão por nós?

– Eu sou o pastor titular – respondi meio sem entusiasmo. Senti-me estranho ao dizê-lo.

– Não acredito! – exclamou ele, incrédulo. – Em todo esse tempo, você nunca deu carteirada. E está mostrando a carteira *agora*? Uau. – Ele olhou para o chão, incapaz de olhar para mim. – Muito triste.

Eu não tinha nada a dizer. Ele estava certo. Minha liderança estava obscura e confusa.

No fim, nós nos separamos e Felipe foi estabelecer uma animada igreja doméstica. A *New Life* comprou um prédio e floresceu. O dano que aquilo causou ao nosso relacionamento, no entanto, levou anos para sarar. Eu considerei o caso uma discórdia pessoal muito infeliz, mas não pensei muito sobre as questões teológicas ou de liderança levantadas pelas tensões e pelo rompimento de nossa amizade.

Dez anos depois, o problema do poder veio novamente à tona, e eu me vi em outra encruzilhada. Geri e eu éramos particularmente íntimos de várias famílias da igreja. Nós assistíamos a filmes e saíamos de férias juntos, e todas as famílias tinham alguém que serviam na liderança. Muitos eram voluntários, mas dois eram contratados. Tal como Felipe, eram pessoas piedosas que personificavam valores e cultura da *New Life*. Eu as amava e respeitava profundamente.

A igreja havia crescido lenta e sistematicamente ao longo dos anos. Um quadro de presbíteros, uma equipe executiva, um quadro de funcionários e um comitê pessoal agora acrescentavam novas camadas de estrutura formal que iam além do grupo original de famílias. Houve outros que agora funcionavam em importantes posições de influência. Por causa disso, minha conversa com esses amigos mudou, e eu comecei a reter informações confidenciais que pareciam inapropriadas compartilhar em nossas reuniões informais, em um churrasco no domingo à tarde ou nas férias que passávamos juntos.

Meus amigos começaram a notar que eu estava me tornando reservado, e senti o lento aumento de tensão em nossos relacionamentos à medida que eu parecia mais distante e fechado. Quando me envolvi em algumas sérias discussões com o nosso comitê pessoal sobre as necessidades de longo prazo do pessoal da *New Life*, eu sabia que estava em dificuldade. Meus relacionamentos com amigos *que eram também pessoas contratadas* ficaram também complicados e travados em tantos níveis que achei impossível ser objetivo sobre seus dons e habilidades e saber com certeza se ainda havia um bom ajuste para as funções deles no quadro de pessoal. Outros no comitê sabiam que este era um assunto muito sensível e pouco disseram. Senti-me mais em conflito e enredado do que podia expressar com clareza.

Pensei em me demitir, percebendo que estava no terrível dilema de ser tanto chefe como amigo. Eu pensava que tínhamos um entendimento tácito que, se você fosse amigo e estivesse numa equipe como contratado, a posição era sua pela vida toda – a menos, claro, que surgisse um problema moral ou ético. Ao mesmo tempo, como líder sênior da *New Life*, eu era responsável pelo conselho da igreja para administrar bem nossos recursos, o que incluía contratar pessoal que pudesse efetivamente promover nossa missão em suas respectivas funções.

No fim, após muitas noites sem dormir, resolvi violar a regra tácita e tomei algumas decisões difíceis, removendo amigos de suas funções na equipe. Embora acreditasse que disso resultasse algum bem, não tratei bem o processo. Fiquei confuso e atrapalhado. Ao recordar, fico envergonhado pela forma como conduzi o processo. Minha compreensão de como o poder afeta os relacionamentos e a necessidade de sábios limites foi lamentavelmente inadequada. Eu estava tentando ser tanto um bom amigo e um bom "chefe", mas não fui nenhum dos dois.

Como igreja, perdemos confiança – não apenas entre os auxiliares que perderam seus empregos, mas dentro do nosso círculo íntimo de amigos.

Eu perdi vários relacionamentos que considerava valiosos e havia gasto anos construindo. Até hoje, considero estes os meus maiores fracassos em 26 anos como pastor titular da *New Life*. Mesmo assim, Deus usou esses acontecimentos para me ensinar mais do que eu queria aprender – sobre a natureza da igreja e da comunidade, o exercício adequado do poder e a importância de fixar sábios limites.

Sei que não estou sozinho quando se trata de cometer esses tipos de erros. Quase toda igreja, organização sem fins lucrativos, equipe e comunidade cristã que eu conheço têm fundas cicatrizes e ferimentos devido a falhas na administração do poder e em fixar sábios limites.

O QUE É AUTORIDADE "CRISTÃ"?

A descrição mais elegantemente simples de autoridade que eu conheço é esta: *autoridade é a capacidade de influenciar.* Como escreve o autor Richard Gula:

> [Autoridade] é o que nos capacita a fazer as coisas acontecerem ou não. Neste sentido, todos têm autoridade, mas nem todos a temos no mesmo grau. Autoridade como influência é sempre relativa aos nossos recursos. Um dos mais importantes autoexames que podemos fazer é nomear nossas fontes de autoridade, porque estamos todos em risco de mau comportamento ético quando minimizamos ou ignoramos nossa autoridade.[1]

Gosto da declaração de Gula, sobretudo por sua implicação de que virtualmente todos são líderes. Em maior ou menor grau, todos exercem influência, o que significa que todos têm poder. E todos nós usamos esse poder – usamos bem ou mal, para o bem ou para o mal.

O problema é que bem poucos líderes têm a percepção de – muito menos refletem sobre – a natureza de sua autoridade dada por Deus. Como resultado, alguns descuidadamente brandem sua autoridade com agressão, explorando-a em benefício próprio. Eles agem como o proverbial touro na loja de porcelana, negligentes e servindo-se com sua autoridade. Estão alheios, ou talvez pior, estão despreocupados com o impacto que têm sobre outros ou como outros os veem. A Escritura nos oferece abundantes exemplos desses líderes, incluindo o rei Saul e o rei Salomão.

[1] GULA, Richard M. *Just Ministry: Professional Ethics for Pastoral Ministers* [Só o ministério: ética profissional para ministros pastorais]. Mahwah, NJ: Paulist Press, 2010, p. 123.

No extremo oposto estão os líderes que se recusam a exercer sua autoridade. Sua relutância em se afirmar deixa a porta aberta para que a pessoa errada entre no vácuo de autoridade – o que causa todo tipo de caos. Não é incomum para esses ministérios ou igrejas com líderes fracos se encaixarem na seguinte descrição do povo de Deus do livro de Juízes: *Naqueles dias não havia rei em Israel; cada um fazia o que lhe parecia certo* (Jz 21.25).[2]

Nos meus anos de ensino e monitoramento de líderes, testemunhei muito dano resultante desse segundo grupo, o dos líderes ambivalentes e desconfortáveis com sua autoridade. Talvez seja porque eu me identifico com eles. Para esses líderes, de alguma forma é errado e antibíblico agarrar as rédeas e assumir o controle porque a autoridade implica privilégio, um status social mais alto, estar acima dos outros. A ideia de ter *poder* como líder parece algo neutro e frio. Por isso eles preferem negar ou minimizar a verdadeira autoridade que têm. Alguns podem até sentir-se indignos ou experimentar medo de exercer autoridade, especialmente em nome de Deus. Como resultado, vivem numa névoa, sentindo-se impotentes internamente, ainda que sejam responsáveis por liderar.

Por isso, permita-me repetir: *todos nós* temos autoridade. Pastores, líderes de equipe, diretores de ministério, membros do conselho, líderes de grupos pequenos, membros antigos, doadores, pais, músicos do grupo de louvor – todos temos autoridade. O problema é que não compreendemos de onde vem essa autoridade, nem como exercê-la com responsabilidade. Nossa compreensão de autoridade é incompleta e estreita. Isto é verdade em relação a líderes que têm fome de autoridade e aos que evitam exercê-la. Para ter uma ideia desta liderança cotidiana, considere os seguintes cenários:

- "Eu só prego em semanas alternadas", diz Henry, o pastor de ensino de uma grande igreja. "Não estou na direção da igreja nem sequer na equipe da liderança. Há outros que fazem isso". Henry permanece inconsciente de que o seu papel público na igreja e seus dons de comunicação dão-lhe grande autoridade.
- "Não estou votando por essa nova iniciativa", afirma Juanita, uma integrante do conselho, numa reunião da congregação. "Sou apenas uma

[2] Sou grato a Kaethe Weingarten, do Departamento de Psiquiatria da Escola Médica de Harvard, pela ideia de sua grade útil e pelo trabalho sobre como as pessoas inconscientes do seu poder são as pessoas mais perigosas da terra, transmitindo trauma de uma geração à outra. Isto se aplica a políticos, pais, governos, igrejas e sinagogas. V. WEINGARTEN, Kaethe. "Witnessing, Wonder, and Hope" [Testemunhos, maravilhas e esperança]. Magnum, Family Process, Winter 2000, 39, nº 4.

voz. Cada um precisa decidir o melhor para si". A discussão termina e o voto da congregação é um não. A declaração de Juanita revela uma falta de consciência sobre a autoridade que os membros da igreja projetam sobre ela devido a suas habilidades de ensino bíblico e sua longa história na igreja.

- Dan é o pastor de jovens na Primeira Igreja há quinze anos. Ele cresceu na igreja, e sete membros de sua família estendida estão envolvidos em vários aspectos do ministério. O grupo jovem é pequeno, mas muito unido sob a liderança de Dan. Por ser difícil a Dan confiar em outra pessoa, ele não tem outros adultos trabalhando com ele. Ele é habilidoso em organizar atividades e retiros, mas fraco em desenvolver a espiritualidade de seus alunos. O ministério está emperrado. Seu supervisor, o pastor executivo, tentou falar com Dan sobre isso, mas Dan fica facilmente irritado e na defensiva. Mais de uma vez ele se retirou abruptamente da conversa e saiu da sala. Por duas vezes ele ameaçou se demitir quando o pastor titular fez perguntas sobre o ministério. O conselho da igreja sente-se impotente; se Dan se demitir, eles temem que sua família estendida, bem como várias famílias dos alunos de seu grupo, possam deixar a igreja. Embora Dan não se considere incapaz de ser ensinado ou excessivamente sensível, ele crê que o ministério de jovens com razão gira em torno dele porque ele investiu quinze anos de sua vida adulta para construí-lo.
- "Eu sou casada com o pastor, mas expresso minhas ideias como os demais", disse a esposa do pastor. "Não sou diferente de qualquer outro membro da igreja". Mas a esposa de um líder sênior é de fato *muito* diferente de qualquer outro membro da congregação – especialmente quando esse líder é o pastor titular. A esposa é "uma só carne" com o pastor. Ela dorme com o chefe! Juntos, eles são uma equipe para a vida toda – mesmo que a esposa pareça um voluntário entre tantos. Isto dá à esposa enorme autoridade devido ao casamento. Em algumas igrejas, a autoridade da esposa atrás dos bastidores está entre os maiores elefantes na sala.
- O pastor James é um excelente pregador, um excelente lançador de visão e um eficiente arrecadador de recursos. Sua igreja continua a crescer firme. James lançou fortes expectativas para os membros – chega cedo aos cultos, frequenta reuniões de oração e estudos bíblicos do meio da semana, dá o dízimo fielmente e serve pelo menos em um ministério da igreja. James e seus altos funcionários funcionam como o conselho da igreja,

tomando todas as decisões sobre finanças, compra de propriedades e administração do pessoal. James prega regularmente sobre contribuição, autoridade espiritual e excelência como parte do seu ritmo de ensino. A congregação admira James como homem de Deus, e uma de suas mais altas prioridades é servir a ele e sua família. O pastor James é um bom homem com muitas qualidades excelentes. Não há escândalo aqui, e ele ama sua igreja. O problema é que ele não tem consciência de quanta autoridade ele de fato empunha e quanto isso influencia a igreja. As pessoas não fazem perguntas. Prevalece um embaraçoso silêncio em torno das finanças na igreja. James recebe conselho de modo limitado, embora os dons de muitos estejam dormentes. James não tem consciência de quanto sua cultura e sua família de origem influenciam a forma como ele lidera.

Em cada um desses cenários, os líderes não entendem a natureza das muitas camadas de sua autoridade, nem a relação disso tudo com a liderança. Como resultado, os ministérios deles são cerceados e as comunidades às quais eles servem são prejudicadas.

Para realmente compreender como exercemos autoridade e influenciamos os outros, precisamos ser claros sobre a origem da autoridade. Todo líder precisa estar consciente das seis principais fontes de autoridade:[3]

Autoridade posicional. Este é o tipo de autoridade mais fácil de ser reconhecido porque decorre de uma posição ou título. Somos escolhidos para uma função específica, como pastor, diretor, presbítero, líder de grupo pequeno, tesoureiro ou pastor do louvor. Essa posição fornece uma plataforma de influência.

Autoridade pessoal. A autoridade pessoal está ancorada no que fazemos com a incomparável pessoa que Deus nos fez para sermos. Isso decorre de coisas como nossos dons, personalidade, conhecimento, educação e habilidades. Adquirimos alguns desses ativos ao nascer, enquanto outros são resultado ou de privilégio (como educação avançada) ou através de oportunidades únicas (conselheiros, novas experiências, portas abertas para aprender etc.).

Autoridade "fator Deus". É o peso sagrado que carregamos quando a nossa função nos coloca formalmente numa posição para representarmos Deus. Quando representamos Deus e a igreja, as pessoas olham de maneira diferente para o que dizemos ou fazemos. Simbolizamos algo que vai além de nós

[3] Essa é uma adaptação minha da discussão de Richard Gula sobre a dinâmica do poder em *Just Ministry*, p. 117-55.

como indivíduos. Nesse sentido, os líderes cristãos têm maior autoridade que políticos ou presidentes de empresas citados na revista Fortune, mais poder do que agentes sociais e professores, mais poder do que qualquer número de outras profissões de ajuda. Nós representamos a presença de Deus, mesmo que nos sintamos inadequados para a tarefa. Nós servimos às pessoas em nome de Jesus.[4] As pessoas confiam em nós.

Autoridade projetada. Autoridade projetada é a autoridade que outra pessoa inconscientemente projeta sobre nós. O termo psicológico para essa dinâmica é "transferência". É o que acontece quando outros projetam sobre nós suas próprias necessidades não satisfeitas e problemas não resolvidos na esperança de que iremos atender a essas necessidades e ajudá-las a resolver essas questões. Se falamos a respeito e em favor de Deus, podemos esperar que algumas pessoas venham a projetar sobre nós seus sentimentos não resolvidos de dependência, hostilidade, desejos românticos ou raiva de figuras de autoridade do passado ou outros relacionamentos significativos.[5] Como princípio geral, quanto mais angustiada uma pessoa é, mais autoridade invisível ela provavelmente projeta sobre um líder.

Autoridade relacional. Nossa autoridade aumenta à medida que as pessoas confiam a nós seus temores e segredos. Saber coisas que poucos sabem a respeito de uma pessoa é uma expressão de intimidade. Quando aconselhamos alguém, ouvimos piedosamente experiências dolorosas ou males inimagináveis e os mantemos em confiança. Estamos com as pessoas em seus momentos mais vulneráveis – quando enfrentam mortes (suicídio, perda de membros da família, término de um casamento pelo divórcio), transições (nascimentos, formaturas, aposentadorias), tragédias (abuso, acidentes, traições) e crises de fé (noites escuras da alma, dúvidas, relacionamentos rompidos). Cada vez que um desses momentos é-nos confiado, aumenta nossa autoridade.

Autoridade cultural. A autoridade cultural pode incluir tudo, de idade e raça a gênero e etnicidade. Por exemplo, as culturas asiática e africana concedem autoridade às pessoas idosas com base somente em sua idade. Em alguns casos, a pessoa mais idosa permanece líder de um grupo até que ele ou ela morra ou transfira a autoridade a uma pessoa mais jovem. Os homens

[4] HAWERWAS, Stanley e WILLIMON, William H. *Resident Aliens: A Provocative Christian Assessment of Culture and Ministry for People Who Know Something Is Wrong* [Aliens residentes: uma provocativa avaliação cristã da cultura e do ministério para pessoas que sabem que algo vai mal]. Nashville, TN.: Abingdon, 1989, p. 121-27.

[5] BLACKMON, Richard A. e HART, Archivald D. "Personal Growth for Clergy" [Crescimento pessoal para o clero] em *Clergy Assessment and Career Development,* orgs. Richard A. Hunt, John E. Hinkle Jr., e H. Newton Maloney. Nashville: Abington, 1990, p. 40.

têm mais autoridade do que as mulheres na maioria dos países do mundo. Infelizmente, a cor da pele de alguém e/ou sua etnia transmitem maior ou menor significado de autoridade, dependendo do contexto geográfico, social ou histórico. Cada um desses fatores impacta a habilidade de um líder para influenciar outros.

Seja qual for a fonte e o grau de autoridade ou de influência que temos, nós a temos como dom de Deus. E quanto mais autoridade temos, maior impacto exercemos – intencional ou não – sobre os que nos cercam. Nossa necessidade premente é nos tornarmos conscientes de *como* exercer essa autoridade. Precisamos aprender o que significa usar nossa autoridade e então como estabelecer limites sábios e saudáveis em nossos relacionamentos com os outros.

SEU USO DE AUTORIDADE E SÁBIOS LIMITES É SAUDÁVEL?

Use a lista de declarações a seguir para avaliar resumidamente o seu uso de autoridade e sábios limites. Em seguida a cada declaração, anote o número que mais bem descreve sua resposta. Use a escala a seguir:

5 = Totalmente verdadeiro
4 = Bastante verdadeiro
3 = Parcialmente verdadeiro
2 = Raramente verdadeiro
1 = Falso

____ 1. Estou bem consciente da autoridade dada por Deus e da influência que tenho sobre os que estão ao meu redor.

____ 2. Eu monitoro consistentemente como minha sombra impacta meu uso, ou falta de uso, de autoridade.

____ 3. Eu construo salvaguardas em meu relacionamentos, procurando ser amigo com amigos, pastor dos membros da igreja, conselheiro aos aconselhados e supervisor de voluntários/empregados contratados.

____ 4. Eu sou sensível ao impacto que a cultura, a etnicidade, o gênero e a idade têm sobre como eu uso a autoridade e como os outros me veem.

____ 5. Eu tenho pensado em como a autoridade foi usada em minha família de origem e compreendo como isso impacta tanto o meu uso da autoridade como a reação a ela no presente.

____ 6. Eu assumo a responsabilidade para esclarecer cuidadosamente papéis e limites em nossa equipe, mantendo-os o mais claros possível.

____ 7. Estou atento a como os membros da minha equipe usam, ou deixam de usar, sua autoridade e influência.

____8. Sinto-me confiante em ajudar outros a compreender seu uso da autoridade, oferecendo-lhes sábio conselho e cuidados em como exercer seu poder com sabedoria.

____9. Eu resisto à tentação de tirar vantagem de títulos (regalias e benefícios) que me são oferecidos devido ao meu cargo de liderança.

___10. Eu procuro sábio conselho e me envolvo em conversações francas com outros antes de permitir que membros da mesma família, ou amigos íntimos, sirvam juntos na liderança.

Reserve um momento para rever rapidamente suas respostas. O que mais se destaca- para você? No final do capítulo (página 266) estão algumas observações gerais para ajudá-lo a melhor compreender o nível atual de saúde em seu uso de autoridade e sábios limites.

Características da autoridade e sábios limites emocionalmente saudáveis

Um bom teste do caráter de uma pessoa é a maneira de tratar a adversidade. Mas o melhor teste do caráter de um *líder* é como ele lida com a autoridade. Se quisermos usar nossa autoridade como seguidores de Cristo, existem três coisas que devemos fazer:

- Identificar e inventariar nossa autoridade
- Administrar cuidadosamente nossa autoridade para que ela fique *sob* os outros
- Reconhecer e monitorar relacionamentos múltiplos

Vamos dar uma cuidadosa olhada em cada uma das três características.

Identificar e inventariar nossa autoridade

Os líderes emocionalmente saudáveis estão conscientes das fontes de sua autoridade bem como das nuances do uso do seu poder. Umas das melhores coisas que podemos fazer para desenvolvermos esta percepção é identificar um inventário de poder que Deus nos concedeu. E por "inventário", quero dizer não somente pensarmos em nossa autoridade, mas ponderá-la e possui-la. Antes de ler a lista seguinte, eu o encorajo a pegar um bloco de papel ou um diário. Depois anote suas respostas à medida que considerar as questões para cada uma das seis categorias de autoridade. (Se você achar útil ter um exemplo, veja "Exemplos de inventário de autoridade" na página seguinte).

Autoridade posicional. Que posições formais de influência Deus lhe confiou? Por exemplo: líder de grupo pequeno, pastor, esposa de um líder, diretor executivo, organizador de comunidade, presidente, recepcionista, professor, membro do conselho, líder de equipe pai, etc. Que privilégios e oportunidades essa posição lhe oferece?

Autoridade pessoal. Que singulares dons, habilidades e qualidades Deus lhe deu? Considere suas experiências, educação, competências, talentos naturais ou outras habilidades. Como Deus criou sua personalidade de forma exclusiva de maneira que contribua para a sua habilidade de influenciar pessoas? Pense em sua introversão ou extroversão, sua habilidade de resolver detalhes, lançar uma visão ampla etc.

Autoridade "fator Deus". De que forma você carrega o "peso sagrado" com os que estão em sua igreja, local de trabalho, família e entre amigos? Em que grau as pessoas olham para você em busca de sabedoria espiritual e conselho? Quem são as pessoas, dentro e fora da igreja, que podem ver você como autoridade espiritual que fala por Deus?[6]

Autoridade projetada. Quais indivíduos e/ou grupos podem lhe atribuir poder e autoridade por causa do que você representa como líder? Quanto dessa atribuição de poder a você vem das necessidades deles não atendidas? Quem pode idealizá-lo de longe, atribuindo-lhe melhor visão, santidade ou habilidade do que você de fato possui?

Autoridade relacional. Com quem, e por quanto tempo, você construiu uma história relacional (pessoas que você pastoreou, serviu, aconselhou ou com quem andou nos desafios e nas transições da vida)? Pense em indivíduos, famílias e grupos. Como a vulnerabilidade e a confiança deles em você influenciam suas percepções e expectativas de você?

Autoridade cultural. De que modos sua idade, raça, gênero, etnia ou outros fatores culturais podem servir como uma fonte de autoridade ou influência para você? Como pode isto mudar de um grupo para o seguinte em seu ambiente (p. ex., culturas e etnias diferentes podem tratá-lo diferentemente,

[6] Steve, meu conselheiro, é um respeitado CEO com doutorado em aconselhamento de casais e família. Ele não contrata ninguém com problemas significativos não resolvidos com seus pais ou cuidadores. Por quê? Ele acredita que esses problemas inevitavelmente se repetirão e serão projetados sobre as figuras de autoridade no local de trabalho. Se o relacionamento de uma pessoa com um dos pais foi altamente conflituoso e sensível, esse conflito será repetido com futuras figuras de autoridade – a menos que tenham feito seu próprio trabalho interno. Sua perspectiva me ajudou a compreender o comportamento aparentemente irracional que de vez em quando vivenciei de pessoas sobre quem eu tive uma posição de autoridade.

jovens podem não atribuir autoridade a você enquanto os mais idosos o respeitam por sua posição e ouvem suas palavras sem questionar)?

Antes de continuar, reserve alguns minutos para reler suas respostas. O que se destaca a você sobre a natureza de sua autoridade e das pessoas sobre quem você tem influência? Durante alguns minutos, convide Deus para falar-lhe sobre o seu inventário. Agradeça-lhe pela oportunidade de influenciar outros em nome dele. Peça graça para administrar sua autoridade, bem como para que sua vida e liderança possam ser um dom àqueles a quem você serve, tornando-os "mais plenamente vivos e cheios de frutos".[7]

Exemplos de inventário de autoridade

Pastor titular

Autoridade posicional

- Como principal líder espiritual, eu estabeleço direção e visão para o ministério.
- Eu falo por Deus. As pessoas sentam-se e ouvem-me ensinar em seu nome durante 25 a 45 minutos por semana.
- Eu tenho a voz mais forte na determinação de distribuição dos recursos da igreja (finanças, contratação e demissão, funcionários e voluntários, uso das dependências, determinar prioridades do tempo das pessoas etc.).

Autoridade pessoal

- Sou um comunicador de talento e tenho a habilidade de impactar e influenciar as pessoas pelo que eu falo e a forma como eu falo.
- Tenho mais conhecimento da Palavra de Deus do que a maioria, com discernimento baseado em anos de estudo, bem como na experiência ministerial.
- Meus dons e habilidades me capacitam a liderar e administrar as muitas diferentes partes de uma igreja, delegando responsabilidades para sustentar e edificar a comunidade.

Autoridade "fator Deus"

- Quando eu falo e ensino, as pessoas estão ouvindo Deus falar por meu intermédio.
- As pessoas confiam em mim como pastor e representante de Jesus Cristo, e eles quase sempre me dizem coisas sobre suas vidas que poucas pessoas sabem.
- As pessoas, algumas estrangeiras, convidam-me para significativos momentos de transição em suas vidas – mortes, enfermidades com risco de morte, nascimentos, casamentos, formaturas e aposentadorias.

[7] Esta frase vem de um excelente livro sobre poder, de Andy Crouch, *Playing God: Redeeming the Gift of Power* [Bancando Deus: redimindo o dom do poder]. Downers Grove, IL.: InterVarsity, 2013, p. 14.

Autoridade projetada

- Em geral, as pessoas veem meus melhores dons e qualidades, mas não minhas falhas. Alguns idealizam quem eu sou. Outros podem ter inveja de mim ou mesmo me desprezar.
- As pessoas que não têm a experiência de um relacionamento positivo com seus pais terrenos olham para mim em busca da afirmação e do amor que nunca receberam ao crescer.
- Devido à minha personalidade, dons, posição e aparente sucesso como líder, algumas pessoas recebem tudo o que eu digo e faço sem críticas – elas nunca me questionariam.

Autoridade relacional

- Como resultado de meus anos na igreja, membros antigos são profundamente leais e deixam passar meus erros tolos e imperfeições.
- Sempre que eu ofereço cuidado pastoral em importantes momentos de transição na vida das pessoas, o amor e a lealdade delas por mim aumentam.
- Sempre que eu sirvo como pastor ou ensino e capacito pessoas a encontrarem Deus, eu ganho um pouco mais de poder e confiança daqueles a quem eu sirvo.

Autoridade cultural

- Pessoas de culturas fortemente influenciadas pelo confucionismo honram minha autoridade posicional (e idade, se são mais jovens), referindo-se respeitosamente a mim.
- Os imigrantes de nossa igreja atribuem a mim uma autoridade adicional por eu ser americano e pastor influente na comunidade.
- Os afro-americanos, devido à sua história, tratam-me com um respeito característico. Muitos latinos, devido a suas profundas raízes no catolicismo romano, e outros de tradição ortodoxa oriental me veem com profundo respeito – quase como um sacerdote – com acesso aos mistérios de Deus.

Líder de grupo pequeno

Autoridade posicional

- Eu estabeleço a agenda e os parâmetros para as reuniões dos grupos pequenos.
- Eu lidero a discussão, dirigindo-a do modo com que planejei.
- Eu escolho delegar, ou não delegar, responsabilidades aos outros.

Autoridade pessoal

- Pelo fato de eu preparar e estudar com antecedência, sempre sei mais sobre um assunto que estamos estudando do que o restante do grupo.
- As pessoas sabem que eu fui treinado pela igreja para ser um líder e posso responder às preocupações básicas que eles têm.
- As pessoas confiam em minha capacidade para integrar os diferentes elementos de uma reunião numa significativa experiência espiritual.

Autoridade espiritual

- Algumas pessoas recém-convertidas me veem como um líder que fala em nome de Deus.
- As pessoas me veem como um representante da igreja como um todo.
- As pessoas confiam que eu posso pastorear e amá-las em nome de Jesus, ajudando-as com suas necessidades e problemas espirituais básicos.

Autoridade projetada

- As pessoas olham para meus melhores dons e qualidades como líder, não para minhas faltas. Como resultado, alguns me idealizam.
- Alguns me veem como figura da autoridade e me atribuem sabedoria e habilidades que eu posso ter ou não ter.
- As pessoas às vezes têm expectativas irrealistas do que eu posso oferecer devido a minha posição como líder do grupo pequeno.

Autoridade relacional

- As pessoas sabem que sou um bom amigo do pastor e de sua esposa, vindo até mim em busca de informação sobre o ministério, o que está fora do escopo de minhas responsabilidades e posição como líder de grupo pequeno.
- Como frequentei uma faculdade bíblica e cursos bíblicos, algumas pessoas em meu grupo olham para mim para responder perguntas difíceis quando elas surgem.
- As pessoas em nosso grupo pequeno sabem que vários anos atrás eu frequentei uma igreja grande e importante. Alguns pensam que eu tenho mais sabedoria sobre liderança eficiente de um grupo pequeno do que na verdade eu tenho.

Autoridade cultural

- Devido à minha educação e minha profissão como médico, alguns membros do grupo pensam que eu tenho também conhecimento bíblico e de liderança.
- Ser homem me dá vantagens e oportunidades para liderar que não são dadas às mulheres, visto que alguns em nossa congregação são inseguros ou sentem-se desconfortáveis com mulheres em posição de liderança na igreja.
- O fato de eu ter crescido e vivido em nossa comunidade durante os últimos 35 anos me dá a credibilidade em nossa igreja jovem, altamente instável e transitória.

Administrar cuidadosamente nossa autoridade para que ela fique sob os outros

Dez anos atrás, eu me vi sendo cortejado por alguns editores cristãos. Minha agente literária na época, uma sábia mulher com mais de trinta anos de experiência em publicação, planejou reuniões em três diferentes cidades para eu me encontrar com os vários editores e considerar suas ofertas de contrato. Em cada local eu era tratado muito gentilmente, quase como um astro potencial (foi bom enquanto durou!). Como filho de um padeiro italiano, experimentei esses momentos como estranhos, desconfortáveis e inebriantes ao mesmo tempo.

No último dia de nossa viagem, eu fiz uma pergunta à minha agente:

– Você está neste negócio de publicação há muito tempo. Você representou alguns dos mais conhecidos autores cristãos. Qual você diria ser a maior tentação da qual eu deveria estar ciente?

– É fácil – respondeu. – Posso resumir em uma palavra: *direito*. Alguns autores adquirem muita influência depois de se tornarem conhecidos. Eles mudam. Eles entram numa sala agindo como se todos lhes devessem e o mundo girasse em torno deles. É horrível trabalhar com eles.

Nunca esqueci aquela conversa. Resolvi de aquele momento em diante tratar cada porta de publicação que Deus me abria como completo milagre da graça.

Líderes com *direito* agem como se o mundo girasse em torno deles. O pensamento deles é algo como: *Eu fui abençoado. Eu tenho dons e influência. Trabalhei duro e mereço ser bem tratado.* É isso que eu chamo de "autoridade sobre" outras lideranças.

O oposto de um líder com direito é um líder agradecido. Os líderes agradecidos se maravilham continuamente diante de tudo o que receberam de Deus. Mas, à medida que o senso de gratidão do líder encolhe, seu senso de direito cresce.

Embora o mundo pratique a estratégia do "poder sobre" caracterizada pelo predomínio e pela competitividade do tipo "ganha-perde", Jesus ensinou a estratégia da "autoridade sob" caracterizada pela humildade e pelo serviço sacrificial. No mundo, diz Jesus, os *governantes dos gentios têm domínio sobre eles, e os seus poderosos exercem autoridade sobre eles. Mas entre vós não será assim. Antes, quem entre vós quiser tornar-se grande, será esse o que vos servirá* (Mt 10.42, 43). Embora Jesus seja o Deus invisível que une todas as coisas – onipotente, eterno, imortal e infinito –, tornou-se humano, temporal, mortal e finito. Jesus demonstrou seu poder não por força ou controle, mas escolhendo vir *sob* nós, humildemente lavando os pés e morrendo por nossos pecados. Ele administrou cuidadosamente seu poder: *existindo em forma de Deus, não considerou o fato de ser igual a Deus algo a que devesse se apegar, mas, pelo contrário, esvaziou a si mesmo, assumindo a forma de servo e fazendo-se semelhante aos homens* (Fp 2.6, 7).

A igreja não é uma corporação. Não somos diretores de empresas que tomam duras decisões para "manter o negócio em ordem". Não somos presidentes que adotam as melhores práticas para expandir nosso impacto ou penetração de mercado. A igreja não é o nosso negócio de família. Ao contrário, nós somos o corpo de Cristo, o templo de Deus, a nova família de Jesus, a esposa de Cristo. Como líderes, somos mordomos da autoridade a nós concedida por Deus por um curto espaço de tempo. A escolha da palavra *mordomo* é importante. A igreja pertence a Deus, não a nós. Nunca devemos esquecer que o poder que exercemos pertence a ele. Nosso poder é *dado* a nós para estar sob as pessoas para o bem delas, para se desenvolverem, não para parecermos bons.

Não estar sob as pessoas com a nossa autoridade é algo que pode assumir muitas formas diferentes. Pense na história de Patrick e Ken. Há dois anos, Patrick e sua esposa se mudaram de Nova York para a Virgínia Ocidental para que Patrick pudesse assumir uma posição como pastor de jovens numa igreja rural. Antes da mudança, ele havia trabalhado como líder do ministério jovem na Primeira Assembleia, uma igreja em seu estado natal de Nova York. Durante uma recente viagem de volta a Nova York para visitar a família, Patrick entrou em contato com Ken, pastor titular da Primeira Assembleia, e perguntou se eles podiam almoçar juntos. Ken foi inicialmente relutante porque ele e Patrick não haviam se separado nas melhores condições, mas estava curioso e concordou.

Quando se encontraram, Patrick surpreendeu Ken pedindo perdão por sua falta de submissão à autoridade e por seu espírito rebelde quando serviu como líder de jovens na Primeira Assembleia. Ele contou que o pastor titular de sua igreja em Virgínia Ocidental o havia confrontado e o ajudado a ver seus pontos cegos e arrogância.

Ken não podia acreditar no que estava ouvindo. Ele ficara aliviado quando Patrick se mudou para Virgínia Ocidental porque ele era muito difícil de lidar. As observações e o comportamento inadequado de Patrick haviam causado a Ken muitas noites sem dormir, mas ele nunca havia lhe dito nada. Por quê? Ken odiava conflito e confusões relacionais. Mas Patrick era agora claramente uma pessoa diferente – quebrantada, humilde e arrependida. Alguns dias depois, numa conversa comigo, Ken quis saber se devia então convidar Patrick para almoçar e pedir perdão por nunca enfrentar aqueles problemas quando Patrick estava sob sua liderança.

Note que Ken deixou de exercer sua autoridade dada por Deus para servir a Patrick – amá-lo bem. Ele fracassou em servir a Patrick, permitindo que sua aversão ao conflito o fizesse abdicar de seu poder e autoridade. Eu aconselhei Ken que eu pensava ser bom para sua alma ir almoçar com Patrick para pedir-lhe perdão.

Uma das formas de sabermos se estamos usando intencionalmente nosso poder para estar sob as pessoas é quando fazemos algo difícil e duro para nós porque isso beneficiará alguém. Isto é o que Ken deveria ter feito por Patrick, embora aquilo pudesse provocar a desaprovação de Patrick ou até mesmo custar o relacionamento.

Outro indicador que eu observo em minha própria vida para garantir que estou usando o meu poder para estar sob os outros é examinar o meu coração. Eu verifico se ainda estou grato pelo privilégio de representar Jesus e ter um nível de influência na vida de outras pessoas. Talvez o melhor teste que eu conheço para me alertar de ter desviado do uso saudável da autoridade é sentir-me mal quando as pessoas me tratam como o servo que eu alego ser.

DEZ PRINCÍPIOS PARA EXERCER AUTORIDADE E LIMITES SÁBIOS

1. **Faça um inventário honesto da autoridade que Deus lhe deu.** Para sermos fieis, precisamos estar profundamente conscientes das fontes de autoridade que Deus nos concedeu. Corremos o risco de usarmos autoridade de forma deficiente se ignorarmos ou minimizarmos a extensão da nossa autoridade.
2. **Reúna-se com um companheiro espiritual ao sentir-se precipitado.** Pode ser que as dinâmicas não resolvidas da família de origem se reafirmem sempre que você tiver responsabilidade e autoridade. O local de trabalho e a igreja são lugares fundamentais onde nossos pontos sensíveis emergirão.
3. **Faça uma lista de conselhos sábios para monitorar relacionamentos.** Mentores, terapeutas, presbíteros, conselheiros e amigos idôneos nos dão perspectiva e aconselhamento. É fundamental conhecermos nossos limites e nos submetermos ao discernimento de outros quando relacionamentos múltiplos (p. ex., ser ao mesmo tempo empregador e amigo) fazem parte da nossa liderança.
4. **Observe os primeiros sinais de perigo.** As pessoas mudam. Nós mudamos. A igreja muda. O que funciona agora pode não funcionar daqui a alguns anos. Tenha conversas francas com as pessoas quando o seu relacionamento com elas passar por tensões e dificuldades. Converse sobre os riscos, retrocessos e desafios à sua frente.
5. **Seja sensível a nuances culturais, étnicas, de gênero e de gerações.** As diferenças culturais e históricas em torno de poder, autoridade, idade e gênero são muitas. Seja um aprendiz. Faça perguntas. Sua história

e experiência com poder é provavelmente muito diferente da de outras culturas, faixa etária ou até de gênero. Convide pessoas de grupos diferentes para compartilhar suas perspectivas características com você.

6. **Libere as pessoas (remuneradas e voluntárias) de forma amorosa.** Esta é uma das tarefas mais difíceis para líderes, especialmente desde que representamos Deus e desempenhamos muitos papéis diferentes com as pessoas – empregador, pastor, orientador espiritual, mentor etc. Certifique-se de obter conselho sábio para garantir o uso da autoridade de maneira justa, honesta e cautelosa.
7. **Lembre-se de que a obrigação de estabelecer limites e mantê-los claros cai sobre a pessoa com maior poder.** Embora alguém em nosso ministério possa manipular uma situação, a obrigação maior recai sobre nós. Por quê? Deus nos confiou maior autoridade.[8]
8. **Seja amigo dos amigos, um pastor das ovelhas, conselheiro aos aconselhados e um supervisor aos empregados/voluntários.** Acompanhe e evite relacionamentos múltiplos (como: amigo e empregador) tanto quanto possível. Faça a si mesmo a pergunta: "Que função é básica para mim neste relacionamento? Quem sou eu para esta pessoa? Quem é esta pessoa para mim?"[9]
9. **Medite sobre a vida de Jesus ao encontrar o sofrimento e a solidão da liderança.** Exercer a autodisciplina necessária para administrar seu poder bem pode ser um trabalho difícil e solitário. Alinhe-se com Cristo ao permitir tempo extra para ler e meditar sobre a vida e a paixão de Jesus.
10. **Peça a Deus graça para perdoar seus "inimigos" - e a si mesmo**. Você cometerá erros e magoará as pessoas. Peça perdão e se reconcilie sempre que possível. Em algum ponto, merecidamente ou não, as pessoas sentir-se-ão traídas por você; você sentir-se-á traído por elas. Estou por conhecer um líder cristão que não teve a experiência da traição. Esses ferimentos cortam fundo e quase sempre nos levam à noite escura da alma. Mas enquanto orarmos diariamente pelo milagre para perdoarmos nossos "inimigos" (e nós mesmos), podemos experimentar alguns dos nossos melhores momentos de amadurecimento e aprofundamento como líderes.

Nós reconhecemos e monitoramos relacionamentos múltiplos

Exercer autoridade e estabelecer limites sábios na liderança pode ser algo complexo, independentemente do ambiente. Mas o exercício da autoridade espiritual, ou o "fator Deus", na igreja e em outras organizações cristãs

[8] V. Peterson, Marilyn. *At Personal Risk: Boundary Violations in Professional-Client Relationships* [Com risco pessoal: violações de limites na relação profissional-cliente]. Nova York: Norton, 1992. Sua tese é de que os profissionais que se recusam a aceitar sua autoridade decorrente do seu papel são mais propensos a ferir pessoas.

[9] Gula. *Just Ministry*, p. 137.

introduz mais complexidades. Talvez nada seja tão complexo para os líderes como o desafio de controlar relacionamentos múltiplos com família e amigos íntimos. Pense na seguinte história na qual isto foi ignorado, resultando numa espiral descendente de doze anos em uma igreja.

Paul, advogado, havia sido presidente do conselho de sua igreja durante quinze anos. Naquela função, ele efetivamente funcionava como "o chefe" para o pastor principal e o pessoal. Ao mesmo tempo, ele era também o melhor amigo de Ben, o pastor principal. Eles gostavam da companhia um do outro e rotineiramente almoçavam e iam a eventos esportivos juntos.

A igreja estava crescendo e tudo parecia estar indo bem até o dia que o conselho foi informado de que Ben fora pego beijando uma mulher da igreja que não era sua esposa. Os membros do conselho e a igreja sentiram-se traídos. Nesse ponto, Paul sentiu-se obrigado a afirmar seu papel tanto como supervisor e autoridade espiritual sobre Ben. Era isso que a constituição da igreja determinava quanto ao relacionamento entre o presidente do conselho e o pastor titular, mesmo que não tivessem agido dessa forma em sua amizade. Ben ficou ressentido pela súbita mudança no relacionamento dos dois, bem como da intromissão e da forçada prestação de contas. Ele se demitiu e os dois não se falam desde então.

– O que aconteceu? – perguntei a Paul. – Vocês dois passaram tanto tempo juntos. Como você não percebeu o que estava acontecendo com Ben?

– Bem – confessou ele –, na verdade eu percebi.

– O que você está dizendo? – espantei-me.

– Ele flertava de vez em quando – respondeu Paul. – Eu o vi desrespeitar alguns limites, mas pensei: quem sou eu para desafiá-lo? Ele era desleixado em outras áreas também: suas finanças pessoais, até mesmo sua pregação. Mas seus dons o acompanhavam. Até mesmo quando não estava totalmente preparado ao pregar, as pessoas não conseguiam perceber a diferença. Mas eu percebi.

Paul baixou o olhar para o seu café, mergulhado em seus pensamentos. Houve um longo silêncio, e então ele confidenciou:

– Na verdade, a pessoa com quem estou mais furioso sou eu! Não cumpri meus deveres como presbítero e presidente. Nós éramos amigos muito íntimos. Foi por isso que a disciplina e o processo de restauração foram tão deficientes. Que grande confusão.

Paul se viu num papel duplo – tanto de amigo como de chefe e autoridade espiritual. Isto levou a limites obscuros e confusão em torno do relacionamento deles, que não pôde sobreviver à súbita mudança nos papéis que a crise exigiu.

O desafio de relacionamentos múltiplos

Ocorre um relacionamento múltiplo quando temos mais de um papel na vida de alguém. Observamos isto, por exemplo, quando a líder de um grupo pequeno constrói seu negócio imobiliário requisitando membros do seu grupo, quando um médico torna-se companheiro de golfe do seu paciente, quando um pastor contrata seu filho para trabalhar para ele. Quando você vai a um médico, um advogado, um terapeuta, um professor, um contador ou a um treinador profissional, o relacionamento deve ter certos limites. O profissional lhe oferece um serviço e você paga por isso. Cada um de vocês tem apenas um papel na vida da outra pessoa. Vocês não saem de férias juntos. Não saem para jantar à noite. Não oferecem conselho para seus problemas pessoais. Vocês têm um relacionamento de uma só função no qual os limites são relativamente claros.

Existe um reconhecimento implícito do poder desigual nesses relacionamentos. Eles são os especialistas. Você é o receptor de seus serviços e especialidade. O profissional, por exemplo, um médico ou advogado, precisa aderir a um código de ética e leis para poder ser licenciado. Os terapeutas não devem namorar suas clientes. Fazer isso seria uma violação, um abuso da autoridade de terapeuta.[10]

Não creio ser saudável ou bíblico tentar eliminar por completo os relacionamentos múltiplos da liderança cristã. Traçar rígidos limites profissionais numa igreja ou numa organização paraeclesiástica pode bem limitar o que Deus está fazendo. Esses limites simplesmente precisam ser prudente e cuidadosamente monitorados.

Paul estava num relacionamento múltiplo com Ben. Eles eram amigos e, como presidente do conselho, Paul era também supervisor de Ben. Eles sentiam a tensão às vezes, mas não tinham a linguagem ou a maturidade relacional para conversar sobre isso. O relacionamento de Paul com Ben não era igual. Ele era o presidente do conselho; Ben trabalhava para o conselho. O conselho podia demitir Ben; Ben não podia demitir o conselho.

Quando nos vemos num relacionamento múltiplo, é importante definir os limites em trono dos nossos papéis. Limites são como cercas: eles nos ajudam

10 [10] V. PETERSON, Marilyn. *At Personal Risk*.

a saber onde termina o nosso quintal e começa o do vizinho. Com limites adequados, sabemos pelo que somos e pelo que não somos responsáveis. Por exemplo, na situação com Paul e Ben, estabelecer limites sábios no começo teria envolvido falar abertamente sobre seus diferentes papéis e responsabilidades na igreja. Eles poderiam ter convidado outros membros do conselho para tratar o dilema, discutindo potenciais conflitos de interesse. Talvez Paul pudesse ter-se demitido da presidência do conselho ou do conselho completamente. Eles podiam ter discutido as implicações do seu relacionamento múltiplo no começo para que Paul garantisse seu exercício de autoridade com sabedoria.

A responsabilidade para estabelecer um limite saudável está primeiro com o líder, não com os liderados. Por quê? O líder recebeu a autoridade maior. Continuar com esta responsabilidade não é fácil. Requer autoconsciência, reflexão, a habilidade para conversas honestas e claras, e um alto nível de confiança e maturidade pessoal. Como eu sei? Por meio dos meus erros. Muitos erros. O seguinte é um doloroso exemplo.

Durante anos, eu me permiti tornar-me um pai para Joan, nossa pastora de jovens. Geri e eu a convidávamos para os feriados, jantávamos junto com ela e lhe dávamos muita ajuda pessoal para que obtivesse sucesso em seu trabalho. Nossas meninas a admiravam e a amavam. No processo, eu me tornei algo como um pai substituto, pastor e mentor, tudo em um. Ela era profundamente leal e grata.

Chegou o tempo, entretanto, quando as coisas não estavam indo tão bem tanto em seu ministério como em sua vida pessoal, e vários membros do conselho da igreja ficaram preocupados. Nesse ponto, eu precisei intervir e me afirmar como seu supervisor. Para permanecer na equipe, ela precisava efetuar algumas mudanças significativas em sua vida. Na época, eu não tinha consciência do quão terrivelmente confusos haviam se tornado nossos limites e papéis. Quando eu tive a difícil conversa com Joan sobre seu desempenho, ela sentiu-se magoada e traída.

– Como você pôde me tratar assim? Como pôde fazer isso comigo? – ela chorou.

Minha oferta de encontrar outra posição para ela na *New Life* caiu em ouvidos surdos. Minha traição a ela fora fundo demais.

Eu entendi por quê. No que dizia respeito a ela, eu era seu grande torcedor e campeão, o homem mais velho em sua vida, de quem ela podia depender se tudo o mais falhasse. Eu fui aquele que havia investido anos para ajudá-la a crescer de uma posição de estagiária para uma influente líder sobre um ministério vital. Eu era o pastor que a amava, como Deus, sem condições. Eu não era seu "chefe".

Eu estivera inconsciente de tudo isto e havia sido desleixado com minha autoridade.

Ela se demitiu.

Uma de nossas filhas era integrante do grupo jovem e se viu no meio daquela dolorosa transição. Ela não sabia nada dos problemas do conselho ou das violações de limites que eu havia permitido. Ela se viu profundamente ferida, e levou anos para se recuperar. Quantos filhos de pastores e líderes foram desnecessariamente feridos devido à falta de sabedoria dos pais no uso da autoridade e no estabelecimento de limites sábios?

Foi injusto eu ter colocado Joan, nossa pastora de jovens, naquela posição. Como seu supervisor, eu tinha uma autoridade muito maior no relacionamento. Eu deveria ter limitado meu monitoramento e passado esse trabalho para outros. Eu deveria também ter garantido que uma séria revisão de tarefa e avaliação de cargo fosse feita em relação a ela, da mesma forma que era feita para outras pessoas. Como eu a tratei como membro da família, permiti-me alimentar expectativas diferentes para ela. De fato, esse dilema pode ser até mesmo mais desafiador quando o relacionamento múltiplo ocorre com alguém em nossa própria família.

O desafio da família

Acredite ou não, livros inteiros foram escritos sobre os prós e os contras da contratação de membros da família em organizações. Alguns especialistas argumentam ser mais produtivo e enriquecedor tanto para a organização como para as famílias, particularmente em casais com dupla carreira. Para outros, o favorecimento de membros da família é visto como algo negativo e as organizações não deveriam tolerar essa prática por questão de equidade e justiça, mesmo atendendo aos objetivos.[11]

Existem muitos exemplos maravilhosos na história da igreja contemporânea de membros da família que trabalham bem juntos. Na Escritura observamos muitos integrantes de família trabalhando juntos em posição de liderança.

[11] V. por exemplo, JONES, Robert G. ed., *Nepotism in Organizations* [Nepotismo nas empresas]. Nova York: Routledge, 2012.

- Moisés serviu como líder sênior, junto com seus irmãos, Arão e Míriam.
- Arão e seus filhos trabalharam juntos na liderança como sacerdotes.
- Davi entregou a liderança a seu filho Salomão, que a entregou ao seu filho.
- Pedro liderou os doze apóstolos enquanto André, seu irmão, serviu em sua equipe de liderança.
- Os irmãos Tiago e João estavam ambos na mesma equipe apostólica.
- A Bíblia dá a entender que Pedro, André, Tiago e João eram sócios na indústria da pesca em Cafarnaum.
- Áquila e Priscila eram marido e mulher aparentemente na equipe juntos em sua igreja.
- Tiago, o irmão de Jesus, liderou a igreja em Jerusalém, como descrito no livro de Atos.

Em cada caso, eram parentes, ligados um ao outro pelo sangue. Todavia, foram também dotados e chamados por Deus para servirem juntos na liderança. Não há dúvida de que temos algumas indicações de problemas nessas situações (por exemplo, a discordância entre Moisés, Arão e Míriam, e também entre Davi e seus filhos), mas não sabemos muito além disso.

Por outro lado, temos também trágicos exemplos de famílias e igrejas que foram destruídas quando uma família adquiriu poder demais.[12] Algumas igrejas e organizações tiveram tantas experiências más com membros da família na equipe que agora o proíbem. Todavia, embora existam significativos perigos e desafios em ter membros da família trabalhando juntos na liderança, minha convicção é que a Escritura claramente deixa a porta aberta para isso. Se permitirmos tais situações, devemos trabalhar para proteger a todos os envolvidos ao discutir abertamente questões de poder e relacionamentos múltiplos, estabelecendo limites, restrições e equilíbrios. Uma liderança madura, disciplinada e diferenciada precisará monitorar o impacto que os membros da família têm sobre a saúde do corpo maior, para garantir que nenhuma linha cruzada possa ser interpretada como favoritismo ou nepotismo.

Antes de Rich tornar-se pastor principal da *New Life*, nós queríamos contratar sua esposa, Rosie, como diretora do nosso ministério de crianças. Ela

[12] Para um exemplo recente, v. "Where Are the People? Evangelical Christianity in America Is Losing Its Power: What Happened to Orange County's Crystal Cathedral Shows Why" [Onde estão as pessoas? Cristianismo evangélico na América perde o poder: a história da Catedral Crystal em Orange County mostra por quê], *The American Scholar*, www.theamericanscholar.org/where-are-the-people/#.VO-ejr2102g. Acessado em fevereiro de 2015.

era a pessoa mais qualificada para o trabalho, mas o conselho manifestou-se abertamente sobre os riscos potenciais. Se as coisas não funcionassem com Rosie, poderíamos perder tanto ela como Rich. Não se tratava de uma perda pequena, visto que Rich havia começado o processo para assumir o meu lugar. Nós discutimos esse risco com o conselho, com Rich e com Rosie. No final os presbíteros, como guardiões de nossa cultura e valores, decidiram que Rosie responderia ao diretor de ministério pastoral, que se reuniria com o presbítero presidente uma vez por ano para informar o desempenho dela. Ficou entendido que o presbítero presidente apoiaria o diretor de ministério pastoral se concluísse em qualquer momento que ela não mais se adequava à posição de diretora do ministério de crianças. Nós a contratamos, crendo que tínhamos margem, capacidade e maturidade para administrar aquela complexidade específica.

Quando membros da família podem trabalhar na liderança e isso funciona bem, é maravilhoso. Quando não funciona bem, é muito ruim e difícil deslindar. Por isso, como qualquer decisão, dever ser cuidadosamente discernida e discutida.

O desafio dos amigos próximos

Deixe-me repetir isto: não creio ser saudável ou bíblico tentar eliminar relacionamentos múltiplos da liderança cristã. Isso se aplica não somente a membros da família, mas também a amigos próximos. Esses também precisam ser prudentemente tratados e supervisionados. A experiência de relacionamentos múltiplos em amizades íntimas tem sido um dos dolorosos pontos cegos em minha liderança durante os anos. Infelizmente, não estou sozinho nisso. Muitos de nós violamos limites apropriados e necessários em amizades íntimas e depois vemo-nos profundamente emaranhados numa situação difícil.

Amizades funcionam melhor entre pares iguais com poderes iguais. Esse equilíbrio é comprometido quando uma pessoa funciona em posição de liderança espiritual ou supervisão da outra. A erudita em ética Martha Ellen Stortz registrou uma excelente descrição das qualidades fundamentais da amizade e como isso conflita com o ministério e a liderança cristã.[13] A seguir, resumimos algumas qualidades de amizade que ela identifica:

Escolha. Os amigos escolhem um ao outro. Isso significa que eles *não escolhem* outra pessoa; eles as excluem. Como líderes de uma comunidade,

[13] STORTZ, Martha Ellen, *PastorPower* [PoderPastor]. Nashville: Abingdon, 1993, p. 111-17.

quando excluímos pessoas, corremos o risco de tomar partidos definindo inadvertidamente quem está "dentro" enquanto outros estão "fora". Nos primeiros anos da nossa igreja, minha assistente executiva frequentemente comentava sobre o que ela descrevia como meu favoritismo com respeito a meu círculo íntimo de amigos. Ela dizia que eu os tratava de maneira diferente. Eu recusava suas observações na época, contudo ela estava certa. Nossos amigos tinham mais acesso a nós do que outras pessoas. E isso lhes dava maior influência do que a maioria das pessoas a quem nós servíamos.

Igualdade. Amigos são iguais em poder e status. Como líder sênior, eu tinha portas abertas para mim que outros em meu círculo de amizade não tinham – de oportunidades de férias de doadores a oportunidades de crescimento junto com a autoridade para contratar e demitir. Como pastor principal, eu podia também abrir oportunidades para o meu círculo interno de amigos da *New Life* que eles não podiam abrir para mim. Devido a minha particular mistura de autoridade posicional e pessoal, nem tudo era igual em minhas amizades com os integrantes da equipe. Essa desigualdade é uma das razões por que os relacionamentos múltiplos podem-se tornar confusos e problemáticos.

Reciprocidade. Os amigos dão e recebem igualmente. Eu tentei manter reciprocidade em meus relacionamentos, mas foi um tanto impossível. Como os amigos do nosso círculo íntimo serviram comigo nos desafios e dificuldades da liderança, alguns deles queriam pastorear seu pastor, convidando-me a baixar a guarda e compartilhar tudo o que eu quisesse, sem reservas. O problema era que as questões difíceis que o conselho e eu estávamos discutindo na época, por exemplo, não eram apropriadas para compartilhar num bate-papo durante um café num restaurante local. De fato, não era apropriado compartilhar com ninguém que não fosse do conselho. Amigos dão e recebem igualmente, mas eu estava, da minha parte, retendo intencionalmente. Com o passar do tempo isso criou uma brecha cada vez maior.

Conhecimento. Os amigos são um convite à autorrevelação verdadeira. Isto se aplicou especialmente às pessoas de quem eu era pastor e amigo. Houve momentos em que eu queria fazer o mesmo com eles. Mas nem tudo era igual. Devido à minha autoridade posicional, minhas palavras transmitiam um peso extra. Compartilhar tão aberta e fielmente, como alguns em nosso círculo íntimo queriam que eu fizesse, teria sido imprudente e inapropriado. Se eu os tivesse criticado da mesma maneira que eles me criticavam, eles teriam sido esmagados. Eu me lembro, por exemplo, de ter recebido uma longa crítica da formação de um retiro espiritual que eu havia dirigido do qual vários "amigos íntimos" meus participaram, uma avaliação que não incluiu a categoria das "coisas que foram bem". Não temos o luxo de fazer isso com pessoas que servem sob nós quando temos mais autoridade do que elas. Caso contrário, causamos mais dano do que bem. Quando nós líderes fazemos críticas, nossas palavras precisam ser escolhidas cuidadosamente, encaixadas entre afirmações positivas, e ditas num ambiente sadio que proteja a dignidade da pessoa.

Eu apresento a você essas quatro características de amizade como uma estrutura para ajudá-lo a determinar se o seu relacionamento múltiplo com amigos atende a esses padrões particulares de amizade.

Tudo isso significa que me oponho a que líderes seniores tenham amigos íntimos na igreja? Absolutamente não. Mas direi que, depois de mais de duas décadas de ministério, eu tenho visto muitos desfechos trágicos. Somente alguns líderes são suficientemente conscientes e hábeis para navegar entre os perigos com sabedoria. Posso testemunhar que tais amizades são possíveis, e creio que o meu relacionamento com Andrew, um membro fiel da *New Life*, ilustra isso bem.

Eu fui pastor de Andrew durante muitos anos, e desfrutamos a companhia um do outro. Ele participou também do grupo pequeno que eu dirigi, e Geri e eu de vez em quanto jantávamos com ele e sua esposa. Num dia quente de verão, por exemplo, íamos à sua casa e desfrutávamos um refrescante alívio em sua piscina. Conversávamos sobre esportes e sua predileção por trens.

Transcorridos seis ou sete anos de amizade, Andrew foi eleito presidente do nosso conselho da igreja. Nesse ponto, ele se tornou meu chefe direto. Eu tinha de mandar-lhe relatórios mensais. Ele dirigia o conselho em avaliações regulares da minha realização e observava meu caráter e integridade. Ele tinha poder e autoridade para me rebaixar, me demitir ou me conceder aumento. Eu não podia rebaixá-lo, demiti-lo ou conceder-lhe aumento.

Eu era o pastor de sua família e ele era então o meu chefe. Ele falava a respeito dos nossos papéis. Brincávamos a respeito de não sairmos de férias juntos. Permanecíamos amigos e continuávamos a desfrutar a companhia um do outro. Mas o nosso relacionamento mudou. Não era mais igual.

Isso não significa que a amizade terminou. Nosso respeito um pelo outro aumentou nos nossos 27 anos de amizade, e isso também se deveu à disposição de falar abertamente sobre as mudanças no relacionamento. Compreender essas mudanças e reconhecê-las tem mantido os limites do nosso relacionamento saudável e claro. Ao mesmo tempo, nosso apreço um pelo outro tem apenas crescido durante os anos. Seu mandato como presidente e membro do conselho logo terminará. Será interessante ver como o nosso relacionamento evoluirá desse ponto em diante.

Igreja *New Life*: Um estudo de caso para esclarecer relacionamentos múltiplos entre a equipe pastoral

Eu comecei a jornada de aprendizado da autoridade emocionalmente saudável e dos sábios limites na *New Life* em 2007. Eu queria fornecer ao nosso pessoal uma linguagem que pudéssemos usar para conversarmos sobre os relacionamentos como equipe enquanto cultivávamos um saudável respeito pelo legítimo poder dos que estão em autoridade na *New Life*. Precisávamos de ajuda porque nos víamos continuamente lutando com os papéis múltiplos entre a equipe pastoral e o conselho, uns com os outros, com os supervisores e com os membros da congregação. Descobrimos que quando contratávamos e pagávamos pessoas (tirando-as do serviço voluntário), a situação ganhava outro nível de complexidade. Precisávamos de uma estrutura comum de referência para ajudar-nos a administrar a sobreposição de complexidade em todos esses relacionamentos e nosso processo de emprego na *New Life*, e precisávamos fazer isso com sabedoria e clareza.

O resultado foi uma Regra de Vida para a equipe pastoral (e depois para o pessoal administrativo e o conselho da igreja) que continua a nos orientar até hoje.[14] Esse excerto descreve os três papéis da equipe pastoral distintos, embora sobrepostos, e como temos de administrá-los bem em nossos relacionamentos de uns com os outros:

> Usando seus talentos dados por Deus, nossos membros trabalham e servem como voluntários devido a um senso de paixão e missão. Nós também trabalhamos e servimos em decorrência de um senso de paixão e missão; no entanto, atuamos num relacionamento múltiplo com o conselho da igreja *New Life* e a congregação, ou seja, como "contratados". De fato, nós temos pelo menos três papéis da comunidade da *New Life*: somos membros de família, líderes na família da igreja e funcionários. Esses papéis carregam desafios quanto à nossa relação de uns com os outros e com a *New Life*.
>
> A cada ano, somos separados pelo conselho de presbíteros para servirmos ao corpo da igreja *New Life*. Seja em tempo integral ou parcial, recebemos um salário para cumprirmos essa vocação livres das restrições do emprego secular. O corpo como um todo nos apoia financeiramente para que possamos nos dedicar a servir ao corpo – orando, pastoreando e treinando os santos para ministrar (Ef 4.11ss). Esse é o nosso privilégio e nossa alegria.
>
> Ao mesmo tempo, o conselho da igreja é responsável pela administração dos recursos da igreja em nosso ambiente dinâmico e em mudança. Nosso chamado de

[14] A Regra da Vida para a equipe pastoral pode ser encontrada em sua totalidade no apêndice de *The Emotionally Healthy Church: Updated and Expanded* [Igreja emocionalmente saudável: atualizado e expandido], ou em www.emotionallyhealthy.org/resources.

Deus para a liderança pastoral pode demorar a vida toda independentemente do nosso emprego na *New Life*. Ainda assim, reconhecemos que as necessidades e os desejos da *New Life* podem mudar com o tempo. Assim, nossa posição como contratados está sujeita à direção que Deus está dando à igreja, a seus recursos e à nossa efetiva liderança. Além disso, cada um de nós está sujeito a revisões periódicas com relação às tarefas de nossa posição, ao status e ao contrato.

Esses esclarecimentos têm guiado nosso pensamento, dado clareza ao pessoal e provido uma estrutura para gerenciarmos nossos limites e relacionamentos como líderes procurando servir à *New Life* com integridade.

Faça as quatro perguntas

Há grandes riscos em assumir a liderança na igreja de Deus. Você pode perder relacionamentos que estima ou prejudicar o ministério que ama. Como tudo o mais que discutimos sobre ser um líder emocionalmente saudável, administrar o multidimensional desafio de poder e sábios limites vai além de um conjunto de técnicas em especial – trata-se do núcleo do que somos. Essas questões de poder e limites tangenciam nossas inseguranças e nossa necessidade de validação. Elas revelam nosso nível de maturidade pessoal como poucos outros desafios. São influenciadas por nossa sombra.

Ao encerrarmos este capítulo, novamente eu o convido a fazer a si mesmo e à sua equipe perguntas baseadas nos quatro elementos-chave apresentados na parte 1. Isto o capacitará a amadurecer em seu exercício da autoridade e sábios limites – tanto pessoalmente como em equipe.

- **Enfrente sua sombra.** Como pode minha sombra estar impactando o meu uso, ou falta de uso, de autoridade em minha liderança? Em quê ela pode estar motivando ou complicando meus relacionamentos múltiplos? Que padrões de minha família de origem ou cultura contribuem para minha ambivalência relativa ao exercício de autoridade ou da tentação de manejá-la com demasiada força? Que experiências passadas com figuras de autoridade contribuem para a maneira como eu entendo o poder e estabeleço, ou deixo de estabelecer, limites com outros?
- **Lidere a partir de seu casamento ou vida a sós.** Como líder casado ou solteiro, estou consciente das projeções de outros e da maneira como eles podem me idealizar? De que limites eu preciso para garantir que eu sirvo às pessoas com integridade a partir do meu casamento ou

da minha vida de solteiro? De qual salvaguarda eu preciso para construir minha liderança de forma a proteger meu cônjuge, filhos e amigos íntimos?

- **Reduza o ritmo em favor de uma amorosa união.** De que forma pode o meu tempo na amorosa união com Jesus me ajudar a administrar minha influência e autoridade de forma mais amável, sábia e eficiente? Como posso prestar atenção mais de perto a outras perspectivas sobre o meu uso de autoridade e como posso mais prudentemente administrar meus relacionamentos? Como posso usar minha capacidade de influência para ajudar meus liderados a desenvolverem um relacionamento saudável com sua própria autoridade?
- **Pratique o deleite do sábado.** Como pode o sábado servir como um lembrete semanal para mim e minha equipe da transitoriedade e da curta natureza do poder terreno? De que forma pode o sábado servir como salvaguarda para eu não me considerar sério demais como líder? Como posso envolver essas questões pesadas e desafiadoras em torno da autoridade e dos sábios limites com um senso de ludicidade e leveza?

Administrar autoridade e estabelecer limites sábios está entre as tarefas mais desafiadoras da liderança. Eu gostaria que houvesse passos fáceis para responder a todas as questões que você enfrenta. Se no início da minha liderança eu conhecesse os princípios que compartilho neste capítulo, creio que muitos dos meus maiores erros poderiam ter sido evitados. Não existe substituto para a sensatez e a vida piedosa. Estabeleça modos de autoverificação entre aqueles em quem você confia e procure sábios conselheiros. Você ficará feliz por isso.

Esta capacidade de pensar claramente sobre autoridade e limites nos equipa para nos apegarmos suavemente aos papeis e responsabilidades que Deus nos concede. Ao fazermos isto, aprendemos que a autoridade e a responsabilidade da qual desfrutamos um dia terminarão. E, como veremos no capítulo a seguir, isso nos ajuda a compreender e nos preparar para essa realidade: a partir desses términos, Deus nos chama para novos começos.

Compreendendo a avaliação da autoridade e dos limites sábios

Se você fez a avaliação da autoridade e dos limites sábios à página 247, aqui estão algumas observações para ajudá-lo a refletir em suas respostas.

Se a sua pontuação se concentrou em um e dois, este tópico é provavelmente novo para você. Você pode até sentir-se sobrecarregado pelo número de questões levantadas pela avaliação. Não se preocupe. Crescer nessa área da sua liderança é um processo. Comece fazendo um inventário de sua autoridade (veja páginas 250-252). Concentre-se numa questão que se aplique a você agora (por exemplo, relacionamentos múltiplos, família, amizades). Você pode retornar ao restante depois. Relaxe. Vá devagar. Eu aprendi as lições nestas páginas durante décadas, não em meses. E ainda estou aprendendo.

Se a sua pontuação se concentrou em dois e três, você está parcialmente consciente de sua autoridade e influência sobre os que estão ao seu redor. É importante para você esclarecer a natureza e a extensão do seu poder, mesmo que você ache que não tem muito. Use o inventário da autoridade (páginas 250-252) para identificar claramente a autoridade que você tem. Reflita sobre quaisquer problemas de sua família de origem, junto com quaisquer experiências no local de trabalho ou na igreja, para determinar como essas influências podem estar impactando o seu uso da autoridade e limites. Você irá querer compreender o conceito de papéis múltiplos, erigindo salvaguardas caso necessário. Permita-me encorajá-lo a ler este capítulo cuidadosamente agora e retornar a ele mais uma vez no próximo ano.

Se a sua pontuação se concentrou em quatro e cinco, você está num excelente lugar para ajudar outros a administrar esses complexos desafios com o poder, papéis múltiplos, amizades, família e limites. Use a linguagem e as categorias do capítulo como estrutura para falar com os membros da equipe sobre esses problemas *antes* que eles se vejam em grande dificuldade. Esses temas são formados por múltiplas camadas, com tantas variações e complexidades como existem ministérios e igrejas. Espere obter novos discernimentos à medida que continua a aprender e aplicar esses princípios em sua liderança.

CAPÍTULO 9

Términos e novos começos

O pastor Tom liderou a igreja Comunidade de *New City* durante 31 anos. Quando ele chegou pela primeira vez, a igreja estava numa fase de declínio. No entanto, sob sua liderança, a igreja logo recomeçou a crescer – de 75 para mais de quatrocentos membros em vinte anos. Os últimos onze anos, entretanto, foram difíceis. Gradualmente, mais e mais jovens e famílias se afastaram para uma igreja mais nova no outro lado da cidade. A congregação diminuiu. Eles gostavam de um louvor contemporâneo e de oportunidades de conhecer outras famílias jovens e solteiros. Tom percebeu que a cultura ao seu redor tinha mudado drasticamente e tentou ajudar a igreja a se manter. A igreja mudou o louvor para incluir mais cânticos contemporâneos, envolveu a mídia social pela primeira vez e contratou um pastor assistente brilhante e animado. Todavia, a igreja continuou a envelhecer, com a maioria dos membros na casa dos 50 anos ou mais.

Tom amava ser pastor. Após se recuperar de um ataque do coração cinco anos antes, voltou a trabalhar com renovado compromisso para continuar seu programa matinal de rádio todos os dias e para liderar *New City*. Três meses antes, entretanto, Tom teve um leve ataque cardíaco e concordou, por insistência do seu médico, em se aposentar. Ele estava com 66 anos de idade.

A igreja, agora com 120 membros, estava despreparada para a súbita saída de Tom. A denominação garantiu um pastor interino para um período de um ano, mas ele ficou apenas seis meses.

– Ele simplesmente não era o pastor Tom – lamentou Susan, membro antiga.

Após intercalar mais dois pastores interinos nos três anos seguintes, a igreja diminuiu para 55 pessoas. Eles lutaram para pagar suas contas, mantendo o prédio e os salários do pessoal. Num derradeiro esforço para salvar a igreja, o conselho decidiu permitir que a antiga diretora de crianças levantasse fundos para contratar um jovem seminarista licenciado para ressuscitar a igreja. Não funcionou. Em três anos a igreja fechou e o prédio foi vendido.

Obviamente não houve escândalo ali, então o que aconteceu? Por que essa igreja fracassou? A falha não foi moral, no entanto houve uma falha – uma falha em discernir a realidade e a necessidade de fins e novos começos que os desafiavam como igreja. Além da advertência do ataque de coração sinalizar a saúde frágil do pastor Tom, houve o fato de ele estar se aproximando rapidamente da idade da aposentadoria. Ninguém reconheceu nem discutiu isto, nem mesmo o pastor Tom. A igreja não teve estrutura bíblica para prover sabedoria e coragem à medida que se aproximavam desse fim inevitável, e o conselho fez muito pouco tarde demais.

A CONTINUIDADE DOS TÉRMINOS NA LIDERANÇA

Aceitar términos para receber novos começos é uma das tarefas mais fundamentais da vida espiritual – e isso é especialmente verdade para os líderes cristãos. Nem todo problema pode ou deve ser resolvido ou superado; algumas coisas só precisam ser admitidas para morrer. Isso não é necessariamente uma falha. Quase sempre é uma indicação de que um capítulo terminou e um novo está esperando para ser escrito. Isto acontece em nossa vida pessoal e também na liderança.

Nós experimentamos términos pessoais de muitas formas com relação aos que amamos e cuidamos. Um ente querido morre, sofre de câncer ou outra doença grave, ou passamos pela experiência do divórcio, rebaixamento no trabalho, dificuldade econômica, um caso amoroso, um sonho desfeito – até o próprio processo de envelhecimento. Este é o inevitável sofrimento que vem durante as etapas da vida: *Tudo tem uma ocasião certa, e há um tempo certo para todo propósito debaixo do céu* (Ec 3.1). Não podemos controlar ou parar as estações. Elas simplesmente vêm no tempo de Deus.

Assim como o fim das estações, nós vivenciamos a experiência dos fins da liderança com aqueles a quem servimos. De fato, eu diria que os líderes experimentam mais ainda fins e perdas do que as pessoas comuns. Tais perdas podem ser grandes ou pequenas, mas uma perda é uma perda, e cada uma deixa sua marca em nós. Em maior ou menor grau, esses fins drenam nossa energia e reduzem nossa capacidade de nos levantarmos para o desafio seguinte. Eles nos tiram o equilíbrio – pelo menos durante um tempo.

No fim dessa continuidade estão os términos menores que carregam sua própria dor:

- Sua igreja manda cinquenta pessoas para começar uma nova igreja. Você fica animado e triste ao se dar conta de que o seu relacionamento com esse pessoal jamais será o mesmo.
- O ministério que você lidera cresce rapidamente de 25 pessoas para mais de cem. Os membros do grupo original se veem deslocados e sentem falta da proximidade e do senso de ligação que tinham quando o grupo era pequeno. Você também está desorientado e em dificuldades com essa nova situação.
- Você começa a dar-se conta de que a demografia de sua igreja não mais reflete a comunidade circundante. Você marca uma reunião com o pastor e um membro do conselho para falar sobre a necessidade de mudanças e de um plano de longo prazo.
- Sua assistente o informa de que uma família influente de seis pessoas que visitou recentemente decidiu frequentar uma igreja da vizinhança porque essa igreja tem um forte ministério com crianças.
- O ministério de mulheres, que tem permanecido sem uma líder de equipe remunerada nos últimos dois anos, luta quando uma nova diretora é contratada. No intervalo, você liderou uma equipe de voluntárias que mantiveram o ministério unido, e é difícil não sentir-se deslocada e sem importância.
- Seu membro do conselho mais apoiador recebeu uma merecida promoção e logo será realocado para a sede da companhia em outro estado. Você está feliz por sua conquista, mas sente a perda de apoio e parceria. A liderança no nível do conselho ficou mais difícil.
- Um de seus melhores doadores dos últimos cinco anos – aquele que fazia a diferença nos momentos difíceis – o informa de que está reduzindo sua contribuição para que possa investir em outros projetos beneficentes.

No outro lado da continuidade estão os grandes fins, do tipo que nos interrompe em nossas trajetórias, nos mantêm acordados à noite e marcam um indelével "antes e depois" em nossa vida:

- Um líder confiável é descoberto num longo caso amoroso com a esposa de um importante membro da igreja.
- Você é diagnosticado com câncer e tem de fazer ajustes radicais em sua função.

- Após quinze anos de uma excelente liderança, seu pastor associado se demite abruptamente para assumir uma posição numa igreja maior e mais rica em outro estado.
- Após dez anos trabalhando com uma organização sem fins lucrativos dinâmica e em crescimento em sua cidade, você se dá conta de que Deus está em sua inquietação, e é tempo de você sair e começar uma nova carreira.
- Um importante casal da igreja se divorcia.
- Cem pessoas saem abruptamente da igreja, desapontadas e desanimadas devido a uma recente decisão ministerial.
- Sua organização ou ministério se reorganiza e sua posição é eliminada.
- Uma pessoa em quem você confiava manda uma carta ao seu supervisor detalhando falsas alegações sobre o seu caráter e comportamento.

A mudança é difícil para a maioria das pessoas. Experimentamos isso como um intruso indesejável que tira dos trilhos nossas esperanças e planos. Preferimos permanecer no controle e operar em padrões conhecidos, mesmo quando tais padrões deixam de nos servir. Podemos reconhecer intelectualmente que Deus pode produzir novos começos e preciosos dons a partir de nossas perdas, mas isso não alivia a dor da perda nem nos impede de tentar evitá-la. Não é fácil confiar na voz interior do Espírito convidando-nos a atravessar este novo território, doloroso e desconhecido.

Se aceitarmos a visão mais ampla da cultura sobre finais - como fracasso e algo a ser evitado – vamos negligenciar uma das tarefas mais essenciais de liderança: ajudar outros a administrar términos e transições. Administrar as transições significa liderar com cuidado, ajudando outros a evitar as armadilhas da amargura, da dureza de coração, da resistência à novidade que Deus pode estar revelando em nosso meio. Para isso, nossa visão dos términos deve ser moldada pelas verdades da Escritura. E ainda, quase sempre somos, ao contrário, moldados por nossos valores culturais. Consideremos rapidamente como términos e novos começos são geralmente vistos hoje nas igrejas e organizações cristãs.

SUA PRÁTICA DE TÉRMINOS E NOVOS COMEÇOS É SAUDÁVEL?

Use a lista de declarações seguintes para avaliar rapidamente sua abordagem de términos e novos começos. Em seguida a cada declaração, anote o número que melhor descreve sua resposta. Use a seguinte escala:

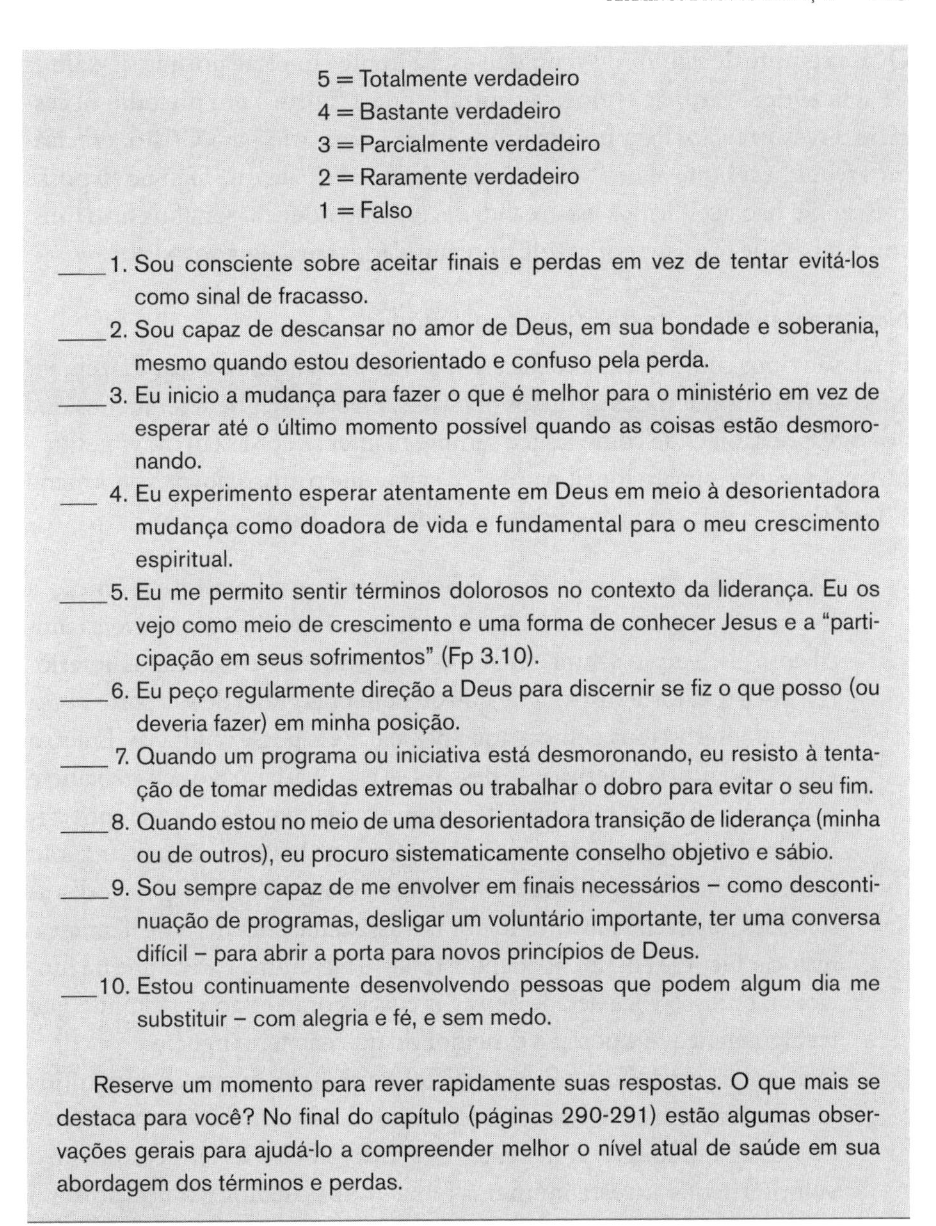

5 = Totalmente verdadeiro
4 = Bastante verdadeiro
3 = Parcialmente verdadeiro
2 = Raramente verdadeiro
1 = Falso

____1. Sou consciente sobre aceitar finais e perdas em vez de tentar evitá-los como sinal de fracasso.

____2. Sou capaz de descansar no amor de Deus, em sua bondade e soberania, mesmo quando estou desorientado e confuso pela perda.

____3. Eu inicio a mudança para fazer o que é melhor para o ministério em vez de esperar até o último momento possível quando as coisas estão desmoronando.

____ 4. Eu experimento esperar atentamente em Deus em meio à desorientadora mudança como doadora de vida e fundamental para o meu crescimento espiritual.

____5. Eu me permito sentir términos dolorosos no contexto da liderança. Eu os vejo como meio de crescimento e uma forma de conhecer Jesus e a "participação em seus sofrimentos" (Fp 3.10).

____6. Eu peço regularmente direção a Deus para discernir se fiz o que posso (ou deveria fazer) em minha posição.

____ 7. Quando um programa ou iniciativa está desmoronando, eu resisto à tentação de tomar medidas extremas ou trabalhar o dobro para evitar o seu fim.

____8. Quando estou no meio de uma desorientadora transição de liderança (minha ou de outros), eu procuro sistematicamente conselho objetivo e sábio.

____9. Sou sempre capaz de me envolver em finais necessários – como descontinuação de programas, desligar um voluntário importante, ter uma conversa difícil – para abrir a porta para novos princípios de Deus.

____10. Estou continuamente desenvolvendo pessoas que podem algum dia me substituir – com alegria e fé, e sem medo.

Reserve um momento para rever rapidamente suas respostas. O que mais se destaca para você? No final do capítulo (páginas 290-291) estão algumas observações gerais para ajudá-lo a compreender melhor o nível atual de saúde em sua abordagem dos términos e perdas.

Características de términos e novos começos na prática padrão

Por que os finais e transições são tratados de maneira tão deficiente em nossos ministérios, organizações e equipes? Por que nós frequentemente deixamos de ver os novos começos de Deus, o novo trabalho que ele está fazendo?

Quase sempre deixamos de ver o que está à frente em parte porque deixamos de aplicar uma verdade teológica central – que a morte é um prelúdio necessário à ressurreição. Para produzirmos fruto necessário para Cristo, precisamos reconhecer que algumas coisas devem morrer para que algo novo possa crescer. Se não aceitarmos esta realidade, nossa tendência será fins horríveis, como sinais de fracasso em vez de oportunidades para algo novo.

Nós vemos finais como fracassos a ser evitados

Finais são tidos como fracasso, e fracassos são dolorosos. Então, o que fazemos? Nós os evitamos por todos os meios possíveis. Erroneamente, acreditamos que nossa responsabilidade como líder é sempre manter as coisas em movimento – mesmo que não estejam funcionando – e evitar que o nosso povo experimente a dor da perda. Veja se você se reconhece em algum desses exemplos:

- George, líder de um ministério de homens, não está bem em sua função, e isso se prolonga há anos. Você ouve queixas, mas evita ter a conversa difícil com ele. Você o sentiu defensivo e autoprotetor em contatos anteriores; você tem forte suspeita de que qualquer pergunta de sua parte possa vir a ser interpretada como ataque pessoal, e ele possa renunciar. Então o ministério ficaria à deriva e as pessoas se espalhariam. E o seu trabalho é acrescentar, não subtrair, ministérios que capacitem pessoas a se conectarem umas às outras. Então você passa semanas tentando imaginar como manter o ministério em ação sem perder George. Você imagina todas as soluções possíveis: substituí-lo por um assistente com dons de liderança, realocar George em um novo ministério... Nenhuma parece que irá funcionar, por isso você decide deixar as coisas como estão, concluindo que ter alguém naquela posição é melhor do que não ter ninguém.
- Sua igreja instituiu o culto do Natal da mesma forma ao longo dos últimos dez anos. Foi bom nos primeiros dois ou três anos, mas o tempo de uma mudança já devia ter ocorrido. Você não tem certeza se o voluntário que investe inúmeras horas todos os anos para organizar a comemoração é capaz de seguir uma direção totalmente nova. Se você se imiscuir ou convidar outra pessoa criativa para apresentar sugestões, o seu fiel voluntário pode levar a mal, o que por sua vez pode gerar um desfecho confuso. Depois de pesar os prós e os contras, você não tem certeza se vale a pena o risco. É apenas uma comemoração, afinal. Então o que você faz? Você decide deixar as coisas como estão, concluindo que alguma coisa é melhor que nada.

- Caroline se formou como assistente social ano passado e está animada em liderar seu primeiro grupo pequeno em sua nova igreja. Ela se reuniu com o pastor, recebeu treinamento e começou com oito pessoas. No entanto, Caroline rapidamente descobriu que liderar um grupo era muito mais difícil do que havia imaginado. Um jovem casal, claramente sofrendo, não falava sobre a origem de sua angústia. Um jovem de 20 anos falava demais e dominava as discussões. Suas duas irmãs, também participantes do grupo, disseram depois a Caroline que ele tem problema mental e não consegue se controlar. Os dois solteiros, também membros da igreja, eram mais observadores do que participantes e falavam pouco. No quarto mês, os dois solteiros saíram e o grupo ficou reduzido a cinco pessoas. Caroline temia suas dolorosas reuniões semanais. Ela queria encerrar o grupo, mas se preocupava com o destino das pessoas e com a possibilidade de que o pastor não mais permitisse sua liderança. Então, decidiu deixar as coisas como estão, concluindo alguma coisa ser melhor que nada.

Não é difícil ver que os finais necessários[1] são exigidos nessas situações. Sem dúvida, envolverão conversas dolorosas e exigirão muita sabedoria. Em cada cenário, o problema subjacente é os líderes considerarem os términos como fracasso. Eles não veem que aceitar o fim é uma forma de abrir um novo futuro. De fato, se eles pudessem ser exemplo de abertura à aceitação de finais, ajudariam os que eles lideram a ver os finais como normal e de valor, não um fracasso. Quando o líder é esclarecido a respeito da necessidade de finalizar um programa, outros não terão mais "carta branca" para fingir que tudo está ótimo, quando não está. Mas ver finais como fracassos a ser evitados é apenas nosso primeiro problema.

Nós vemos os finais como se estivessem desconectados da formação espiritual em Jesus

Na maior parte da minha vida de liderança, eu vi finais como obstáculos a ser removidos ou consertados – rapidamente. Meu nível de ansiedade, quase sempre acompanhado de opressão e tensão em meu corpo, aumentava exponencialmente quando eu percebia que alguma função ou programa

[1] V. CLOUD, Henri. *Necessary Endings: The Employees, Businesses, and Relationships That All of Us Have to Give Up in Order to Move Forward* [Finais necessários: funcionários, negócios e relacionamentos que todos nós precisamos deixar ir para seguir em frente]. New York: HarperCollins, 2010. Há uma edição em português de Portugal.

não estava funcionando. Eu reunia esforços para consertar as coisas num equivocado esforço para evitar qualquer potencial sofrimento futuro. Eu via essas situações como inevitáveis "golpes e flechas" que acompanham a liderança. Nem uma vez sequer os liguei ao meu amadurecimento pessoal em Cristo. Se isso aconteceu, eu prestei pouca atenção, não muita, ao que Deus podia estar tentando comunicar por meio do sofrimento. Permita-me dar um exemplo.

Kevin, um pastor assistente de talento, informou-me durante o almoço certo dia que sua família havia decidido ir embora do Queens.

– A vida é difícil demais na cidade – explicou. – Não queremos criar nossos filhos aqui. Se nos mudarmos para o subúrbio, vamos poder comprar uma linda casa por metade do preço de uma aqui.

Meu primeiro pensamento foi: *Como você pode fazer isto? Você não percebe que ir para o subúrbio pode encorajar outros a fazer o mesmo? Você não se importa como isso vai nos impactar? E quanto a nós que ficarmos aqui?*

Tudo o que eu podia ver era quanto tempo e trabalho levaria para encontrar uma pessoa que preenchesse a posição de Kevin. A solidão inundou a minha alma. Apaguei a frustração da minha mente e tentei seguir em frente para construir a *New Life*. Não me ocorreu querer saber o que Jesus poderia estar fazendo em mim e por meio de mim naquela situação. Nunca entrou em minha cabeça perguntar:

Senhor, como estás usando isto para me ajudar a depender mais profundamente de ti?

De que novas formas o Senhor pode querer me falar por meio da Escritura sobre o que seria para ti estar em momentos de solidão?

Que novos começos podem estar ocultos como uma dádiva nesta perda? Como poderia eu e aqueles a quem eu lidero estar no limiar da ressurreição e de uma nova vida que não poderíamos experimentar de outra forma?

Você percebe quanto estamos perdendo quando deixamos de associar a dor dos finais ao nosso amadurecimento na vida espiritual adulta, quando deixamos de permitir que ela nos leve a uma conexão mais profunda com Jesus? Como poucos de nós temos uma compreensão bíblica do que significa verdadeiramente esperar em Deus, deixamos de crescer e amadurecer através dos inevitáveis fins que acompanham toda liderança. Em vez disso, começamos a desenvolver uma dura concha protetora, a armadura emocional de que achamos precisar para sobrevivermos aos muitos golpes e flechas que certamente virão. Nossa teologia superficial não entende que a morte de Jesus e sua ressurreição não são apenas a mensagem central do cristianismo, mas também o padrão necessário de nossa vida.

Nós desconectamos os términos dos problemas de nossa família de origem

Problemas com raízes na infância e em nossas famílias de origem deixam em nós uma marca profunda, quase sempre inconsciente. Somente quando nos tornamos mais velhos e ganhamos perspectiva começamos de fato a nos dar conta da profundidade dessa influência. Entretanto, esta marca de família não é algo que permanece discretamente no passado. Ela funciona como uma presença viva dentro de nós e deve ser reconhecida e transformada por meio de nossa participação na nova família de Jesus. Assim, como líderes cristãos, é forçoso considerarmos como a família na qual fomos criados tem a ver com a dor que acompanha os fins e as perdas – grandes e pequenas. Devemos fazer a nós mesmos perguntas como estas:

- Minha família negava ou minimizava perdas e fins?
- Minha família culpava os outros, exigindo que alguém ou algo fosse sempre culpado pela perda?
- Os membros da minha família se culpavam por finais e perdas, retirando-se para o isolamento ou a depressão?
- Os membros da minha família se afastavam de finais e perdas intelectualizando-as ou fabricando meias verdades para amenizar a dolorosa realidade do que realmente acontecia?
- Minha família tinha a tendência de tratar a dor da perda através do comportamento autodestrutivo, compulsivo ou viciante?
- Minha família retinha um senso de esperança e expectativa do que o futuro poderia trazer – mesmo quando as coisas estavam na pior fase? Ou eles se conformavam com o desespero e a desesperança quando confrontados com transições difíceis?

Eu posso dizer exatamente como minha família se sentia com relação a mudança, transição e perda: *eles as odiavam.* Minha avó, Pasqualina Scazzero, emigrou para Nova York da Itália para construir uma vida melhor para seus seis filhos. Quando seu marido morreu prematuramente aos 48 anos, ela usou preto o resto da vida como sinal de luto. E as coisas não melhoraram muito na geração seguinte. No limiar de cada mudança na vida de minha mãe, ela amaldiçoava, culpava e se enfurecia com as pessoas ao seu redor. Ela odiava tudo – mudanças, saídas do emprego, ajustes às fases de desenvolvimento de seus quatro filhos. (Minha mãe sofria de deficiência mental). Meu pai, por outro lado, era alegre e otimista. Mas também não encarava muito bem as mudanças. Fugia da dor dos finais e perdas trabalhando, quase sempre sete dias por semana durante meses a fio.

É alguma surpresa que eu odiasse as mudanças e trouxesse tal aversão para minha vida adulta? Como pastor empreendedor e visionário, eu era ótimo com novos começos – contanto que não tivessem o primeiro final terrível. A não compreensão dos finais e novos começos bíblicos bloqueava a mim, e à igreja que eu liderava, de crescer espiritual e emocionalmente.

Nossa sociedade não ensina finais. Nossas igrejas não ensinam finais. Nossas famílias não nos preparam para aceitarmos finais como parte do ritmo da vida. Quando acrescentamos a essa lacuna nossas inseguranças e medos, parece óbvio que nós consideramos os finais como interrupções a serem evitadas de qualquer maneira. O problema é que, no processo, nós bloqueamos os novos começos que Deus quer que nasçam em e através de nós.

Se essas características representam a forma padrão como os líderes cristãos tratam hoje os finais, então como seria envolver-se em finais e novos começos emocionalmente saudáveis? A resposta, nós veremos, está baseada numa verdade bíblica contracultural que nos leva ao centro da vida cristã.

VOCÊ SABE QUE NÃO ESTÁ LIDANDO BEM COM FINAIS E NOVOS COMEÇOS QUANDO...

- Você não consegue parar de refletir a respeito de algo do passado.
- Você usa o trabalho como desculpa para evitar gastar tempo lamentando finais e perdas ou permitir a possibilidade de encontrar Deus no processo.
- Você evita reconhecer a dor de suas perdas em vez de se afligir, explorar as razões por trás de sua tristeza e permitir que Deus trabalhe em você por meio delas.
- Você se vê frequentemente irritado e frustrado pela aflição e pela dor na vida.
- Você foge ou trata a dor da perda por meio de comportamentos autodestrutivos como reação violenta, uso de pornografia, relacionamentos inapropriados, uso de drogas, excesso de envolvimento com a mídia social ou excesso de trabalho.
- Você luta com a inveja que sente daqueles que parecem não ter sido atingidos pelas mesmas dificuldades na vida pelas quais você passa.
- Você frequentemente sonha em parar para evitar a dor, as decepções, os retrocessos e os finais que rotineiramente caracterizam a liderança.
- Você não é honesto consigo mesmo sobre sentimentos, dúvidas e mágoas sob a superfície de sua vida.

- Você raramente reconhece que um programa ou pessoa falhou por completo. Você evita o sofrimento torcendo a verdade e encobrindo as perdas, decepções e lutas.
- Você raramente pensa sobre mudança em seu papel ou posição por não gostar de mudança.

Características de fins e novos começos emocionalmente saudáveis

Embora eu venha refletindo durante muitos anos em como Deus amplia a alma por meio da aflição e da perda em nossa vida pessoal, somente nos últimos anos foi que eu pude aplicar esta verdade ampla e profundamente à liderança. Embora o processo de administrar finais e novos começos seja quase sempre complexo, podemos dizer que estamos fazendo uma transição saudável quando nosso processo nos leva através de quatro fases:

- Nós aceitamos que finais são uma morte.
- Reconhecemos que as finalizações, junto com a espera no confuso "intermediário", serão quase sempre muito mais demoradas do que pensamos.
- Nós vemos finais e espera inextricavelmente ligados ao nosso amadurecimento pessoal em Cristo.
- Nós afirmamos que finais e espera são a porta de entrada para novos começos.[2]

Cada uma dessas fases tem características distintas, mas não necessariamente acontecem no modo passo a passo. De fato, elas quase sempre se sobrepõem. Como iremos ver, é possível experimentar todas as quatro ao mesmo tempo!

Nós aceitamos que finais são uma morte

Antes que um novo começo possa surgir, um fim deve acontecer – e um fim *definitivo*.[3] Com relação à maior parte da minha liderança, eu rotineiramente

[2] V. Scazzero, Peter, capítulo 5. *Emotionally Healthy Church* [Igreja emocionalmente saudável], p. 159-79, para uma explanação bíblica mais extensa dessas três frases.

[3] Sou grato a William Bridges. *Transitions: Making Sense of Life's Changes: Strategies for Coping with the Difficult, Painful, and confusing Times in Your Life* [Transições: entendendo as mudanças da vida. Estratégias para lidar com fases difíceis, dolorosas e confusas da sua vida]. Cambridge, MA: Da Capo Press, 2004, por essa compreensão inicial que abriu para mim tantos textos bíblicos sobre finais.

me apegava ao velho enquanto tentava me agarrar ao novo – se fosse preciso. Nunca funcionou. Finais são uma morte – e morte é final.

Nada novo acontece sem um final. Ou, nas palavras do filósofo romano Sêneca: "Todo novo começo vem do fim de algum outro começo". O fracasso em identificar e preparar-se para finais e a perda decorrente é talvez o maior obstáculo que impede tantos de nós de nos movermos para algo novo.

Jó teve de aceitar que os finais são uma morte quando ele perdeu sua riqueza, seus dez filhos, sua saúde e sua compreensão anterior de Deus. O profeta Jeremias passou pela experiência da perda como uma morte quando Jerusalém e o templo foram arrasados. Os doze discípulos experimentaram uma verdadeira morte quando Jesus de fato morreu, levando todas as esperanças e sonhos deles com ele para o túmulo.

Embora finais necessários possam acontecer, eles são quase sempre desorientadores. Um verdadeiro final – a morte final – frequentemente parece desintegração, desmoronamento, um futuro desfeito. Parece assim porque assim é a morte. É um fim que requer passar por um túnel completamente escuro sem se saber quando ou se a luz virá novamente.

Muitos de nós tendemos a viver sob a ilusão de que Deus não nos levaria a essa dor – muito menos de modo repetido. Não faz qualquer sentido para nós por que as pessoas e as coisas que amamos devam literal e figurativamente ter a experiência da finalidade da morte. Por isso ficamos chocados, ansiosos, confusos e quase sempre irados quando chega o fim.[4]

Enquanto alguns finais ocorrem tranquilamente, outros podem mais prontamente ser caracterizados como uma crucificação brutal. A liderança, em particular, nos apresenta à singular experiência de seguir o jeito de liderança de Jesus. É, acredite ou não, um dos maiores dons que recebemos dele. Nenhum de nós escolheria esse tipo de morte, que no entanto se torna um meio de graça quando conhecemos Jesus na "participação de seus sofrimentos" (Fp 3.10). Paulo se refere aos sofrimentos da nossa liderança como uma forma de participarmos do mistério redentor de "completar em nossa carne o que ainda está faltando com relação ao sofrimento de Cristo" (Cl 1.24). Num

[4] É importante notar que nem todo final é sentido como se fosse a morte. Alguns são de fato bem recebidos, dependendo de vários fatores. Por exemplo, se um membro do grupo de trabalho com mau desempenho e resistente à sua liderança finalmente sai, você pode sentir-se aliviado. Todavia, ele ou ela pode sentir uma terrível perda. Uma de nossas funcionárias da *New Life* saiu recentemente para entrar num convento. Nós, como um grupo da liderança e a igreja, vimos o fato como uma morte dolorosa e sentimos a grande perda da sua presença; sua primeira emoção foi júbilo quando corajosamente entrou no chamado de Deus para sua vida. Houve ocasiões em que eu senti alívio e um novo começo quando um líder importante ou voluntário se mudou, mas eles sentiram enorme tristeza.

esforço para compreender esse texto, certa vez perguntei a vários conselheiros a perspectiva deles sobre esta passagem. Cada um deles falou como nossas perdas e sofrimentos pela igreja de Cristo desenvolvem o reino de Deus de alguma forma misteriosa que transcende a compreensão. Se aceitarmos essas perdas como as severas misericórdias que são, Deus faz uma obra profunda em nós e por meio de nós semelhante à que o apóstolo Paulo descreve como "a morte que em nós atua, mas em vós, a vida" (2Co 4.12).

Tendo pessoalmente passado por inúmeros finais difíceis, eu compreendo por que tão poucos líderes e organizações estão dispostos a se render a esse tipo de sofrimento. Como jovem adulto em meus 20 anos, servi como presbítero numa pequena igreja bilíngue de sessenta adultos de uma cidade do interior. Reuníamo-nos numa construção decadente com bancos fixos onde cabiam seiscentas pessoas. O conselho e o pastor principal reconheciam que o ministério precisava mudar drasticamente para se tornar acolhedor e relevante à nossa comunidade pobre, de língua espanhola. Entretanto, quando ocorreram sérias discussões, ficou claro que mudança significativa iria requerer vários finais e perdas dolorosas, que pareciam difíceis demais para suportar. Muitos membros da equipe teriam de ser dispensados para dar espaço para a nova liderança. A música e a programação precisavam mudar completamente. Nós perderíamos o estrito senso de comunidade que tínhamos como congregação pequena. Como resultado, nunca reunimos decisões para tais medidas drásticas, e a igreja continuou seu lento declínio.

Posteriormente, frequentei uma igreja com uma rica tradição histórica e um pastor dinâmico. O rápido crescimento numérico forçou a equipe da liderança a considerar uma possível expansão do prédio, incorporando mais música contemporânea, contratando pessoal mais jovem e inovador, bem como outras novas iniciativas. Como jovem seminarista observando de fora, parecia óbvio que o futuro de Deus para aquela igreja era glorioso. O que eu não compreendia era quanto era necessária a dor do final para tornar possível o novo. Este processo de transição foi muito doloroso e difícil, o pastor se cansou de tentar administrar um aparentemente infindável fluxo de conflitos internos. Ele acabou desistindo e se mudou para outro ministério.

Como pessoa com tendência a resistir em aceitar a necessidade de finais, eu faço sistematicamente quatro coisas para me manter na trilha:

- Eu enfrento os fatos brutais de situações que vão mal e faço perguntas difíceis, mesmo quando tudo dentro de mim prefere me desviar e escapar.

- Eu me recordo de *não* seguir meus sentimentos durante esses momentos de aceitação de finais como uma morte. Meus sentimentos inevitavelmente me conduzem a evitar o que eu preciso enfrentar.
- Eu converso com conselheiros idôneos, mais velhos e mais experientes, pedindo a perspectiva e sabedoria deles.
- Eu faço a mim mesmo duas perguntas: *Qual é o momento para me desembaraçar da minha vida pessoal e de minha liderança?* E, *se eu aceito esta morte, que novidade pode estar nos bastidores, aguardando para fazer sua entrada em minha vida pessoal e em minha liderança?*[5] Essa segunda pergunta me encoraja a ir além de meus temores, lembrando-me de que Deus tem algo bom para mim no futuro – embora eu não veja ainda qualquer insinuação do que pode ser.

Embora você possa achar útil um ou dois itens dessa lista para seus finais, eu o encorajo a desenvolver sua própria lista para ajudar a mantê-lo na trilha sempre que se encontrar numa fase de "morte". É importante ter âncoras, pois os finais nos empurram para um meio termo onde algo terminou, mas nada novo emergiu. Nós nos encontramos num período de espera.

Reconhecemos que as finalizações, junto com a espera no confuso "intermediário", serão quase sempre muito mais demoradas do que pensamos

Ninguém gosta de esperar. Mas esperar por Deus é uma das experiências centrais da vida cristã. É também uma das lições mais difíceis que precisamos aprender como líderes.

- Abraão esperou quase 25 anos para Deus dar seguimento à sua promessa do nascimento de Isaque.
- José esperou algo entre trinta e 32 anos para ver novamente sua família após ter sido traído por seus irmãos.
- Moisés esperou quarenta anos no deserto para Deus ressuscitar um propósito para sua vida.
- Ana esperou anos por uma resposta à sua oração por um filho.
- Jó esperou anos, não meses, para Deus se revelar, recuperar suas perdas e levá-lo para um novo começo.

[5] Adaptado de Bridges. *Transitions*, p. 87.

- João Batista e Jesus esperaram quase trinta anos para a chegada do tempo do Pai para que se cumprissem seus ministérios.

"Sim, Pete", você pode estar pensando, "mas *quanto tempo* eu tenho de esperar para que um novo começo surja do meu final?"

Minha resposta: "Essa espera é muito mais difícil e provavelmente tomará muito mais tempo do que você pensa".

Quando eu plantei a *New Life* em 1987, meu sonho era estabelecer uma igreja dinâmica e multirracial em Queens que servisse ao pobre e marginalizado de nossa comunidade e fosse suficientemente forte para se reproduzir – tudo, no final das contas, sem mim. Isto exigiu muita espera e confusos tempos "intermediários".

Eu esperei anos para que um grupo central se desenvolvesse e uma liderança incipiente se formasse. Demorei onze anos para começar a compreender o que significava ser pastor e libertar a mim e à minha liderança do emaranhado doentio da história da minha família (e ainda estou aprendendo!). Esperamos dezesseis anos para finalmente comprar um edifício e mais onze para reformá-lo (um processo em andamento até hoje). Esperei mais de vinte anos pelo meu sucessor e pelo diretor de desenvolvimento corporativo de nossa comunidade. Esperei quase 25 anos para que as portas se escancarassem para nós impactarmos a igreja mundial com o trabalho de Deus na *New Life*. (Isto aconteceu explosiva e repentinamente através do ministério Espiritualidade Emocionalmente Saudável faz somente alguns anos). A lista continua, mas eu penso que você compreendeu a questão. Esperar no confuso "meio-tempo" não somente demora mais do que pensamos, é a condição normal de um líder cristão.

Por que esperar é tão importante? O propósito de Deus e finais e perdas não é simplesmente mudar seu ambiente externo ou circunstâncias. Ele está fazendo algo ainda maior – iniciando um nível mais profundo de transformação em e através de você muito além do que você pode querer.

Nós vemos finais e espera inextricavelmente ligados à nossa maturidade pessoal em Cristo

Jesus Cristo está profundamente formado em nós quando confiamos em Deus o suficiente para aceitamos os finais e as perdas. Finais e espera nos colocam face a face com a cruz, com a morte, com o fogo purificador que João da Cruz descreveu como "a noite escura da alma". Uma noite escura é uma experiência de desolação espiritual e a forma comum de crescermos em Cristo como líderes. Eis como João da Cruz descreve o propósito da noite escura:

> Deus percebe as imperfeições dentro de nós e, devido a seu amor por nós, nos estimula a crescermos. Seu amor não se contenta em nos deixar em nossa fraqueza, e por isso ele nos faz entrar na noite escura. Ele nos separa de todos os prazeres dando-nos tempos áridos e trevas interiores... Nenhuma alma se aprofundará na vida espiritual a menos que Deus trabalhe passivamente naquela alma por intermédio da noite escura.[6]

Nessa temporada árida, podemos nos sentir impotentes, fracos, vazios e consumidos por um senso de fracasso ou derrota. Não temos consolação de Deus ou qualquer senso de sua presença. Não há retorno para a forma como as coisas eram antes, e não podemos ver o futuro. Deus manda-nos para o que João da Cruz descreve como "a noite escura do fogo amoroso" para nos purificar e nos libertar. É a maneira de nos religar e "purificar nossas afeições e paixões" para podermos nos deleitar em seu amor e entrarmos numa comunhão mais rica e completa com ele.[7]

Muito do meu crescimento como líder surgiu desses tipos de experiências dolorosas, misteriosas e confusas – os tempos intermediários – sobre as quais tenho tão pouco controle. Quando eu resisti a Deus nesses tempos – simplesmente ficando mais ocupado e acrescentando novos programas, por exemplo – perdi os novos começos que Deus tinha para mim e para os que eu liderava. Quando eu permaneci com ele, descobri que essa área intermediária de confusão era rica em discernimento e misericórdias. O que parecia um tempo vazio, embaçado, tornou-se o lugar da minha mais profunda transformação.

Até este livro que você está lendo foi escrito a partir de uma noite escura da alma, uma noite escura tão dolorosa que me perguntei se sobreviveria a ela, muito menos escrever um livro a partir da experiência. De fato, eu posso identificar quatro ou cinco importantes noites escuras durante meus quase quarenta anos de jornada com Cristo. A última, entretanto, a que eu descrevi no início do livro como minha quarta conversão (páginas 15-17), foi particularmente longa e intensa.

Na época, eu estava lidando com vários problemas da minha família de origem que haviam recentemente vindo à tona em minha liderança, particularmente em torno da minha dificuldade em estabelecer conversas sinceras com os principais líderes. Revirar a razão por que eu menti e vivi em meias

[6] São João da Cruz. *Dark Night of the Soul* [Noite escura da alma], traduzido por E. Allison Peers. Nova York: Image, Doubleday, 1959.

[7] Para um tratamento mais completo deste material, v. "Jornada através da muralha", SCAZZERO, Peter. *Espiritualidade emocionalmente saudável*. Hagnos, 2013, capítulo 6.

verdades levou-me a lugares em minha história que eu preferia evitar. Isso resultou em uma temporada de terapia e direção espiritual que foi dolorosa e libertadora. Ao mesmo tempo, comecei a liderar de forma mais clara e forte na *New Life*, efetuando mudanças necessárias para o futuro de longo prazo. No meio de tudo isso, experimentei uma dolorosa incompreensão da parte de alguns amigos, que me magoou profundamente. As críticas deles a meu respeito eram válidas (o que as tornavam ainda mais difíceis), e minhas próprias dúvidas subiram a novas alturas. Embora aqueles dois a três anos tenham parecido terríveis, eu sabia que Deus estava me purificando e me ensinando coisas que eu não podia aprender de qualquer outra forma. Muito discernimento neste livro surgiu de meus diários daquele período.

Através disso tudo, o que me manteve em movimento foi uma verdade – a morte sempre leva à ressurreição.

Nós afirmamos que finais e espera são a porta de entrada para novos começos

A verdade central de Jesus ter ressuscitado dentre os mortos é o que nos capacita a afirmar que os finais são sempre a porta de entrada para novos começos – mesmo não podendo discernir que algo redentor possa emergir da nossa perda. A chave é estar disposto a esperar. E, enquanto esperamos, passamos bastante tempo a sós com Deus. Nós processamos nossos pensamentos e emoções com outros ou num diário. Nós nos posicionamos como peregrinos expectadores numa jornada – ouvimos e aprendemos, procurando e esperando ver sinais de vida nova.

E então ela acontece. No meio do nosso túnel escuro, um raio de luz cruza nosso caminho. Ele vem do outro lado de uma porta aberta, porta que jamais sabíamos que existia. O autor e educador Parker Palmer expressa isso bem:

> Na jornada espiritual... sempre que uma porta se fecha, o resto do mundo se abre. Tudo o que precisamos fazer é parar de bater na porta que acabou de se fechar, dar meia volta – o que deixa a porta atrás de nós – e darmos boas vindas à amplidão da vida que agora está aberta às nossas almas.[8]

Eu gostaria de poder dizer que minha liderança foi caracterizada por atravessar portas, fechá-las e receber a "amplidão da vida" para a qual Deus estava

[8] PALMER, Parker J. *Let Your Life Speak: Listening to the Voice of Vocation* [Deixe a vida falar: ouvindo a voz da vocação]. San Francisco: Jossey-Bass, 2000, p. 54.

me chamando, mas não havia sido cogitada. Mas fui um líder que ficava ali batendo, tentando muito abrir aquelas portas que haviam sido fechadas. Entretanto, como ilustra a história a seguir, aquelas portas fechadas podem ser a porta de entrada para o novo começo que Deus tem para nós.

Peter está na equipe da *New Life* há 22 anos. Durante os primeiros vinte anos, ele serviu como pastor do louvor. Ele fez um trabalho maravilhoso, levantando equipes de louvor em nosso contexto multirracial e transcultural. Minha iminente transição para um novo papel na *New Life* chegou com a sensação de que o papel de Peter podia também precisar mudar. Nesse ponto, o final estava claro – Peter não mais lideraria as equipes de louvor – mas o novo começo não estava tão claro. Nos dois anos seguintes, a liderança da igreja e Peter sabiamente discerniram que o seu tempo na *New Life* podia ainda não acabar. Devido à sabedoria e maturidade de Peter, foi-lhe oferecida uma nova posição na equipe da liderança executiva. Na verdade, tratava-se de uma posição que lhe fora oferecida anos antes, mas ele havia rejeitado. Ele agora aceitou e viu que realmente gostava do seu novo papel. No verão seguinte, quando dois membros da equipe executiva saíram de férias, Peter assumiu como a pessoa encarregada pela igreja durante um mês.

Quando observei Peter durante esse mês, eu fiquei aturdido – ele era uma maravilha de se ver! Tanta liderança, paixão, sabedoria e autoridade saíam dele que eu telefonei para Geri depois de uma reunião da equipe e disse:

– Geri, você não vai acreditar nisto, mas Peter é uma pessoa diferente. Eu mal o reconheço. Lembra-se do velho Peter que nunca quis se aventurar além de suas responsabilidades como líder do louvor? Bem, ele se foi. Alguém novo está aqui no corpo de Peter, e ele está fazendo um trabalho incrível!

Peter continuou aquele verão com um período sabático de três meses para ajudá-lo a se reequipar para a nova fase do seu novo papel que se desenrolava à sua frente.

Peter estava desorientado pelos dois anos em que estivemos em transição? Absolutamente. Ele lutou com a excruciante morte de deixar sua função na equipe de louvor que tão cuidadosamente havia construído ao longo de sua vida adulta? Sim. Ele experimentou o confuso período de espera? Sim. De fato, ele ainda está se adaptando ao seu novo papel. Embora o novo começo ainda não tenha surgido plenamente, Peter está agora supervisionando nossa equipe pastoral e fazendo um excelente trabalho.

Esse novo começo para Peter poderia tê-lo tirado do rumo se ele, seus supervisores ou o conselho não tivessem podido conviver com a tensão da verdade de que finais e espera são portais para novos começos. E a habilidade de Peter em prestar atenção às diferentes mudanças e emoções o capacitou a permanecer paciente durante o período de espera até que a coisa nova que Deus tinha para ele começasse a tomar forma.

MINHA TRANSIÇÃO NA IGREJA *NEW LIFE* APÓS 26 ANOS: UM ESTUDO DE CASO DE SUCESSÃO

Os últimos seis anos e meio foram um curso intensivo sobre finais e novos começos. Eu era pastor titular e me tornei pastor de ensino/pastor autônomo. Não foi um processo fácil, mas me ajudou a descobrir riquezas imprevistas na complexidade, profundidade e nuances deste poderoso tema bíblico de finais e novos começos. E por isso eu quero compartilhar com você minha experiência de sucessão, de sair voluntariamente do meu papel de pastor titular da *New Life*. Minha meta não é repetir as muitas compreensões e princípios delineados em outros excelentes livros sobre sucessão,[9] mas oferecer a você uma visão introspectiva de como a vida interior de um líder é que torna possível a vida exterior de finais e novos começos.

Iniciando a sucessão

Acredite ou não, comecei a pensar em meu plano de sucessão durante os primeiros dias da *New Life*. Eu havia sido ensinado que tinha de doar o que Deus tinha me dado, que eu devia seguir a trilha do apóstolo Paulo: *O que ouviste de mim, diante de muitas testemunhas, transmite a homens fiéis e aptos para também ensinarem a outros* (2Tm 2.2). Mas só depois da compra do nosso prédio em 2003 foi que eu comecei a pensar nisso a sério. Eu sentia um forte senso de responsabilidade quando a nossa igreja fez um investimento tão grande, e fiquei profundamente preocupado com o impacto a longo prazo da *New Life* em nossa comunidade além do meu mandato.

No transcorrer dos anos seguintes, conversei com os presbíteros várias vezes sobre a necessidade de um plano de sucessão, mas a igreja estava crescendo e indo bem, por isso não havia muita urgência. Eles sabiam que eu estava contente. A igreja estava contente. Dois presbíteros haviam testemunhado

[9] V. VANDERBLOEMEN, William e BIRD, Warren. *Next: Pastoral Succession that Works* [Sucessão pastoral bem-sucedida] (Grand Rapids, MI: Baker, 2014); WEESE, Carolyn e CABTREE, J. Russell. *The Elephant in the Boardroom: Speaking the Unspoken about Pastoral Transitions* [O elefante na sala: tratando do silêncio em torno das transições pastorais]. San Francisco: Jossey-Bass, 2004.

sucessões desastrosas em igrejas anteriores e não estavam animados sobre possivelmente seguir um caminho similar na *New Life*.

Mesmo assim, eu dei passos decididos para preparar a igreja para uma mudança na alta liderança. Lentamente fizemos a transição para uma equipe de pregação/ensino para que as pessoas se acostumassem a ter outros pastores no púlpito. Orientei uma equipe de jovens que pudesse servir como potenciais sucessores. Eu escolhi não ampliar a igreja de forma que isso pudesse aumentar sua dependência de mim. Orei e comecei a procurar por modelos bem-sucedidos de sucessão.

Eu não queria ir para outra igreja ou assumir outra posição, como dar aulas num seminário. Eu queria ficar na *New Life* sob um novo líder e ser um exemplo no papel de servo e apoiador. Eu tinha testemunhado um processo semelhante bem-sucedido em ordens religiosas como os trapistas e os mosteiros ortodoxos, quando colocaram em prática a Regra de São Benedito com ênfase na quebra da vontade própria pela submissão à autoridade.[10] Eu conheci um monge, em particular, que havia sido anteriormente um abade (o prior de um mosteiro), mas deixou seu cargo para voltar a ser um membro da comunidade. Ele não esqueceu sua antiga função, afinal. De fato, ele estava grato por ter mais tempo para oração e contemplação! Sua identidade estava tão firmada no amor de Cristo que a transição para ele foi puro contentamento. E eu acredito que a jornada da espiritualidade emocionalmente saudável fez um trabalho de transformação em mim e na congregação da *New Life* – tornando possível a sucessão. Eu queria usar minha autoridade e posição como fundador da igreja para garantir uma *New Life* vibrante para a geração seguinte.

Em fevereiro de 2009, escrevi uma carta formal aos presbíteros consignando minha firme renúncia no outono de 2013. Isto nos deu mais de quatro anos e meio para uma boa transição. A carta mudou tudo. Naquele momento, todos sabiam que uma era estava terminando. A incerteza encheu a sala naquela noite da reunião do conselho.

– Pete, por que isto agora? – um presbítero perguntou. – Você é jovem [Eu estava com 53 anos]. A igreja está crescendo e indo muito bem.

– Você realmente acha que isto é de Deus? – outro presbítero perguntou.

– Acho – respondi sem hesitar. E então expliquei que isso era talvez a mais importante contribuição da liderança que eu podia dar à *New Life* para os próximos 25 anos. Falei sobre a sucessão de Moisés e Josué, Elias e Eliseu.

[10] V. FRY, Timothy, ed. *RB 1980: The Rule of St. Benedict in English* [A Regra de São Benedito em inglês]. Collegeville, MN: Liturgical Press, 1981.

Então veio a pergunta que eu sabia que alguém iria fazer.

– Suponha que não encontremos alguém em tempo. Você ficaria mais tempo até encontrarmos?

– Não – respondi calmamente.

O silêncio na sala aumentou. Ter uma data firme mudou tudo.

Eu estava na *New Life* havia quase 22 anos. Para muitas pessoas, eu não era simplesmente o fundador, eu era a própria *New Life*.

Informei aos presbíteros que eu havia preparado uma videoconferência para o conselho com um consultor experiente especializado em sucessão. Seu trabalho com uma ampla variedade de denominações e igrejas étnicas proporcionou um ajuste ideal ao nosso contexto único. Por ser de fora da nossa igreja, ele apresentou uma perspectiva clara do processo, sem emoção e experiente. Embora ele nos lembrasse que apenas 33 por cento de sucessões de pastores titulares fundadores realmente tiveram sucesso, gostamos de sua franqueza.

Fui para casa naquela noite muito abalado. Algo poderoso e inesperado havia sido desencadeado ao colocar uma data por escrito. *Onde isso vai dar? E se der errado? Será que a New Life se dividiria em guetos raciais?* (Tínhamos pessoas de 73 nações). *Qual seria o meu papel na New Life? O que eu faço se o novo pastor não me quiser por perto?* No fundo da minha mente havia outra pergunta: *Por que o conselho não argumentou mais fortemente contra a minha saída? Estariam eles secretamente aliviados?*

Esperando

Nosso processo demorou quatro anos e meio completos.

Os presbíteros e eu pesquisamos como outras igrejas haviam feito a transição de um pastor fundador para um novo líder. Havia bem poucas histórias de sucesso. Uma boa sucessão levaria a outra geração de prolífico serviço e impacto para o reino de Deus. Um processo malfeito poderia levar a anos de hesitação até a *New Life* se endireitar, se isso acontecesse, e se estabilizar. Muitas igrejas, soubemos, nunca recuperam os "dias de glória" desfrutados sob a liderança do fundador. Todavia eu me mantive convicto de que os melhores dias da *New Life* ainda estavam à nossa frente.

Durante aquele período de espera, vários pastores e líderes me aconselharam contra continuar com a sucessão.

– Não faça isso! – disse um pastor amigo meu. – É a sua igreja, que você construiu com o seu sangue, suor e lágrimas. Uma vez que você abrir esse poder do vácuo produzido por sua saída, o inferno todo irá cair, e eles irão querer vê-lo fora da igreja o mais rápido possível.

Outro pastor a quem eu respeito muito, uma pessoa com quarenta anos de experiência, me escreveu um longo e-mail, advertindo-me que era provável que a igreja, no processo, magoasse a mim e à minha família. Eles poderiam não simpatizar com a nossa situação. Ele recomendou que eu desse um aviso de seis meses quando estivesse pronto para sair, deixasse a cidade, e nunca mais olhasse para trás.

Mas outro pastor/líder de uma igreja muito grande me informou que havia legalmente, embora em segredo, posto o prédio e os bens da igreja no nome de sua família para o caso de alguém tentar tirar dele a igreja.

– Pete, você sentirá falta do poder e das regalias de dar ordens – outro aconselhou. – Você pode pensar que quer capacitar liderança jovem, mas será muito diferente quando eles estiverem no comando. Acabe com essa tolice o mais rápido possível!

Por fim, um ex-pastor, agora consultor, me disse:

– Pete, você pensa que pode sentar-se lá numa reunião da equipe seguindo a liderança de um jovem pastor com menos da metade da sua experiência? Você deve estar brincando!

O presidente do nosso conselho da *New Life* também me confidenciou em particular que não pensava que eu realmente seguisse no plano de transição de sete estágios que trabalhamos duro para desenvolver. Ele estava pessimista sobre o resultado e secretamente curioso em saber sobre quantos anos levaria para a *New Life* se recuperar.

Os sete estágios do nosso processo de transição

A seguir estão os sete estágios do processo de transição desenvolvido pelo conselho e por mim. Compartilhei estes estágios com a congregação em 2011.

1. ***Definir a nova função do pastor fundador.*** Desde que eu iria ficar na *New Life*, a primeira coisa que tínhamos a determinar era qual seria o meu papel e contribuição assim que um novo pastor titular assumisse. Isto teria um impacto significativo sobre o perfil da descrição de tarefa do novo pastor titular. Eu estava convencido de que era essa a vontade de Deus: abdicar de meu poder e ficar sob a liderança de um novo pastor para o futuro da *New Life*.
2. ***Definir a função do novo pastor titular.*** Nós determinamos a descrição de tarefa para o novo líder titular e o seu relacionamento com o conselho.

3. ***Estabelecer uma força tarefa.*** Os presbíteros comissionaram uma força tarefa de transição para começar a procurar por um novo líder titular.
4. ***Identificar potenciais candidatos.*** A força tarefa e os presbíteros concluíram que nós tínhamos dois potenciais candidatos internos na *New Life*. Começamos as conversações com cada um deles para discernirmos a escolha de Deus para o papel. Durante o processo, um dos candidatos determinou que permanecer na *New Life* não era a vontade de Deus para ele.
5. ***Completar um ano de "teste".*** Os presbíteros então estabeleceram a estrutura de um ano para "testar" Rich, o candidato restante, e possivelmente escolhê-lo como próximo pastor titular.
6. ***Confirmar um novo líder.*** O ano de "teste" terminou com sucesso em dezembro de 2011, e o conselho de presbíteros confirmou Rich como o novo pastor principal que me substituiria. Nesse ponto, Rich começou a funcionar como meu "número dois", com todos os funcionários da igreja reportando-se a ele.
7. ***Comunicar a transição publicamente.*** Fizemos um anúncio formal na Reunião Anual da Visão da *New Life* em junho de 2012, informando a congregação da transição que ocorreria em setembro/outubro de 2013. Isto deu quinze meses para treinar e desenvolver Rich para o seu novo papel. Isso deu também aos membros da *New Life* quinze meses para se prepararem emocionalmente para a mudança.

O que aconteceu dentro de mim durante o processo de transição

Em um nível, fiquei exultante por guiar nossa igreja num difícil processo e dedicar minha vida a nova liderança durante o futuro a longo prazo. Nos primeiros anos do começo da *New Life*, eu desejei que houvesse um pastor/mentor mais velho para me orientar. Prometi a mim mesmo que eu faria isto para a geração que viesse depois de mim.

Compreendi que eu era um mordomo das pessoas da *New Life* – seu dinheiro, seu tempo, sua energia, o DNA da igreja e a missão característica para a qual Deus nos havia chamado.[11] Aquela era a igreja de Deus, não minha. Eu acreditava firmemente que uma sucessão bem-sucedida era provavelmente a maior dádiva que eu podia dar à *New Life* em meus 26 de liderança.

Geri também sentia que era a época certa. Nós éramos ainda relativamente jovens. Quem sabia o que Deus podia ter planejado para a nossa vida? Ela também amava a *New Life*, mas desejava me ver livre de carregar o peso pastoral do dia a dia como pastor titular.

[11] A declaração de missão da *New Life Fellowship* especifica que cumprimos nossa missão através de cinco valores únicos. Nós os chamamos de os 5 "M".

Então, estava tudo bem.

Ao mesmo tempo, no entanto, veio sobre mim uma profunda tristeza.

Inclinação à tristeza e à depressão

Sofri durante quase dois anos. Eu não conseguia alcançar uma ideia completa dos motivos para a depressão, já que era eu quem havia iniciado o processo em primeiro lugar. Sucessão era um processo bíblico. Eu estava completamente convencido de que aquilo era a vontade de Deus. Mas outra parte de mim queria voltar ao papel familiar que eu havia desfrutado durante tanto tempo. As pessoas já estavam me tratando de maneira diferente.

A Escritura é clara quando afirma que obter sábio conselho é a chave para a vontade de Deus. *Os planos realizados com conselhos são bem-sucedidos, e com prudência se faz a guerra* (Pv 20.18).[12] Minhas emoções estavam à flor da pele e eu sabia que precisava de conselhos bons e sábios. Assim, encontrei pessoas que haviam passado com sucesso por tais processos de transição sozinhas ou que haviam ajudado outras no processo. Isso foi inestimável. Conheci três pessoas importantes nesse período de dois anos.

A primeira foi um conselheiro cristão que eu respeitava muito. Nós exploramos questões relacionadas à minha família de origem e como isto impactava meu estado emocional. Encontrei-me com um antigo conselheiro que me conhecia havia mais de trinta anos; ouvi sua sábia perspectiva. Depois, gastei tempo com um pastor mais velho que havia passado por sucessão após ter servido sua igreja por mais de trinta anos. Ele compartilhou abertamente sobre os erros que havia cometido (eles perderam milhares de membros no processo). E suas lutas íntimas eram extraordinariamente semelhantes às minhas.

Esses três homens me mantiveram firme. Nunca duvidei de que a sucessão era a vontade de Deus durante os quatro anos e meio. Mas eu queria saber se sobreviveria à dolorosa poda que Deus estava fazendo dentro de mim. Soltar a rédea era uma morte muito mais confusa e sangrenta do que eu havia previsto.

Inclinação para Deus

A igreja produziu fruto e cresceu em todo o processo de transição. Com o tempo, eu me permiti sentir a perda do papel ao qual me acostumara ao longo de quase três décadas. Nossa equipe pastoral tira um dia a sós com Deus cada

[12] Ver também Provérbios 12.15; 15.12; 15.22; 19.11; 28.26.

mês. Eu acrescentei um segundo dia por mês para mim. Vi-me irresistivelmente atraído a um tempo maior a sós com Deus.

Pela primeira vez em minha vida, passei incontáveis horas meditando nas passagens da Escritura relacionadas à trajetória de Jesus para a cruz. Como Jesus abriu mão de tudo (literalmente!) a ponto de morrer nu numa cruz, com toda sua mensagem mal compreendida? O versículo da minha vida durante essa fase tornou-se as palavras de Jesus a Pedro: *Em verdade, em verdade te digo que, quando eras mais moço, te vestias a ti mesmo e andavas por onde querias. Mas, quando fores velho, estenderás as mãos e outro te vestirá e te levará para onde não queres ir* (Jo 21.18).[13]

Foi uma experiência humilhante permitir que o meu poder diminuísse enquanto o de Rich aumentava nos anos que levaram à atual sucessão. Eu o observava liderar nosso pessoal com confiança e naturalidade interior, o que me pegou de surpresa. Sua decisão e clareza me surpreenderam e me impressionaram. A igreja continuou a funcionar e crescer como se nada tivesse mudado. E Rich fez melhoras perceptíveis em várias áreas da igreja. Ele lançou uma emocionante visão para um futuro de cinco a dez anos. As pessoas que precisavam de um abraço meu todos os domingos agora iam até Rich. O número de mensagens em meu telefone diminuiu pela metade. Em minha cabeça, eu sabia que aquilo era bom. Em meu coração, eu lutava com a voz de minha mãe morta que sussurrava: *Veja, eles não precisam de você. Saia agora. Você realmente não sabia o que estava fazendo. Graças a Deus você saiu do caminho antes que eles o expulsassem.*

Eu estava sendo levado para onde não queria ir – para um lugar de vulnerabilidade que eu não podia controlar. Eu não queria aceitar uma trilha de mobilidade descendente que levasse ao lugar esquecido da cruz. Deus estava me convidando para morrer com ele num nível totalmente novo – e não era agradável.

Encontrando uma nova identidade na cruz

Finalmente eu aceitei o fato de que minha identidade estava pelo menos parcialmente unida ao meu papel como pastor sênior. Após 26 anos, era apenas natural que minha identidade estivesse unida a um papel especial – Pete Scazzero, pastor sênior da Igreja *New Life*.

[13] V. Nouwen, Henri. *In the Name of Jesus: Reflections on Christian Leadership* [Em nome de Jesus: reflexões sobre liderança cristã] (Nova York: Crossroad, 1991), p.53-73. Eu aprendi que ler e pregar sobre isso é mais fácil do que viver.

Agora havia uma ruptura, uma separação. As melhores palavras para descrever esse tipo de corte emocional são: *sangrento, excruciante* e *horroroso.* Eu pensava que ia morrer – literalmente. João da Cruz, no século 16, descreveu uma segunda noite escura da alma tão violenta internamente que se perguntava se iria sobreviver. O processo de sucessão foi uma abertura para avaliar meus pontos fortes e fracos, meus dons e limites, meus sucessos e minhas falhas. Foi difícil ver outros assumirem lentamente a liderança e fazer coisas muito melhor. Lembro-me de observar Rich dirigindo as reuniões do pessoal. Ele trouxe mais talento e criatividade aos nossos momentos juntos. Eu aprendi com ele.

Vozes internas de causar vergonha, junto com uma ou duas externas, me bombardeavam:

Qual a sua utilidade afinal? Por que você não fez isso quando estava liderando? Graças a Deus você está saindo. Com certeza as pessoas estavam orando para você deixar a função de pastor titular para alguém.

Pete, você deveria ter feito isto antes. Veja como as coisas estão melhor.

Todos os finais requerem um trabalho interior. A sucessão demandou um profundo trabalho interior que tocou fundas vulnerabilidades e feridas não tratadas. Agora eu compreendo por que tão poucas igrejas no mundo realizam bem a sucessão. A dor é profunda e implacável – particularmente para quem está saindo.

Eu tive uma firme dimensão contemplativa do meu relacionamento com Cristo. Eu estava razoavelmente consciente de mim mesmo. Minha identidade era (assim eu pensava) "amado de Deus". Eu pregava sermões e escrevia livros sobre como o verdadeiro ego é encontrado em Cristo. Esse final, entretanto, levou-me para um cadinho que queimou ainda outra falsa camada – mas muito próximo do osso.

Deus me deu graça durante aquele período de dois anos. A dor aliviou gradualmente (ainda não estou certo como) e me vi aos poucos me movendo para a ressurreição e até para a exuberância no terceiro e no quarto anos. Quinze meses antes da transição oficial, eu comuniquei minha nova função à congregação. Aqui está a carta que mandei para a igreja em 2012:

> *Minha prioridade máxima é a integridade e a saúde da New Life. Vou continuar sendo o "principal defensor e torcedor" de Rich, Redd, da equipe, dos presbíteros e de vocês todos. Eu amo a New Life! Não existe uma igreja como a nossa em parte alguma do mundo. Vou continuar servindo como pastor mestre, pregando e*

oferecendo retiros e aulas sob a liderança de Rich. Além disso, vou também assessorar e liderar grupos pequenos e auxiliar a nossa liderança. Embora eu reconheça que haverá um processo normal e saudável de luto nesta transição, eu também quero convidá-los a se juntar a nós em nosso entusiasmo sobre o futuro. A New Life foi chamada para ser um movimento do povo, não um monumento ou instituição construída em torno de uma pessoa ou de um edifício. Por esse motivo, um dos maiores presentes que Geri e eu podemos oferecer é o investimento em uma nova geração de líderes que possa levar adiante a missão da New Life nos próximos 25 anos. Nós estamos olhando para 2039! Aqui está o que estou pedindo que vocês façam: comecem a abraçar Rich como a pessoa que Deus chamou para nos liderar na New Life a partir de setembro de 2013. Vamos nos unir no que Deus deseja fazer na e por meio da nossa igreja, durante o que certamente será um dos momentos mais emocionantes e comunicativos de nossa história.

Obrigado a todos por serem uma igreja tão maravilhosa.

Pete

Recebendo o novo começo

Quinze meses antes da data oficial da transição, Rich e eu trocamos de papéis. Ele atuou como se fosse o novo pastor titular; eu trabalhei como se fosse o pastor mestre/pastor autônomo sob sua liderança. Ele liderou toda a equipe executiva e as reuniões, reportando-se diretamente ao conselho da igreja. Eu parei de ir às reuniões do conselho e às reuniões da equipe. Ele estabelecia a visão, a agenda de pregação e contratava nova equipe. Foi um ótimo ano. Nossa animação pelo que Deus estava fazendo somente aumentou durante esse tempo. A igreja continuou a crescer. Quando se aproximou a posse formal de Rich no outono de 2013, não houve muita mudança para os funcionários ou para o conselho. Já estávamos vivendo na nova realidade.

Tivemos um mês de preparativos para a posse. Uma semana, Geri pregou uma mensagem sobre lições tiradas de 26 anos de ministério. Eu preguei na semana seguinte sobre as "Quatro lições que aprendi nos 26 anos de *New Life*".[14] Nossa igreja organizou uma grande festa para celebrar nossos anos na *New Life*.

Quando se aproximou o dia da posse de Rich, muitos de nós sentimos que algo profundo estava prestes a acontecer naquela transferência de autoridade espiritual. Eu senti que a posse de um novo pastor se assemelha um pouco

[14] Esses sermões podem ser encontrados em www.emotionallyhealthy.org/sermons.

a um casamento. A igreja estava assumindo um compromisso com Rich, e Rich estava assumindo um compromisso com a igreja. Em certo sentido, eu era como um pai entregando sua filha (a criança que eu havia gerado) em casamento. A primeira lealdade da *New Life* era agora formal e oficialmente para com Rich, seu novo pastor titular. Em seu livro inspirador *Generation to Generation: Family Process in Church and Synagogue*, o psicólogo Edwin Friedman escreveu a respeito deste tipo de transição: "O sucesso depende de o parceiro anterior abrir mão – mas estar conectado".[15]

Nós também nos sentimos dirigidos por Deus para estruturar a posse como a realização de uma aliança, um acordo solene entre duas pessoas, cada uma das quais tem responsabilidades e obrigações. Como num casamento, uma vez feita a aliança, algo muito significativo acontece espiritualmente.

Passei dias pensando no tipo de compromisso que eu esperava que Rich pudesse assumir com as pessoas da *New Life*. Eu também refleti cuidadosamente no tipo de compromisso que desejava que a *New Life* assumisse com Rich. Após pesquisar várias tradições eclesiásticas, eu escrevi declarações de intenção para Rich e para a *New Life* que eles leram publicamente um para o outro no culto de posse no dia 6 de outubro de 2013.[16]

Nada mudou entre mim e Rich em nossa relação de trabalho se comparada ao que havia sido nos quinze meses anteriores; ao mesmo tempo, tudo mudou. A autoridade passou de um líder para outro. Todos os presentes aos nossos três cultos sabiam que algo bonito e sobrenatural acontecera naquele dia. Embora não tivéssemos palavras para descrevê-lo, era verdadeiramente uma maravilha observar.[17]

Ao longo dos anos, Geri me disse várias vezes:

– Pete, você pensa que é tão indispensável. As pessoas o esquecerão seis meses depois que você sair de cena.

Ela estava errada.

Muitos se esqueceram de mim *antes* que a sucessão terminasse! Havia tal senso da poderosa presença de Deus em nosso meio, que não importava quem estava liderando. As pessoas se reuniam e ouviam de Deus de uma

[15] FRIEDMAN, Edwin. *Generation to Generation: Family Process in Church and Synagogue* [De geração a geração: processo familiar na igreja e na sinagoga]. New York: Guilford Press, 1985, p. 250-73.

[16] Nós estruturamos a posse de forma semelhante à realização de um pacto, isto é, um acordo solene entre duas pessoas, cada uma com responsabilidades e obrigações. Como num casamento, uma vez feito o acordo, algo significativo acontece espiritualmente. Descobrimos que isso é verdade. Para acessar a troca dos votos, vá para www.emotionallyhealthy.org/sucession.

[17] Você pode assistir a este culto no Youtube em http://emotionallyhealthy.org/sucession.

maneira nova e estimulante nos cultos de domingo; continuavam a ser radicalmente transformadas. A igreja continuou a ter o melhor de Geri e de mim. Somente agora a *New Life* estava recebendo renovada visão, ideias e energia de Rich e de uma nova geração de líderes.

O fruto destes últimos dois anos tem sido muito maior do que qualquer um de nós poderia ter imaginado. A *New Life* tem prosperado e está se preparando para um modelo multicampo. Espiritualidade emocionalmente saudável funciona como um ministério que flui da *New Life* e se espalhou por 25 países em todo o mundo. Geri e eu continuamos a amar nossa relação de trabalho com Rich e a *New Life*.

Ao escrever este livro, nós estamos perto do fim do segundo ano em nossos novos papéis. Geri e eu continuamos nos ajustando à nossa nova normalidade. Vejo-me desorientado em certos dias, mas até agora, eu consideraria nosso final e novo começo como o maior destaque dos meus 26 anos na Igreja *New Life*.

A PERSPECTIVA DE RICH SOBRE A SUCESSÃO

O processo de tornar-me pastor titular da igreja *New Life* não foi nada menos que alegre e estimulante. Embora eu tenha vivenciado minha parcela de medo e inadequação, consegui passar por esse processo de sucessão com clareza e confiança. Eu atribuo esta experiência a cinco orientações emocionalmente saudáveis que recebi.

1. Pete criou uma cultura de capacitação que posicionou a *New Life* para prosperar sem ele como principal voz de liderança. Anos antes, Pete estabeleceu uma equipe de pregação, o que preparou nossa congregação para ouvir e responder a outras vozes de liderança. Quando chegamos ao momento da transição, nossa igreja já estava acostumada com minha voz e liderança.
2. Pete me deu espaço para um "test-drive" como pastor principal sem ele estar presente. Em 2012, dezesseis meses antes da transição, ele saiu para um período sabático de quatro meses. Na ausência dele, eu tive de tomar decisões difíceis, liderar a equipe, pregar com frequência e absorver a realidade completa de liderar uma igreja. Esse período de tempo foi indispensável.
3. Pete, Geri e os presbíteros da *New Life* respeitaram o caráter único e separado da carreira da minha esposa. Em nenhum momento Pete, Geri, ou os presbíteros pressionaram Rosie a se ajustar a determinado molde de ser a esposa de um pastor. Eles respeitaram sua própria jornada e a encorajaram

a ser ela mesma. Se ela tivesse sido tratada de qualquer outra forma, teria sido difícil eu ir em frente neste novo papel.

4. Ter um processo claro e previsível foi crítico. Tivemos um processo de quatro anos, e cada ano foi cuidadosamente planejado para refletir a realidade da transição. No quarto ano (que foi o ano "prático"), nós funcionamos internamente como se a transição já tivesse ocorrido. Ter claras expectativas ajudou a nos orientar em nossas conversas e planejamento.
5. O que tornou essa experiência de transição incrivelmente prazerosa foi a constante afirmação que recebi de Pete, dos presbíteros e dos funcionários. Ouvir palavras de encorajamento deu-me a confiança de saber que estava fazendo um bom trabalho e dirigindo eficientemente nossa igreja. Essas palavras de afirmação me proporcionaram grande senso de paz de que eu estava no caminho certo.

Faça as quatro perguntas

Ao finalizar este capítulo, eu o convido a aceitar finais e novos começos de uma forma emocionalmente saudável. Discernimento, alegria, dons surpreendentes, fruto, revelações e paz de Jesus nos aguardam quando cooperamos com ele neste processo. E eles são apenas o antegosto do que nos aguarda!

Consideremos novamente os quatro temas principais da vida interior dos líderes emocionalmente saudáveis (parte 1), especificamente aplicando-os ao discernimento de finais e novos começos.

- **Enfrente sua sombra.** A minha sombra e os problemas da minha família de origem podem tornar difícil meu discernimento de finais e novos começos? De que maneira? Podem também fazer com que eu evite a espera necessária ou as noites escuras da alma? Que problemas do meu passado podem me impedir de me libertar e permanecer com Deus em períodos de desorientação quando as coisas parecem desmoronar?
- **Liderar a partir de seu casamento/vida de solteiro.** Meu cônjuge (se aplicável) ou amigos íntimos podem me ajudar a prestar atenção a Deus nos términos em que me encontro? Como podem eles servir como sábios conselheiros durante essa fase? De que forma a minha vocação como vivo sinal do amor de Cristo – se casado ou solteiro – poderia servir como uma âncora estabilizadora nesse período?
- **Reduza o ritmo em favor de uma amorosa união.** Como posso arrumar tempo para permanecer em amorosa união com Jesus durante essa

fase, discernindo os finais e novos começos que Deus pode ter para mim? Que práticas espirituais podem me ajudar a permanecer numa atitude de "espera no Senhor"? Como posso integrar essas duas perguntas em meu pensamento sobre finais: *Qual é o momento de abrir mão da minha vida pessoal e da minha liderança? Que novidade pode estar aguardando nos bastidores para fazer sua entrada em minha vida pessoal e em minha liderança?*[18]

- **Pratique o deleite do sábado.** Estou ouvindo Deus nos pequenos finais que vêm de meus sábados? Se estou, o que eu sinto Deus estar me dizendo? Eu preciso de um intervalo sabático mais longo para discernir as novas ocasiões às quais Deus está me conduzindo? Como posso aprender a partir da minha prática atual do sábado e sua imposição de limites e cessação para que eu possa me preparar melhor para parar e terminar bem as coisas?

Envolver-se nessas quatro questões em atitude de oração o ajudará em seu processo de discernimento, capacitando-o a cooperar com o que Deus está procurando fazer, em vez de resistir. Além disso, estar ciente dos problemas que elas levantam o ajudará a identificar as fases distintas do processo de Deus em torno de finais e novos começos.

Você pode ter certeza de que, ao enfrentar finais e novos começos na liderança, terá de lidar com muitos temores e questionamentos. Se você é como eu, sua mente pode ocasionalmente se precipitar aos piores cenários. É quando se instala o pânico. Quando isso acontece, permita-me encorajá-lo a permanecer no rumo. Há realmente uma ressurreição aguardando você no outro lado do final e da morte. Esse é o coração do cristianismo – verdadeiramente surge vida da morte. Se estivermos no curso com Jesus, há sempre um novo começo.

COMPREENDENDO SUA PRÁTICA DE FINAIS E NOVOS COMEÇOS

Se você fez a avaliação de finais e novos começos nas páginas 272-273, aqui estão algumas observações para ajudá-lo a refletir sobre suas respostas.

Se a sua pontuação se concentrou em um e dois, é provável que sua tendência seja evitar finais e ficar desencorajado diante da mudança em vez da ansiosa expectativa do que Deus pode estar fazendo em você e por meio de você. Receba isto como um convite de Jesus para atravessar a porta e aprender o que

[18] Adaptado de Bridges. *Transitions*, p. 87.

significa "tome a sua cruz e siga-me" (v. Lc 9.23). Arrume tempo nesta semana para refletir a respeito e escreva sobre duas perguntas: De que precisarei abrir mão na minha vida pessoal e na minha liderança neste momento? Que novidade pode estar aguardando nos bastidores para fazer sua entrada em minha vida pessoal e em meu ministério?

Se a sua pontuação se concentrou em dois e três, provavelmente você começou a aplicar uma teologia de finais e novos começos à sua vida pessoal e à sua liderança. Esta é uma oportunidade para você formar um novo momento com Deus para registrar e refletir especificamente sobre áreas das quais ele o está convidando a abrir mão. Peça discernimento a Deus para reconhecer os finais e os novos começos que possam estar surgindo em você e ao seu redor. E, finalmente, permita que Deus faça a sua obra transformadora de vida em você enquanto você espera e o segue no processo.

Se a sua pontuação se concentrou em quatro e cinco, você pode esperar que Deus o conduza para uma revelação mais profunda dessa poderosa verdade nos anos futuros. Você está também posicionado para servir o restante da igreja como mãe ou pai da fé. Considerando que Jesus nos conduz a todos para lugares aos quais não queremos ir (Jo 21.18), você pode servir agora como um companheiro espiritual para líderes que estarão seguindo seus passos.

POSFÁCIO

Implementando em prática a EES em sua igreja ou ministério

A Espiritualidade emocionalmente saudável (EES) é um paradigma que, em última análise, informa cada área da igreja, ministério ou organização. Assim, uma pergunta que emerge continuamente em nosso trabalho com líderes é: "Como eu introduzo a EES em nossa igreja – e como eu a mantenho lá"?

Existe uma variedade de ferramentas, livros, conferências e cursos para líderes que querem ensino e treino em espiritualidade emocionalmente saudável. Três ferramentas em particular são essenciais para tornar-se uma igreja com espiritualidade emocionalmente saudável: *O curso sobre habilidades emocionalmente saudáveis, Habilidades emocionalmente saudáveis 2.0* e *O líder emocionalmente saudável.*

Caminho para transformação da igreja EES

As três ferramentas centrais

1. O curso EES. Esse curso de oito semanas para formação espiritual fornece uma visão geral do paradigma da EES para a sua igreja ou ministério. Ele inclui a leitura de *Espiritualidade emocionalmente saudável* e o aprendizado de um ritmo de encontro com Jesus duas vezes por dia usando *Espiritualidade emocionalmente saudável dia a dia: uma jornada de quarenta dias com o Ofício Divino.* Devoções diárias correspondem a oito temas semanais do curso. O *Caderno de trabalho do curso EES* é usado pelos participantes durante o curso. As oito sessões incluem:

1. O problema da Espiritualidade Emocionalmente Doentia (Saul)
2. Conheça a si mesmo para poder conhecer Deus (Davi)
3. Retroceda para ir em frente (José)
4. Atravesse o muro (Abraão)
5. Expanda sua alma por meio do sofrimento e da perda (Jesus)
6. Descubra os ritmos do Ofício Divino e do sábado (Daniel)
7. Transforme-se num adulto emocionalmente maduro (O bom samaritano)
8. Vá para o próximo passo para desenvolver uma "Regra de Vida" (a igreja primitiva)

Muitas igrejas no mundo, incluindo a nossa, oferecem o *Curso EES* pelo menos duas vezes por ano para reforçar esses valores em sua cultura. Se possível, nós encorajamos as igrejas a oferecê-lo como um curso para a igreja toda devido à importância de processar bem esse poderoso conteúdo. Para ajudá-lo a dirigir um curso de alta qualidade, fornecemos recursos adicionais em nosso site www.emotionallyhealthy.org. Se você está pensando em oferecer o curso, eu o encorajo a se registrar online para receber atualizações contínuas e apoio.

2. *Habilidades emocionalmente saudáveis 2.0*. Ao longo de dezesseis anos, identificamos oito habilidades essenciais, desenvolvendo um treinamento para ajudar nossos líderes e os membros da igreja a se tornarem seguidores de Cristo emocional e espiritualmente maduros:

1. Ler a temperatura da comunidade
2. Parar a leitura da mente
3. Esclarecer expectativas
4. Fazer o genograma de sua família
5. Explorar o iceberg
6. Ouvir a encarnação
7. Subir a escada da integridade
8. Lutar limpo

A fórmula é simples: novas habilidades + nova linguagem + acompanhamento intencional = comunidade transformada. Embora *Habilidades emocionalmente saudáveis 2.0* possa ser usado em grupos pequenos, classes de Escola Dominical, sessões de treinamento, reuniões de liderança ou curso para a igreja toda, o fator mais importante é acompanhar situações específicas para que as pessoas aprendam a viver de forma diferente. *Habilidades emocionalmente saudáveis 2.0* está disponível em nosso site www.emotionallyhealthy.org.

3. O líder emocionalmente saudável. Os assuntos discutidos neste livro requerem discussões contínuas, aplicações pessoais e em equipe e matização em relação ao seu contexto particular. Somente ler o livro não é suficiente para realizar mudanças significativas em como você e sua equipe lideram. Para ajudá-lo a se engajar e aplicar este material com mais profundidade, nós desenvolvemos um livro de trabalho que você pode baixar em www.emotionallyhealthy.com ou www.zondervan.com. Inúmeros outros áudios, vídeos e recursos adicionais para líderes também estão disponíveis em nosso site.

Ferramentas adicionais do EES

O curso *The Emotionally Healthy Woman* [A mulher emocionalmente saudável] em livro ou DVD está focado nas coisas das quais precisamos para nos envolvermos seriamente na jornada da EES. Por exemplo, para não ter medo do que os outros pensam, parar de mentir, de trabalhar demais e de viver a vida de outra pessoa. Um livro para homens sobre esse mesmo assunto será lançado em 2016 com o título *O homem emocionalmente saudável.*

The Emotionally Healthy Church [A igreja emocionalmente saudável] oferece a pastores e líderes um fundamento teológico relacionado aos princípios da EES, como viver em quebrantamento e vulnerabilidade, aceitar o sofrimento e a perda e receber o dom dos limites.

Vamos continuar a produzir materiais adicionais, incluindo um futuro curso em livro e DVD para casais sobre *The Emotionally Healthy Marriage* [O casamento emocionalmente saudável].

Se há interesse em aprender mais sobre o que pode significar levar a EES à sua igreja ou ministério, eu encorajo insistentemente que você ou um membro importante de sua equipe se torne um representante do EES. À medida que você, aos poucos e metodicamente, introduz a espiritualidade emocionalmente saudável em seu contexto, visite o nosso site www.emotionallyhealthy.org, para aprender mais sobre recursos e eventos, disponíveis em grande quantidade, incluindo conferências sobre EES, eventos de treinamento pela web e novos materiais à medida que são desenvolvidos.

APÊNDICE 1

Características de igrejas transformadas pela EES

Como seria se a Espiritualidade Emocionalmente Saudável fosse totalmente implantada em sua organização? As características descritas a seguir foram projetadas para ajudá-lo a imaginar a EES como uma realidade em seu contexto. As descrições em cada uma das seis categorias foram desenvolvidas e aperfeiçoadas num período de vinte anos. Não são metas, conquistas ou listas de itens para ser marcadas como "terminadas". São descrições do que significa em termos concretos estar numa autêntica jornada da vida com Cristo e tornar-se uma presença missionária de Deus no mundo.

1. Espiritualidade desacelerada

- A cadência e o andamento de nossa vida pessoal são mais lentos e deliberados. Nós operamos a partir de um ativismo contemplativo: *fazer para* Jesus flui do *estar com* ele.
- Nós comungamos com e somos transformados por Jesus através de uma prática diária sistemática da leitura da Escritura.
- Nós encorajamos, respeitamos e valorizamos a observância do sábado como importante disciplina espiritual.
- Nós vemos e praticamos a oração como parte do estilo de vida da amorosa união com Jesus.
- Consideramos passar tempo em solidão e silêncio ser fundamental para permanecermos centrados em Cristo.
- Nós cremos que o discernimento da vontade de Deus requer sensibilidade para o que está acontecendo dentro de nós (consolações e desolações), bem como buscamos compreensão da Escritura e conselho sábio.

- Nós fazemos mudanças de vida radicais e bem pensadas (adotando uma "Regra de Vida") para cultivar um relacionamento pessoal com Jesus e evitar viver a espiritualidade dos outros.
- Nós afirmamos e praticamos uma teologia de deleite – tanto pessoal como coletivamente.

2. Integridade e liderança

- Pastores e líderes de ministério lideram a partir de uma profunda vida interior com Cristo.
- Os líderes consideram seu casamento ou vida de solteiro sua mais alta mensagem do evangelho; eles tornam conscientemente esse aspecto de sua vida um reflexo do seu eterno destino de casamento com Cristo.
- Pastores e professores têm a experiência da Escritura como um profundo bem para sua própria alma, e não simplesmente uma ferramenta para ensinar outros.
- O trabalho de governança da igreja (conselho de presbíteros, equipe de liderança etc.) flui de um processo de discernimento espiritual focado em seguir a vontade de Deus ao tomar decisões estratégicas.
- Os líderes procuram estar apropriadamente conectados aos outros, todavia tranquilamente diferenciam seus "verdadeiros egos" das exigências e expectativas dos que estão ao seu redor.
- A igreja e seus líderes estão conscientes da complexidade da dinâmica do poder e dos desafios de dirigir papeis duplos no curso da obra ministerial e edificar a comunidade.
- Os líderes humildemente pregam e vivem em verdade e autenticidade; eles se recusam envolver-se em fingimento, causar impressão ou exagerar.
- A autoridade espiritual permite e encoraja pessoas a fazer perguntas e a dizer "não" quando apropriado.

3. Discipulado "sob a superfície"

- Nós retrocedemos para avançar, procurando quebrar padrões negativos de nossas famílias de origem e culturas que nos impedem de seguir Jesus.
- Nós reconhecemos e respeitamos nossos limites pessoais e os limites dos outros.
- Nós apreciamos e mantemos profunda consciência de nosso quebrantamento.

- Procuramos integrar ao amor saudável do ego e ao zelo consigo nosso amor por Deus e pelos outros.
- Nossa medida do que constitui uma espiritualidade idônea é amor, humildade e acessibilidade, e não talentos, poder ou sucesso.
- Perdas e decepções são vistas como oportunidades para o encontro com Deus e mais autodescoberta.

4. Comunidade saudável

- Afirmamos e praticamos a escuta profunda como um meio indispensável de exercer amor.
- Expressamos nossas hipóteses e expectativas sobre o que os outros podem estar pensando, em vez de confiar na "leitura da mente".
- Procuramos usar nova linguagem que nos capacite a articular respeitosamente nossas vontades, necessidades e diferenças. Por exemplo: "estou confuso", "eu noto", ou "eu prefiro", em vez de fazer acusações ou ter explosões de raiva.
- Procuramos continuamente controlar as habilidades e nuances da "luta limpa".
- Mantemos uma saudável sensibilidade no fazer demais (fazer pelos outros o que eles podem e devem fazer por si mesmos) e fazer de menos (confiar que os outros façam o que podem e devem eles mesmos fazer).
- Buscamos a união da igreja ao respeitar diferenças individuais (valorizando pontos de vista diferentes, escolhas e jornadas espirituais).
- Desafiamos a nós mesmos e encorajamos outros a partilhar de nossas fraquezas e vulnerabilidades.

5. Casamentos apaixonados e celibatos

- Nós reconhecemos, honramos, celebramos e apoiamos tanto o celibato como o casamento. Isto está refletido em tudo, desde sermões regulares a retiros e eventos preparatórios.
- Casais e solteiros compreendem que estão se tornando sinais vivos do amor de Deus para o mundo, cultivando um amor que é apaixonado, íntimo, livre e estimulante.

- Nossa união com Cristo está intimamente conectada à nossa união com nossos cônjuges (para os casados) e à nossa comunhão íntima (para pessoas solteiras).
- Nós falamos abertamente sobre sexualidade, reconhecendo que a linda relação entre Cristo e sua igreja deve ser refletida no relacionamento sexual entre marido e mulher, ou na castidade dos solteiros.
- Nós fazemos diferença entre "usar" e "amar" ao monitorar os movimentos interiores do coração, tratando outros como únicos e inestimáveis.
- Aceitamos o paradigma do casamento de duas pessoas diferentes e separadas (cada uma com esperanças, valores, ideias e preferências diferentes) como caminho para a unidade.
- Podemos articular uma teologia do celibato, acolhendo e valorizando a relação dessa teologia com a espiritualidade de cada pessoa.

6. Obreiros missionários

- Compreendemos em profundidade que nossas esferas de atividade diária – remunerada ou não, no trabalho ou na aposentadoria, dentro ou fora de casa – constituem nosso ministério e são tão importantes quanto as atividades dos que trabalham em tempo integral ou no ministério vocacional.
- Vemos o trabalho como um ato de adoração e o consideramos parte da construção do reino de Deus e do processo de trazer ordem ao caos.
- Não fazemos distinção entre "sagrado" e "secular" e nos recusamos a separar trabalho e espiritualidade.
- Procuramos conscientemente criar e modelar a comunidade dentro de nossas esferas de influência, integrando novas habilidades e uma nova linguagem para exercer amor.
- Procuramos desenvolver consistentemente ritmos mais lentos e mais deliberados para praticarmos a presença de Jesus (ou seja, estar com ele) no contexto do trabalho e das atividades diárias.
- Nós damos passos práticos para dar e servir aos outros, tanto dentro como além de nossas próprias comunidades.
- Baseando-nos no firme fundamento do evangelho, procuramos combater males como o preconceito de raça, classe e sexo, engajando-nos no mundo para que a nossa vida sirva como bênção aos outros.

APÊNDICE 2

Planilha da regra de vida

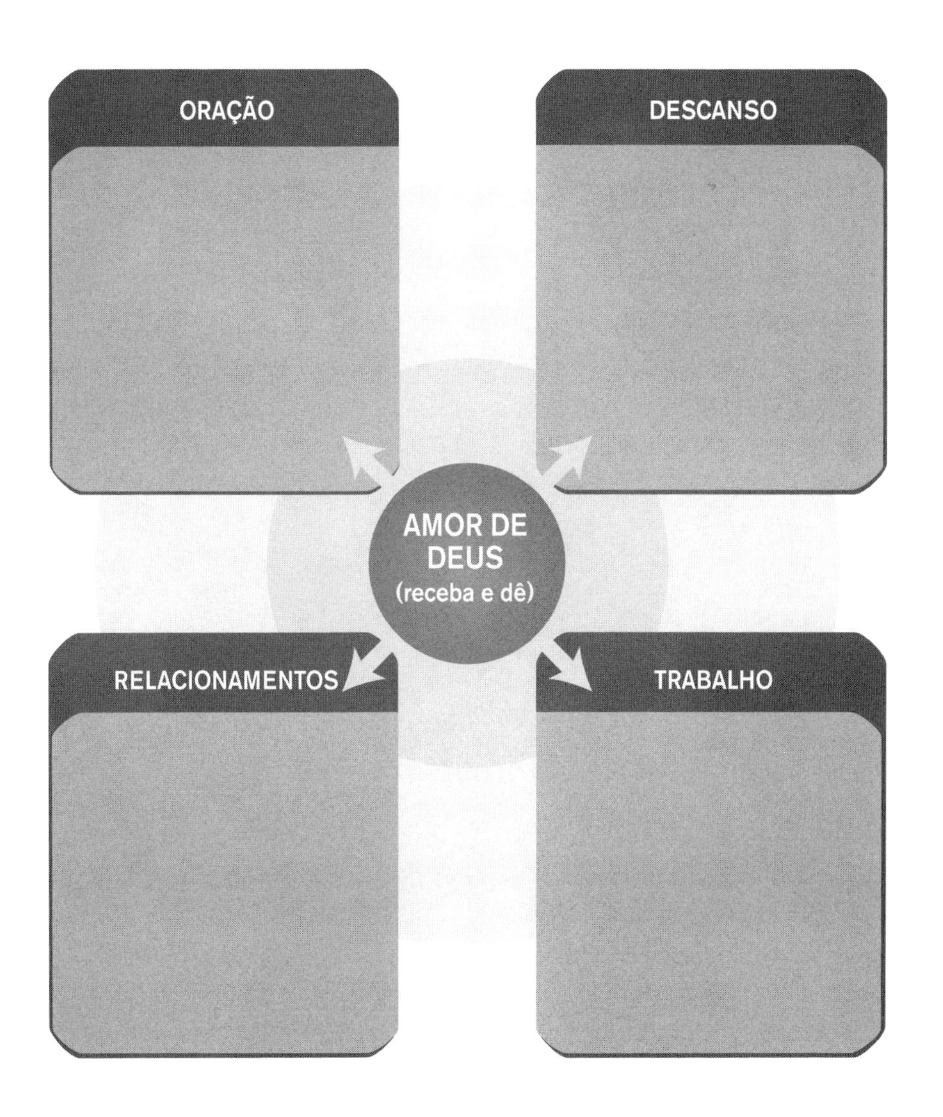

APÊNDICE 3

GENOGRAMA DE SUA FAMÍLIA

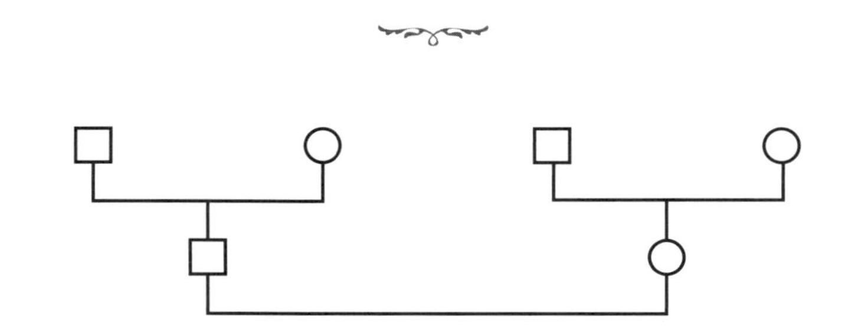

Relacionamento	Dinâmica relacional	Símbolo
Conflituoso	Um padrão consistente em que os problemas não são resolvidos entre as pessoas.	
Rompido	As pessoas na família param de conversar umas com as outras ou evitam contato.	
Distante/pobre	Conexão fraca ou mínima entre os membros da família.	
Emaranhado	Há pressão para que os membros da família pensem, sintam e ajam de modo semelhante. Há pouca tolerância se as pessoas são independentes ou diferentes, ou se discordam.	
Abuso	Grave ultrapassagem dos limites pessoais – sejam eles sexuais, emocionais ou físicos, ferindo gravemente a dignidade e a humanidade um do outro.	

Símbolos do status relacional

Casamento | Vivendo juntos | Separados

Divórcio | Divórcio e novo casamento

Temas: ____________________

Eventos terremotos: ____________________

Agradecimentos

Eu escrevi o livro, mas ele foi gestado no contexto de duas comunidades. Na primeira e mais importante estão Geri, minha melhor amiga e esposa há 31 anos, nossas quatro filhas adultas e nosso genro – Maria, Faith, Eva, Christy e Jesse. O discernimento, os dons de sabedoria e, mais importante, a integridade de Geri estão espalhados por estas páginas.

Em segundo lugar, quero agradecer à família da Igreja *New Life Fellowship*, de Queens, cidade de Nova York, onde servi durante os últimos 29 anos. Este livro foi escrito no cadinho de nossa vida juntos como comunidade multirracial empenhada em desfazer barreiras raciais, culturais, econômicas e de sexos para servir ao fraco e marginalizado. Este livro emergiu desse solo; a abertura para o Espírito Santo e um novo começo são um presente. Quero expressar especial reconhecimento aos anciãos (particularmente a Andrew Favilla e Jackie Snape), ao grupo de trabalho, aos líderes, aos membros da *New Life* e a todos que leram os rascunhos e partes deste livro durante todo o processo (são muitos para mencioná-los nominalmente). Obrigado a todos.

Quero agradecer também a Rich Villodas, o novo pastor da *New Life*, por seu corajoso exemplo de liderança emocionalmente saudável e por nossas muitas conversas sobre a aplicação deste material à próxima geração. Greg Jao, vice-presidente da InterVarsity e novo membro do grupo de pregação da *New Life Fellowship*, contribuiu com muito discernimento, o que tornou este livro melhor. Lance Witt, Scott Sunquist, Kathy e Ron Fehrer, Chris Giammona, Steve Treat e Ken Shigematsu, cada um deles ofereceu importantes contribuições teológicas, práticas e históricas para este livro.

Christine Anderson serviu como excelente editora, desafiando-me, além do que eu considerava possível, a ser um escritor melhor. Suas perguntas perspicazes e profundas foram indispensáveis em todo o longo e árduo processo de redação. E, finalmente, meu sincero agradecimento a Chris Ferebee, minha agente, com toda a equipe Zondervan por seu excelente trabalho e parceria na publicação desta obra.

MINISTÉRIO ESPIRITUALIDADE
EMOCIONALMENTE SAUDÁVEL

Você não pode ser espiritualmente saudável se for emocionalmente imaturo

O Ministério

Com quase 20 anos de existência e presente no Brasil desde 2014, sob a coordenação da Willow Creek Brasil – integrante da Willow Creek Association –, o *Ministério Espiritualidade Emocionalmente Saudável* (MEES) vem trabalhando de forma árdua e contínua na capacitação e inspiração de milhares de homens e mulheres de várias idades, das mais diferentes igrejas e regiões, que anseiam por uma mudança profunda em sua espiritualidade. Dia pós dia o ministério vem avançando na meta de alimentar cada pessoa com uma mensagem centrada, histórica e totalmente conectada aos ensinamentos de Cristo.

Nossa Missão

A missão do *Ministério de Espiritualidade Emocionalmente Saudável* é equipar a igreja de uma espiritualidade profunda, "transformando as pessoas que transformam o mundo". Com os nossos seminários, cursos, vídeos e bestsellers de Peter Scazzero (New Life Felowship Church), buscamos fornecer estratégias para o discipulado sadio e profundo, onde os cristãos poderão crescer em sua fé, melhorando a vida em comunidade e preparando o coração para as mais diferentes crises.

Nossa Visão

Nossa visão, a razão de existirmos, não é somente ser instrumento para a cura de feridas, mas fazer com que as cicatrizes adquiridas a medida que vivemos sejam lembradas e transformadas em fontes de força, reflexão e certeza do amor de Deus.

Assim, nosso interesse é ver um movimento de saúde emocional para líderes e igrejas se tornar realidade no Brasil e no mundo.

Nossos objetivos

1. Ser peça fundamental na integração da saúde emocional e espiritualidade contemplativa para o discipulado e formação espiritual.
2. Transformar a qualidade dos líderes, relacionamentos, igrejas e organizações por meio de ricos recursos de mídia, publicações e ferramentas interativas.
3. Enriquecer a qualidade de casamentos, especialmente daqueles que são líderes, por meio de material escrito, conferências e seminários vivenciais.
4. Ser relevante integração entre saúde emocional e espiritualidade contemplativa, fundamentais para o crescimento espiritual e o discipulado.

Nossa Luta, nossa Meta

Estudos recentes confirmam que pastores e líderes têm enfrentado uma crise: a vida das pessoas não está sendo profundamente transformada nas igrejas. Além disso, muitos líderes estão se tornando vazios por negligenciar a vida íntima com Deus. O prático seminário *Espiritualidade Emocionalmente Saudável*, aplicado por nosso ministério, apresenta os passos para implementar na vida do líder, em sua família e na liderança da igreja local um paradigma de discipulado profundo exposto nos livros de Peter Scazzero.

Scazzero explora em suas obras a maneira de desenvolver uma cultura eclesiástica, a começar com os pastores, onde a maturidade espiritual e a saúde emocional são consideradas inseparáveis e onde o trabalho para Jesus flui de "uma vida com Jesus". Temos como meta levar o líder a se envolver seriamente com Cristo durante os seminários, equipando-se assim para levar o conteúdo a sua liderança e, posteriormente, a toda a igreja.

Contato:

Ministério Espiritualidade Emocionalmente Saudável – MEES Brasil
http://www.meesbrasil.com/
Rua Nicolau Zarvos, 236A - Pq. Jabaquara
(11) 2362-9851 - mees@willowcreek.org.br

Sua opinião é importante para nós.

Por gentileza, envie-nos seus comentários pelo e-mail:

editorial@hagnos.com.br